D0508173

SANTORIN

Vordere Umschlagklappe: Übersichtskarte von Santorin

Hintere Umschlagklappe: Geologische Karte von Santorin

Nicoletta Adams

SANTORIN

DUMONT

Titelbild: Blick auf das romantische Dorf Oia
Umschlaginnenklappe vorne: Die Kabelseilbahn überwindet bequem den Höhenunterschied zwischen dem Hafen und der Inselhauptstdt Thira
Umschlaginnenklappe hinten: Weinlese
Umschlagrückseite: Haustür im typischem Blau der Kykladen (oben); Kubushäuser in Oia (Mitte); Kinder in Vothonas (unten)
Vignette S. 1: Einer der vielen Glockentürme von Thira
Abbildung S. 2/3: Thira und seine Kirchen – in einzigartiger Lage am Caldera-Rand

Über die Autorin: Nicoletta Adams studierte Geologie und promovierte mit einer Arbeit über Santorin. Seit 1988 arbeitet sie als freie Wissenschaftsjournalistin.

Danksagung
Ich möchte mich bei den Bewohnern von Thera und Therasia bedanken, die mich die Aufenthalte auf ihren Inseln in so guter Erinnerung behalten lassen, und vor allem auch bei Kostas Iokimidis. Mein besonderer Dank gilt meinem Mann Collie und meinen Freundinnen Irmgard Blättner, Maren Gaulke und Karin Hansen, die mir im Gelände und bei der Durchsicht des Manuskriptes wertvolle Hilfen waren, sowie Herrn Papadopoulos von der Griechischen Zentrale für Fremdenverkehr in München.

© DuMont Buchverlag, Köln
5., aktualisierte Auflage 2000
Alle Rechte vorbehalten
Umschlaggestaltung: Groschwitz, Hamburg
Satz und Druck: Rasch, Bramsche
Buchbinderische Verarbeitung: Bramscher Buchbinder Betriebe

Printed in Germany ISBN 3-7701-2883-4

INHALT

LAND & LEUTE

Santorin im Überblick

Geschichte und Gesellschaft

UNTERWEGS
AUF SANTORIN

Thira, die Inselhauptstadt

Der Norden

Der Zentralteil

Der Süden

Therasia und die Kameni-Inseln

Santorin mit dem Bus und zu Fuß

TIPS & ADRESSEN

Bitte schreiben Sie uns, wenn sich etwas geändert hat.
Alle in diesem Buch enthaltenen Angaben wurden von der Autorin nach bestem Wissen erstellt und von ihr und dem Verlag mit größtmöglicher Sorgfalt überprüft. Gleichwohl sind – wie wir im Sinne des Produkthaftungsrechts betonen müssen – inhaltliche Fehler nicht vollständig auszuschließen. Daher erfolgen die Angaben ohne jegliche Verpflichtung oder Garantie des Verlages oder der Autorin. Beide übernehmen keinerlei Verantwortung und Haftung für etwaige inhaltliche Unstimmigkeiten. Wir bitten dafür um Verständnis und werden Korrekturhinweise gerne aufgreifen:

DuMont Buchverlag, Postfach 10 10 45, 50450 Köln
E-Mail: reise@dumontverlag.de

LAND & LEUTE

»Wenn ich meine Augen von dem Feuerherd ablenke, trinkt sich der Blick voll an der märchenhaft schönen Landschaft: die schwarze Kraterwand, hoch oben die weißen Häuschen der Insel wie eine Kette weißer Korallen auf schwarzem Samt und die zerklüfteten Klippen … gegen das tiefe Blau des Himmels gereckt …«

Franz Spunda

Santorin im Überblick

Ein Archipel (fast) aus einem Guß

Vulkangeschichte – es begann vor eineinhalb Millionen Jahren

Süßwasser – ein kostbares Gut

Blütenpracht auch auf dem schroffsten Felsen

Meltemi, der »Herr der Insel«

Terrassenfelder in der Nähe von Oia

Geographie

Bis zu 200 km von Athen entfernt, am Südrand des Ägäischen Meeres, liegen die Kykladen. Ihren Namen verdanken sie der geographischen Anordnung der einzelnen Inseln, die sich wie in einem Kreis (griech. *kyklos*) um Delos, das ehemalige religiös-kulturelle Zentrum, gruppieren. Die südlichste und gleichzeitig auch ungewöhnlichste Kykladen-Insel ist Santorin. Sie liegt zwischen dem 25. und 26. Grad östlicher Länge und dem 36. und 37. Grad nördlicher Breite, ca. 110 km nördlich von Kreta.

Im Laufe ihrer Geschichte hat die Insel viele verschiedene Namen getragen wie Strongyle, Kalliste und Deimerjdik. Heute haben sich zwei offizielle Namen eingebügert: Santorin und Thera (Thira). Die Einwohner selbst bevorzugen meist Santorin und bezeichnen sich auch als Santoriner bzw. Santorinesen.

Das Eiland hat eine Gesamtfläche von 89 km^2 und setzt sich aus fünf Inseln zusammen: Thera, Therasia und Aspronisi, drei unterschiedlich großen, ringförmig angeordneten Inseln, die den bruchstückhaften Rand eines freigesprengten und eingestürzten Vulkans *(Caldera)* darstellen, sowie Paläa Kameni und Nea Kameni, den beiden jungen

Die Caldera-Wand unterhalb der Inselhauptstadt Thira

›Steckbrief‹ Santorin

- **Fläche:** Santorin insgesamt: 89 km² (Kykladen: 2572 km²)
- **Bevölkerung:** Santorin: ca. 10 500 Einwohner (Kykladen: 94 005 Einwohner)
- **Bevölkerungsdichte:** Santorin: ca. 117 Einwohner/km² (Kykladen: 36 Einwohner/km²)
- **Religion:** Santorin: ca. 98 % griechisch-orthodox, ca. 2 % römisch-katholisch
- **Hauptstadt:** Thira, auch Fira
- **Fluggäste:** Santorin: Einsteiger: 232 000, Aussteiger: 226 000
- **Besucher:** Akrotiri-Ausgrabung 235 000, Ghyzi-Museum 20 611 und Archäologisches Museum 35 000 in Thira, Seefahrtsmuseum in Oia 30 000, Alt-Thera 85 000
- **Wirtschaft:** (auf Gesamtgriechenland bezogen) Bruttoinlandsprodukt: je Einwohner 3,36 Mio. Drs. bzw. 12 823 US-$; Inflationsrate 4,7 %; Erwerbstätigkeit: Land- und Forstwirtschaft, einschl. Fischerei 20%, Produzierendes Gewerbe 22%, Dienstleistungen 57%; Arbeitslosigkeit ca. 10,1%
- **Verwaltung:** Griechenland ist in 51 Verwaltungsbezirke (Departements bzw. *nomi*) aufgeteilt; eine dieser nomi bilden die Kykladen-Inseln mit Hauptsitz in Ermupolis auf Siros. An ihrer Spitze steht der Präfekt (normarchis), der von der Regierung eingesetzt wird und ihr weisungsgebunden ist. Jeweils 3–4 nomi sind zu einer Region zusammengefaßt. Die einzelnen Inseln sind in Städte und Gemeinden unterteilt. Santorin hat 13 Gemeinden. Seit 1985 gibt es ein ägäisches Ministerium mit Sitz in Mitilini auf Lesbos, das die Angelegenheiten der Inseln im Athener Kabinett vertritt.

Vulkaninselchen inmitten dieser vom Meer überfluteten Caldera.

Die Hauptinsel Thera (auch Santorini genannt) gleicht in ihrer Form dem zunehmenden Halbmond. Von der Nordspitze, dem Kap Mavropetra, bis zum Kap Exomitis am Südzipfel beträgt die Entfernung 16,7 km, während die Breite zwischen 1,3 km an der schmalsten Stelle im Norden und etwa 6 km im südlichen Drittel der Insel variiert.

Die Landschaft ist faszinierend und überraschend vielfältig. Sie steigt von der flachen äußeren Küste im Osten, die durch die terrassenförmig angelegten Weinfelder in ein zartes Grün getaucht und mitunter unvermittelt von tiefen Erosionsrinnen zerschnitten ist,

Warum gerade Santorin?

»Fahren wir in das innere Meer ein, so umgibt uns ein geradezu phantastisches Landschaftsbild. Aus den tiefblauen Fluten erhebt sich ringsum drohend die finstere, unersteiglich erscheinende, völlig kahle Wand der Innenseite des Inselringes, meist über 200, ja über 300 m hoch. In grellen roten und schwarzen Farbtönen zeichnen sich die Lava-, Schlacken- und Aschenbänke voneinander ab, die in mannigfaltigem Wechsel diese Wände aufbauen und in horizontale Leisten gliedern. Zuoberst liegt aber fast überall eine blendendweiße, bis 30 m mächtige Schicht von Bimssteintuff als Krönung des buntfarbigen Absturzes.«

Diese Beschreibung des Naturforschers Alfred Philippson umreißt in eindrucksvollen Worten die Einzigartigkeit und Unvergleichlichkeit, die Santorin aus allen anderen griechischen Inseln hervorheben. Nirgendwo spürt man die Unberechenbarkeit der Natur so deutlich wie hier. Mal zeigt sich die Insel ruhig und einschmeichelnd, betrachtet man z. B. die sanften Abhänge im Osten mit den zarten Farben der gelben Felder und grünen Weinreben, die zusammen mit den weißgelben Bimssteinen ein harmonisches Bild ergeben. Mal gibt sie sich schroff und fast abweisend, blickt man von der steilen Abbruchkante hinab in die Caldera auf die tiefschwarz aufragenden Lavablöcke der beiden jüngsten Vulkaninselchen, auf denen sich kein Leben zu regen scheint. Und dann mutet die Insel wieder ganz unrealistisch an, wenn das Licht der untergehenden Sonne langsam die Farben verändert und die aufsteigende Feuchtigkeit die Konturen verwischt. Die Natur ist allgegenwärtig und untrennbar von der Geschichte Santorins und dem Leben der Bewohner. Ihr verdanken wir die faszinierende Entstehungsgeschichte, die nicht nur einen Fachmann in den Bann zieht, sowie die archäologische Sensation, die uns den Blick zurück in den Alltag der Inselbewohner vor 3600 Jahren gewährt. Damals wie heute wird das Leben bestimmt von dem Wissen, daß die Menschen hier auf einem noch nicht erloschenen Vulkan siedeln, der von Zeit zu Zeit erwachen und sie aus ihrer Heimat vertreiben kann, aber auch von der Gewißheit, daß sie immer zurückkehren und dann eine Weile lang wieder die Oberhand behalten werden.

Auch bei dem Besucher der Insel wird die Einmaligkeit der Landschaft und das Eingebundensein der Menschen in die Natur einen tiefen Eindruck hinterlassen.

langsam bis zu dem schmalen Caldera-Rand im Westen an, dessen vielfarbige Wände aus etwa 200–300 m Höhe steil ins innere Becken abfallen. Hier am Steilabsturz befindet sich Thira, die Hauptstadt Santorins, zu deren ›Füßen‹ der alte Hafen liegt, an dem heute noch die meisten Kreuzfahrtschiffe anlegen. Die Schiffe müssen an Bojen festmachen, da die Steilwände ebenso tief unter den Meeresspiegel hinunterreichen, wie sie darüber aufragen, so daß kein Ankergrund zu finden ist. Ein ähnliches Bild zeigt die Nordspitze mit dem Ort Oia. Seine Häuser sind genauso in den Hang gebaut wie die in Thira, und man erreicht die zwei kleinen Häfen ebenfalls über serpentinenreiche Treppen. Von dort fahren mehrere Ausflugsboote zu den anderen Inseln des Archipels ab. Ansonsten ist der Nordteil der Insel sehr viel schmaler und relativ steil. An der engsten Stelle gipfelt er in den drei Vulkankuppen des Megalo Vouno (330 m), des Kokkino Vouno (283 m) und des Mikro Profitis Elias (314 m).

Im Gegensatz dazu erstrecken sich im flacheren Süden ausgedehnte Ebenen zwischen den Orten Akrotiri auf dem Südwestzipfel und Perissa im Südosten. Es ist der älteste Teil der Insel und gleichzeitig auch der fruchtbarste. Als auffallendstes Merkmal des Südteils erhebt sich allerdings der Profitis Elias, der höchste Berg der Insel, aus der Ebene im Osten bis in eine Höhe von 565 m. Er besteht aus Kalkstein, Marmor und Phyllit, einem umgebildeten Tonschiefer, den einzigen nicht-vulkanischen Gesteinen der Insel. Phyllite säumen auch die Fahrstraße nach Athinios, dem neuen Haupthafen von Santorin im Südwesten der Insel am Caldera-Rand. Hier legen die großen Fährschiffe an, die auch die Import- und Exportgüter transportieren.

So aufregend und betriebsam also die Westseite der Insel ist, so beruhigend wirkt die sanft ins äußere Meer abfallende Ostseite, an der die übrigen Orte liegen. Hier findet man auch die schönsten Badebuchten mit sandigen bis feinkiesigen Stränden von anthrazitgrauer Farbe.

Therasia, die zweitgrößte Ringinsel, ist praktisch spiegelbildlich zur Hauptinsel aufgebaut und entspricht ihr auch landschaftlich in etwa. Sie ist mit 5,7 km nur ca. ein Drittel so lang wie ihre ›große Schwester‹. Ihre Breite beträgt nahezu überall 2,7 km, da die Insel ungefähr die Form eines Parallelogramms hat. Auf einer Fläche von 9,4 km^2 haben sich die Bewohner in nur zwei größeren Orten angesiedelt: in der Hauptstadt Manolas und dem Ort Potamos.

Ziemlich genau in der Mitte zwischen dem Südwestzipfel von Thera (2,3 km) und der Südspitze von Therasia (2,5 km) liegt das nur 0,13 km^2 kleine Eiland Aspronisi mit einer Länge von 0,6 km und einer Breite von 0,2 km. Die nach allen Seiten steil abfallende Insel ragt max. 70 m aus dem Meer empor und ist unbewohnt.

Die drei Ringinseln umschließen das Caldera-Becken mit einer Fläche von 83 km² sowie einer Ausdehnung von 11 km in Nord-Süd-Richtung und 7 km in Ost-West-Richtung. Es wird durch eine ostwestlich verlaufende Schwelle in ein Nord- und ein Südbecken geteilt, wobei das Nordbecken 390 m tief ist und das Südbecken max. 308 m. Die flachsten Stellen liegen zwischen Therasia und Aspronisi sowie zwischen Aspronisi und Thera mit Wassertiefen von 10–20 m. Daher fahren die meisten Schiffe von Norden her durch die nur knapp 1,6 km breite Meeresstraße zwischen Thera und Therasia ein, die an der flachsten Stelle immer noch eine Wassertiefe von ca. 150 m aufweist.

Älteste Aschen-, Schlacken- und Bimssteinsschichten des Thera-Vulkans

Inmitten der Caldera ragen die Kameni-Inseln aus dem Meer empor. Sie bedecken zusammen etwa eine Fläche von 5 km². Paläa Kameni, die ältere und kleinere der beiden Inseln, mißt in der Länge 1,4 km und in der Breite 0,6 km. Nea Kameni ist mit 2,4 km Länge und 2,2 km Breite nahezu ebenso lang wie breit.

Geologie

Entstehung einer Insel: Von der »Runden« *(Strongyle)* zu der »Schönen« *(Kalliste)*

Santorin gehört zum sog. Kykladenbogen, einem 500 km langen und 20–40 km breiten vulkanischen Inselbogen, der vom Isthmus von Korinth bis zum kleinasiatischen Festland reicht.

Die vulkanische Aktivität kommt durch die Kollision zweier Platten der Erdkruste zustande: Die Ägäische Platte, auf der sich die griechischen Inseln befinden, bewegt sich relativ nach Südwesten gegen die Afrikanische Platte, die ihrerseits nach Norden driftet und dabei unter die Ägäische Platte geschoben wird. Bei diesem Prozeß (Subduktion) führen die hohen Temperaturen und Drucke zur teilweisen Aufschmelzung der abtauchenden Platte. Das aufgeschmolzene Material (Magma) sucht sich dann an Spalten und Bruchzonen den Weg nach oben.

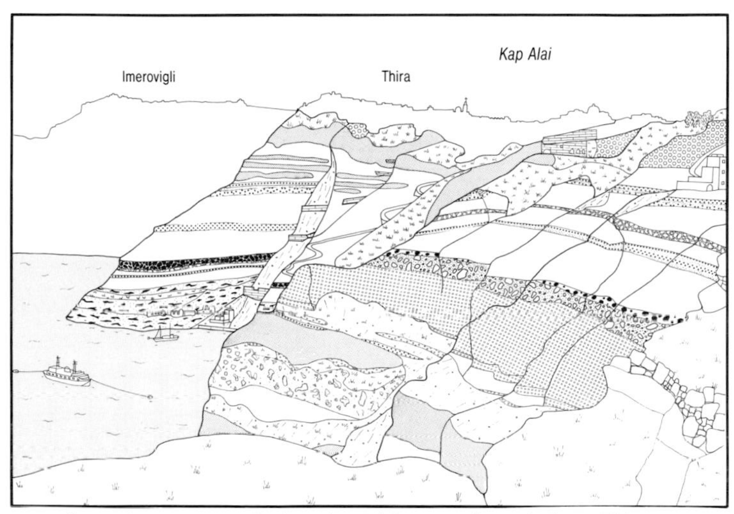

Die vulkanischen Gesteinsschichten der Caldera-Wand unterhalb von Thira

- Obere Bimsstein-Folge
- Aschen und Schlacken
- Mittlere Bimsstein-Folge/ z. T. verschweißt
- Beim Einbrechen des Schlotes aus der Schlotwand herausgerissene ältere Gesteinsbrocken
- Untere Bimsstein-Folge (bei der Eruption aus dem Schlot herausgequollene Bimssteine, die sich chaotisch ablagern)
- Untere Bimsstein-Folge (bei der Eruption in die Luft geschleuderte Bimssteine, die sich horizontal ablagern)
- Laven
- Rote Schlacken
- Ignimbrit
- Hangschutt

Der Vulkanismus setzte in diesem Teil der Ägäis in der Übergangszeit vom Pliozän zum Pleistozän, also vor etwa 3 Mio. Jahren ein und dauert auf Santorin bis heute an. Die vulkanische Aktivität auf den übrigen Inseln ist bereits erloschen. Der Vulkan Methana brach 282 v. Chr. zum letzten Mal aus, und auf Nisyros fand die letzte Eruption im Jahr 1422 n. Chr. statt, seither treten nur noch ab und zu Schwefeldämpfe aus.

Die vulkanischen Gesteine von Santorin liegen über nicht-vulkanischen Gesteinen, Kalken und Phyl-

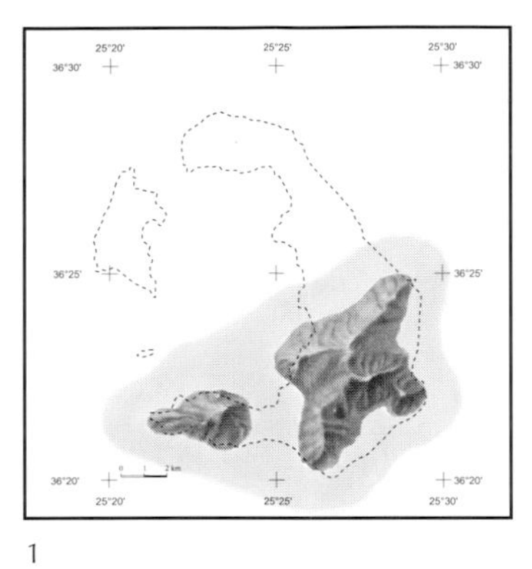
25°20'
25°25'
25°30'
36°30'
36°25'
36°20'
0 1 2 km

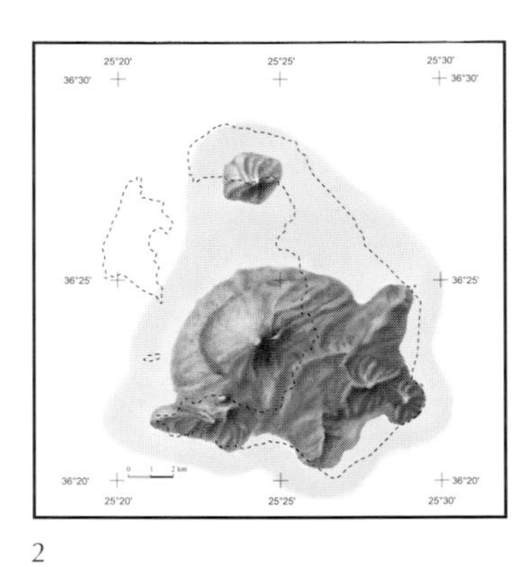
25°20'
25°25'
25°30'
36°30'
36°25'
36°20'

1

2

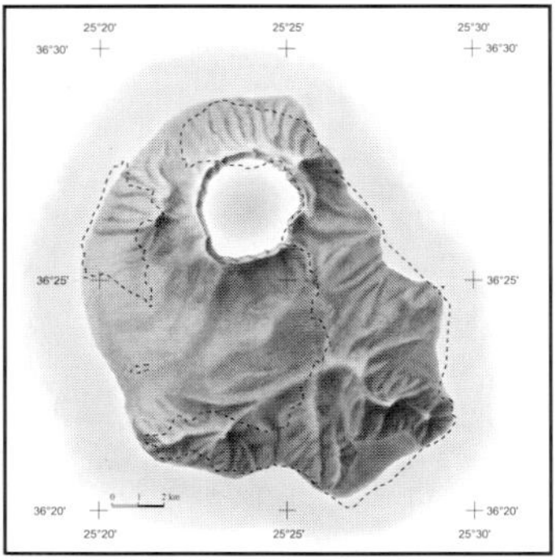

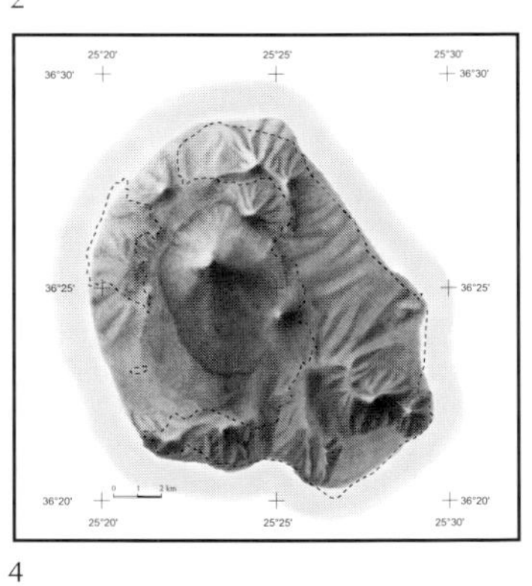
25°20'
25°25'
25°30'
36°30'
36°25'
36°20'

3

4

5

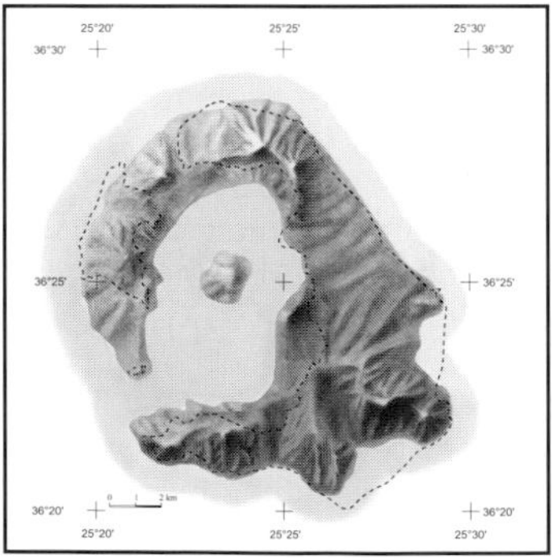

6

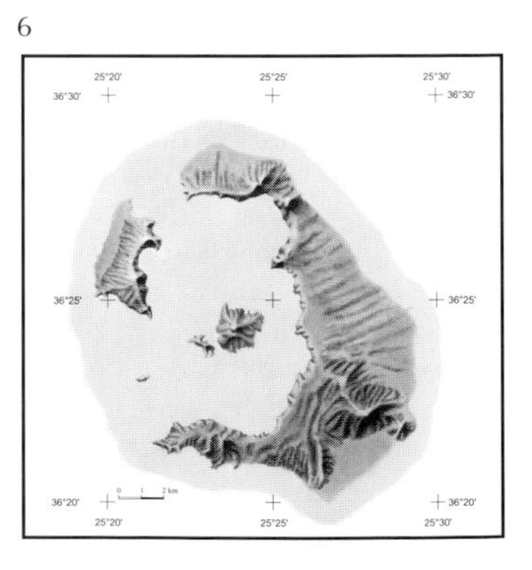
25°20'
25°25'
25°30'
36°30'
36°25'
36°20'

liten (umgebildeten Tonschiefern), die heute noch an vier Stellen im Südosten der Insel deutlich hervortreten. Aus Kalken und Marmoren sind der Profitis Elias, der Gavrilos-Berg und der Monolithos aufgebaut, aus Phylliten der Abhang hinunter zum Hafen Athinios. Ihr Alter beträgt etwa 200 Mio. (Obere Trias) bis ca. 40 Mio. Jahre (Eozän).

Die ersten vulkanischen Gesteine wurden vor ca. 2 Mio. Jahren (Unteres Pleistozän/Oberes Pliozän) aus dem Erdinneren herausgeschleudert. Dabei sind im Raum des heutigen Akrotiri vulkanisches Lockermaterial (Aschen, Bimssteine, Schlacken) und Laven gefördert worden, so daß westlich der ursprünglichen Insel eine zweite entstand (S. 18, Abb. 1). Die nächsten Ausbrüche erfolgten im Bereich des heutigen Süd- und Zentralteils der Insel im Zeitraum von vor etwa 1 Mio. bis 100 000 Jahren. Durch mehrere kleinere Eruptionen wuchs allmählich ein Vulkankegel heran, der die beiden getrennten Inseln verband. Gleichzeitig baute sich im Norden eine weitere Insel aus Laven auf, die aus verschiedenen Vulkanzentren ausflossen (s. Abb. 2). Dazu gehörten der Mikro-Profitis-Elias-Vulkan und der Megalo-Vouno-Vulkan, der mit großem Zeitbstand (ca. 100000 Jahre) zwei Ausbruchsphasen hatte.

Danach herrschte eine längere Phase vulkanischer Ruhe, in der die Gesteine durch Wind und Wasser z.T. wieder abgetragen (erodiert) wurden. In dieser Zeit bildete sich auch ein Bodenhorizont. Bisher konnten noch keine Pflanzenreste darin nachgewiesen werden, so daß man nicht weiß, ob die Dauer der Ruhephase für eine Pflanzenbesiedlung ausreichte.

Die nächste große Vulkan-Eruption ereignete sich vor ca. 100 000 Jahren. Es kam zum Auswurf von gewaltigen Mengen Bimsstein. Während sechs aufeinanderfolgender Ausbruchsphasen wurden insgesamt von wenigen Metern bis über 40 m mächtige Bimssteinschichten abgelagert (Untere Bimsstein-Folge, s. Karte hintere Umschlagklappe). Die Ausbruchszentren befanden sich im Süden, etwas nördlich von Akrotiri, und etwa im Zentrum, westlich von Thira. Die Bimssteinablagerungen vergrößerten die Insel so, daß der Nord- und der Südteil zusammenwuchsen, wobei sich die Ablagerungen sogar im Bereich des heutigen Therasia und Aspronisi befanden. Die ungeheuren Mengen vulkanischen Materials, die während der Ausbrüche herausgeschleudert wurden, entleerten die in der Tiefe gelegene Magmakammer so weit, daß das Vulkangebäude zusammenbrach und sich ein Kessel (Caldera) im Norden der Insel bildete (Abb. 3).

Anschließend ruhte der Vulkan wieder mehrere 10 000 Jahre, und es kam erneut zur Ausbildung eines Bodenhorizontes. In der Zwischenzeit änderte sich die Zusammensetzung des Magmas, so daß auch der Ausbruchsmechanismus bei der nächsten Eruption ein an-

Aus des Teufels Küche

Schwarze Lava und weißer Bimsstein

Geht man am Kap Akrotiri ein Stück in die Caldera hinunter, kommt man an einen kleinen Vorsprung, der aus Schichten der Unteren Bimsstein-Folge gebildet wird. Bei genauerem Betrachten sieht es so aus, als ob dort lauter Töpfe bis zum oberen Rand in den Bimsstein eingesenkt wurden. Man hat den Eindruck, als betrete man wirklich des »Teufels Küche«. In den runden ›Töpfen‹ mit dem wulstigen Rand liegen unterschiedlich große Brocken aus schwarzer Lava und Schlacke sowie weißem Bimsstein, gerade so, als ob sie darin gargekocht würden, um sodann auf die Insel herabgeschleudert zu werden. Was aber sind die Zutaten für die verschiedenen Gesteine? Wieso sind sie einmal schwarz, glatt und sehr hart und dann wieder ganz löchrig, weiß, rot oder auch schwarz und von sehr schwer bis leicht, fast wie eine Feder, so daß sie auf dem Wasser schwimmen können?

Schauen wir tief in des »Teufels Küche«, in den Magmaherd: Wir erkennen, daß alle Gesteine trotz ihres völlig verschiedenen Aussehens aus einem ›Herd‹ stammen. Die Unterschiede kommen durch die Variabilität der chemischen Zusammensetzung des Magmas und der in ihm enthaltenen Gasmenge zustande. Je dünnflüssiger das Magma ist, desto leichter können die Gasblasen entweichen. Gleichzeitig heißt dies aber auch, daß der sich aufstauende Druck sich sehr schnell abbauen kann. Das Magma fließt relativ lautlos und ungefährlich als dünnflüssige, blasenfreie Masse aus und erstarrt zu schwarzer bis grauer, sehr einheitlicher Lava. Jeder kennt sie als basaltischen Pflasterstein oder als alten Begrenzungsstein am Wegrand. Ebenfalls aus dünnflüssigem Magma entstehen die schwarzen und roten Schlacken. Es sind in die Luft geschleuderte, nur mäßig aufgeblähte Magmafetzen.

Bei zunehmendem Kieselsäuregehalt wird das Magma sehr zähflüssig. Daher bildet sich beim Aufstieg im Schlot auf der Oberfläche so-derer war. Die Förderprodukte wurden nicht mehr durch den hohen Anteil an Gasblasen explosionsartig hoch in die Luft geschleudert und dann erst abgelagert, wie dies bei Aschen, Schlacken und Bimssteinen der Fall ist, sondern sie stiegen langsamer im Schlot auf, so daß die Gasblasen Zeit hatten, sich auszudehnen, und das heiße Magma über den Schlot quoll wie die überkochende Milch aus einem Kochtopf. Da dabei die große Hitze noch länger erhalten blieb, verschweiß-

Bimssteinwände – durch die Erosion bizarr geformt

fort eine zähe Haut, die verhindert, daß die Gase aus dem Magma austreten. Sie stauen sich auf, aber die erstarrte Oberfläche sitzt wie ein Korken im Vulkanschlot. Wird der Druck im Vulkan zu hoch, sprengt das Magma den oberen Teil des Vulkans in einer gewaltigen Eruption frei, ähnlich einer explodierenden Sektflasche. Das aufschäumende Magma wird durch die zerplatzenden Gasblasen in einzelne Fetzen zerrissen, und ein hochporöses und daher sehr leichtes Gestein entsteht, der Bimsstein.

Diese Vorgänge ereigneten sich im Laufe der Vulkangeschichte immer wieder, wie man an den horizontal geschichteten, stets abwechselnden hellen und dunklen Gesteinsserien innerhalb der Caldera-Wand gut ablesen kann.

ten einzelne Partikel. Solche Ablagerungen (Ignimbrite) erreichen große Mächtigkeit und fallen besonders durch ihre flammenartig langgezogenen Gesteinsbrocken auf, die in der Aschegrundmasse liegen. Sehr schön kann man diese rosafarbenen Gesteinsschichten unterhalb von Thira sehen, wenn man die Treppen hinabsteigt oder auch mit der Seilbahn fährt.

In der Folgezeit füllten Aschen und Schlacken die Caldera zumindest teilweise wieder auf, und auf

Der verheerende Ausbruch des Thera-Vulkans um 1600 v. Chr.

Es ist erstaunlich, daß der gewaltige Ausbruch um 1600 v. Chr., der etwa die Hälfte der Insel Santorin in die Luft sprengte und von dem man sagt, daß er sogar den legendären Ausbruch des Krakatau 1883 übertraf, wahrscheinlich keine Menschenleben forderte. Der Grund dafür liegt in der Art und dem Ablauf der Eruption. Vor dem eigentlichen Ausbruch gab es eine kleinere Asche-Eruption, die von Erdbeben begleitet war. Diese dauerten zwar nicht lange an, waren aber doch heftig genug, daß sie Häuserwände zerstörten und Treppen auseinanderbrechen ließen. Auf diese Weise vorgewarnt, verließen die Bewohner so schnell wie möglich ihre Insel. Allerdings nur für eine gewisse Zeit, denn als sich über eine längere Periode hinweg nichts mehr regte, kehrten sie zurück und begannen mit den notwendigen Aufräumungsarbeiten. Man nimmt an, daß die Menschen etwa ein bis max. fünf Jahre auf Santorin bleiben konnten, bis erneute Erdbeben den endgültigen Ausbruch ankündigten. Diesmal hatten die Bewohner nicht viel Zeit, aber sie schafften es wahrscheinlich alle, sich zumindest auf ihre Schiffe zu retten. Dann brach die Katastrophe herein. Die gewaltigen Eruptionen erfolgten ununterbrochen innerhalb eines oder nur weniger (max. 3–4) Tage. Während der ersten Ausbruchsphase wurden Bimssteinaschen und vulkanische Gase in einer Eruptionssäule mit einer Geschwindigkeit von 380–520 m/s bis zu 36 km hoch in die Atmosphäre geschleudert. Die Eruptionswolke reichte weit nach Osten bis nach Kos, Rhodos, Zypern und in die Türkei, wo man heute noch eine 2 cm dicke Bimssteinschicht des Santorin-Vulkans findet. Insgesamt wurde eine Fläche von etwa 2×10^6 km^2 in Mitleidenschaft gezogen. Die Insel selbst wurde rasch von einer dicken Schicht aus Bimsstein und Asche bedeckt. Anschließend an diese erste Phase bahnte sich das Meerwasser einen Weg in den Krater und löste im Kontakt mit dem heißen Magma eine weitere heftige Eruption aus, die sich in einer bodennahen, ringförmigen Welle über den Schlot hinweg

dem heutigen Therasia wurden die ersten Laven am Kap Simandiri gefördert. Es waren kleinere, nicht so spektakuläre Ausbrüche, bis es vor etwa 70 000–60 000 Jahren erneut zu einer Bimsstein-Eruption westlich von Thira kam (Mittlere Bimsstein-Folge, s. Karte hintere Um-

ausbreitete. Gesteinsblöcke, die bei dem Ausbruch aus der Tiefe herausgeschleudert wurden, trafen die Häuser und zerstörten Wände und Dächer zusätzlich. Die beiden letzten Eruptionsphasen räumten dann die Magmakammer und den Schlot vollständig aus. Es wurden Aschen, ältere Gesteinsbrocken aus der Schlotwand, Laven und Bimssteine über den Kraterrand befördert, die endgültig alles bedeckten. Das instabil gewordene Vulkangebäude brach nun in sich zusammen, und die Caldera entstand in der Form, in der sie sich heute präsentiert.

Dieses Ereignis zog weitere Katastrophen nach sich, z. B. bildeten sich Flutwellen, die noch auf Kreta für Überschwemmungen sorgten. Die Annahme einiger Wissenschaftler, daß diese Flutwellen für den Einsturz des Palastes von Knossos auf Kreta (um 1400 v. Chr.) verantwortlich waren, kann allerdings nicht weiter aufrechterhalten werden, da die Wellen eine viel zu geringe Höhe erreichten. Man weiß heute auch, daß es einen Zusammenhang zwischen der Zerstörung dieses Palastes und der Vulkan-Eruption auf Santorin schon deswegen nicht geben kann, weil die Zeitdifferenz zwischen beiden Ereignissen doch erheblich größer ist, als man früher dachte. Neue Datierungen von verkohlten Pflanzenresten aus Akrotiri ergaben für den Ausbruch etwa das Jahr 1615 v. Chr. Auch andere Untersuchungen weisen heute auf ein Eruptionsdatum um 1600 v. Chr. hin. Vermutlich besteht z. B. ein Zusammenhang zwischen dem Santorin-Ausbruch und dem sog. »Frostereignis« in Kalifornien/USA. Dort lassen die Jahresringe der Bäume erkennen, daß es etwa in den Jahren 1628–26 v. Chr. einen Kälteeinbruch gegeben haben muß. Da bei dem Vulkanausbruch die Eruptionswolke und die darin enthaltenen Staubteilchen (Aerosole) vorübergehend zu einer Verringerung der Sonneneinstrahlung führten, fiel auf der nördlichen Erdhalbkugel die Jahrestemperatur um 0,5 °C ab. Das könnte der Grund für den vorübergehenden Kälteeinbruch in Kalifornien gewesen sein. Diese Tatsache spricht zusammen mit den Daten aus der Archäologie, welche die Zerstörung Akrotiris in die Spätphase der Spätminoischen Phase I A, also um 1520 v. Chr. oder in noch frühere Zeit stellt, für den Ausbruch des Santorin-Vulkans um das Jahr 1600 v. Chr., so daß er also mindestens 150 Jahre früher stattfand, als man bisher annahm.

schlagklappe). Es lagerte sich eine etwa 2–3 m dicke Schicht ab, die in unmittelbarer Nähe des Eruptionszentrums stark verschweißt ist. Man erkennt dies sehr gut an der schwarzen Farbe und der glasigen Beschaffenheit der Gesteinsschicht, zu sehen ebenfalls oberhalb des

Hafens von Thira. Auch bei diesem Ausbruch entstand ein Einbruchkessel (Caldera), der etwa im Zentrum der Insel lag

Wieder ›erholte‹ sich der Vulkan eine Zeitlang, bis vor etwa 54 000–21 000 Jahren weitere Ausbrüche folgten. Aus den Förderprodukten baute sich im Zentrum der heutigen Insel ein ca. 300–400 m hoher Vulkankegel auf. Dessen einzelne Schichten kann man am schönsten in den ehemaligen Steinbrüchen bei Thira betrachten. Gleichzeitig wurde aber auch der Norden wieder aktiv (s. S. 18, Abb. 4). Der Megalo-Vouno-Vulkan, der Mikro-Profitis-Elias-Vulkan, der Skaros-Vulkan sowie der Oia- oder Therasia-Vulkan vergrößerten bzw. bildeten sich durch das Ausfließen mehrerer Lavaströme. Am beeindruckendsten sind die über 30 Lavaströme des Skaros-Vulkans, die noch heute als waagerechte Schichten am Kap Skaros gut zu erkennen sind. Den Abschluß der Eruptionsphasen (vor ca. 21 000 Jahren) bildete der Obere Ignimbrit mit einer markant roten bis braunschwarzen, 7 m mächtigen Schicht. Anschließend kam es erneut zum Einbruch des Vulkangebäudes und zur Bildung einer Caldera. Neuere Untersuchungen belegen, daß diese einen Zugang zum offenen Meer hatte, und die Insel so einen hervorragenden, natürlichen Hafen besaß. Es wird inzwischen auch angenommen, daß im Zentrum der Caldera zu dieser Zeit schon einmal eine Insel vorhanden war (sog. Vor-Kameni Insel), die aber später wieder im Meer versank (s. S. 18, Abb. 5). Danach herrschte über eine lange Zeit wieder eine vulkanische Ruhepause.

Während dieser Zeit hatte sich auf der Insel ein Bodenhorizont entwickeln können, auf dem zahlreiche Pflanzen wuchsen. Es waren kleine Wälder vorhanden, und an den Hängen der Vulkane fand sich eine üppige Vegetation. Nachdem man vorher von der Insel als der »Runden« *(Strongyle)* gesprochen hatte, machte das im Laufe der Jahrtausende immer grüner werdende Eiland auf die ersten Siedler um 3000 v. Chr. einen solch starken Eindruck, daß sie fortan nur noch von der »Schönen« *(Kalliste)* redeten.

Diese Pracht nahm aber durch den Ausbruch um 1600 v. Chr., der die Obere Bimsstein-Folge hervorbrachte, ein jähes Ende (s. S. 22 f.). Die gesamte Insel wurde von einer bis zu 60 m mächtigen Bimssteinschicht bedeckt. Diese gewaltigen Mengen an Auswurfmaterial entleerten die Magmakammer diesmal so vollständig, daß mehr als die Hälfte des Vulkangebäudes in sich zusammenbrach. Die Caldera nimmt eine Fläche ein, die größer ist als die erhalten gebliebenen Vulkanreste, die heutigen Inseln Thera, Therasia und Aspronisi.

Diese furchtbare Katastrophe war schon lange in Vergessenheit geraten, da zeigte sich nach etwa 1400 Jahren, daß der Vulkan doch noch nicht erloschen war. Im

Das Leben mit dem Vulkan

Spricht man von Vulkanen, denkt man unwillkürlich zuerst an große Katastrophen mit vielen Toten, wie z. B. den Ausbruch des Unzen (Japan) und des Pinatubo (Philippinen) im Jahre 1991. Kann man deshalb die Vulkane nur als »Geißel der Menschheit«, als ständige Bedrohung ansehen? Die Zahl der Opfer liest sich immer schrecklich. Vergleicht man sie aber mit den Zahlen derjenigen, die infolge anderer Naturkatastrophen oder jährlich an den Folgen von Verkehrsunfällen sterben, ist sie relativ niedrig. Auch sind es selten die Vulkan-Eruptionen selbst, die die Opfer fordern, sondern die ihnen folgenden Ereignisse wie Seebeben, Schlammströme und Epidemien. Was also hält die Menschen in derart gefährdeten Gegenden, ja wieso sind diese Regionen im Gegenteil noch dichter besiedelt als die Umgebung?

Es liegt an dem großen wirtschaftlichen Nutzen, den der vulkanische Untergrund bietet: Die Böden in der Umgebung eines Vulkans sind durch die Anreicherung von Mineralien wie Kalzium, Kalium und Phosphor sehr fruchtbar. Außerdem sind vulkanische Ascheböden sehr locker, gut durchlüftet und leicht zu bearbeiten. Überdies können die Auswurfprodukte selbst, wie Lava, Bimsstein, Asche und verschiedene Minerale, abgebaut und vielfach genutzt werden. Sie finden als Bau- und Schottermaterial sowie als Zement (s. S. 58) Verwendung oder dienen als Rohmaterial in verschiedenen Industriebereichen. So wurden z. B. auf Santorin noch Anfang des 20. Jh. Bleiminerale, Eisenoxide, Azurit und Malachit aus Gesteinsschichten bei Athinios, Kap Plaka und Kap Therma gewonnen und exportiert. Auch die natürlichen Thermalquellen, wie z. B. auf Island, in Norditalien und in Neuseeland, bilden wichtige Wirtschaftszweige.

Es ist also der direkte Gewinn, den die Menschen aus dem Vulkan ziehen, der sie in seiner unmittelbaren Nähe leben läßt. Trotz allem ist die Gefahr den Menschen immer bewußt, und die Angst vor einem neuen Ausbruch bleibt ein ständiger Begleiter. Auf Santorin wird z. B. niemand so schnell das verheerende Erdbeben von 1956 vergessen. Vielleicht sind die Menschen deshalb in solchen Gebieten meist sehr fleißig und gehen sorgsamer mit ihrem Land um, da sie um dessen Unbeständigkeit wissen. Und vielleicht sind sie auch aus Dankbarkeit für jeden Tag so freundlich und öfter fröhlich ausgelassen, aber auch ein wenig gläubiger als andere Menschen, wie man an den vielen großen und kleinen Kapellen auf Santorin sehen kann.

Zentrum der Caldera stiegen erneut unter Getöse Laven auf, welche Teile der Insel Paläa Kameni bildeten (197 v. Chr.). Drei weitere Eruptionen in den Jahren 46 und 726 n.Chr. sowie im Jahr 1427 vergrößerten die Insel bis nahezu zu ihrer heutigen Form.

Und wieder dachte man, der Vulkan wäre endgültig zur Ruhe gekommen, als er sich nach weiteren 150 Jahren von neuem regte. Neben Paläa Kameni entstand die Insel Mikra Kameni (1570 n.Chr.), die sich in den folgenden Jahren bis 1941, unterbrochen von vier Ruhephasen mit einer Dauer zwischen 11 und 155 Jahren, durch mehrere Eruptionen immer weiter ausdehnte und heute den Namen Nea Kameni trägt (S. 18, Abb. 6). Der bisher letzte, kleinere Ausbruch war dort im Jahr 1950 zu verzeichnen.

Aber auch die bis heute anhaltende scheinbare Ruhe wird nicht ewig dauern, denn der Santorin-Vulkan ist im Untergrund immer noch aktiv. Eine langfristige Vorhersage zum Zeitpunkt seines nächsten Ausbruchs ist heute noch nicht mit Sicherheit möglich, da keine Regelmäßigkeiten zwischen den einzelnen Ausbrüchen zu erkennen sind. Kurzfristige Voraussagen sind durch genaue Beobachtungen z. B. der Wassertemperatur und durch seismische Messungen aber durchaus machbar. Man weiß auch, daß in Zukunft noch weitere kleine Lavamengen austreten werden wie bisher auf Nea Kameni, aber es wird vermutlich so bald keine neue katastrophale Eruption geben.

Ökosystem Insel

Eine Insel stellt immer ein besonderes ökologisches System dar. Sie bildet ein relativ isoliertes Areal, in dem sich die Umweltbedingungen, außer im jahreszeitlichen Rhythmus, nur wenig ändern. Tier- und Pflanzengruppen können sich daher über einen langen Zeitraum hinweg dort halten. Das berühmteste Beispiel dafür sind die Galapagos-Inseln mit den vielen archaischen Tiergruppen, wie u.a. den flugunfähigen Kormoranen, den Galapagos-Pinguinen, den Leguanen und den Galapagos-Schildkröten. Andererseits ist das System aber auch labil, z.B. gegenüber tiefgreifenden, von den Menschen verursachten Veränderungen. Das fängt an mit dem gewollten oder ungewollten Import von Tieren und Pflanzen aus anderen Regionen und reicht hin bis zu der zunehmenden Raumknappheit durch verstärkte Besiedlung und auch dem heutigen Massentourismus.

Die Anzahl der Pflanzen- und Tierarten, die auf einer Insel leben, ist von der Größe der Insel abhängig, d.h. sie steigt mit zunehmender Quadratmeterzahl. Welche Arten sich ansiedeln, hängt dagegen von dem in der Nähe liegenden Kontinent ab. Je weiter die Insel

Schoten-Johannisbrotbaum
(Schmetterlingsblütler)

von dem ›versorgenden‹ Festland entfernt ist, desto weniger Arten trifft man an, aber desto konstanter bleibt die Artenzusammensetzung der Fauna und Flora (Inseltheorie von Edward Osborne Wilson & Robert Helmer McArthur). Versuchen sich neue Arten auf dem für sie günstigen Areal niederzulassen, müssen sie dem herrschenden Konkurrenzdruck bald wieder weichen. Eine große Gefahr für die Populationen auf einem so begrenzten Gebiet, wie es eine Insel darstellt, ist daher die Überbevölkerung durch einzelne Arten. Der wichtigste Regulator, die Möglichkeit des Auswanderns von ›Überschußindividuen‹ in nächst weniger geeignete Lebensräume, fehlt ja bei einer nahezu einheitlich angelegten und räumlich begrenzten Insel. Zusätzlich mangelt es auch an den natürlichen Feinden der meisten Arten. Greift der Mensch nun regulierend ein, indem er neue Arten einführt oder alte ausrottet, kann es im ungünstigsten Fall zum Wechsel ganzer Populationen samt ihren Feinden kommen, im günstigsten zu einer Eingliederung der Art in das be-

Braunes Mönchskraut
(Rauhblattgewächs)

Süßwasser

Sparsamkeit kontra Tourismus

Viele Inseln haben mit dem Problem der Süßwasserbeschaffung zu kämpfen. Sie sind auf natürliche oder künstliche Regenreservoire angewiesen. Santorin hat es dabei besonders schwer, da es keinen wasserstauenden Untergrund besitzt, sondern weitgehend aus porösem vulkanischem Lockermaterial aufgebaut ist, durch welches das Regenwasser nahezu ungehindert versickern kann. Deswegen gibt es auch keine Seen, Teiche oder gar Flüsse. Sehr wichtig waren und sind daher die gemauerten Zisternen, die noch überall auf der Insel, auch auf Therasia, zu sehen und in Gebrauch sind. In diesen Zisternen wird das Regenwasser in den Wintermonaten aufgefangen, um Vorrat für die äußerst niederschlagsarmen Monate Mai bis September anzulegen. Und da das Wasser ja nicht nur zum Trinken, Kochen und Waschen, sondern auch zur Bewässerung der Saat benötigt wird, lernen schon die Kinder sorgsam mit dem kostbaren Naß umzugehen. So wissen auch sie schon, daß man die Kalkbrocken nicht nur zum Spaß hin und wieder in die Zisternen werfen muß, sondern daß sie das Ansetzen von Algen verhindern.

Allerdings reicht das Sammeln in den Zisternen nicht mehr aus, vor allem auch, weil Kamari der einzige Ort ist, der etwas Grundwasser besitzt, da er weitgehend auf Kalk aufgebaut ist. Von hier wird das Wasser mit Tanklastern in die anderen Orte geschafft, was die Kosten natürlich erhöht. Daher gilt Sparsamkeit immer als oberstes Gebot.

stehende System. Vor allem Tierarten sind gegenüber solchen Eingriffen aber sehr empfindlich. Bei Pflanzen kommt es erst bei äußerst gravierenden ökologischen Veränderungen zum Aussterben einzelner Populationen.

Santorin bildet innerhalb der Inselsysteme noch zusätzlich eine Ausnahme. Die immer wieder auftretenden Vulkanausbrüche sind weitere Ursachen bedeutender Änderungen im Ökosystem. Es wurden nicht nur durch die abgelagerten Asche-, Bimsstein- und Lavaschichten ganze Areale zerstört, sondern auch die ausströmenden giftigen Dämpfe und Gase (Schwefeldioxid, Kohlenmonoxid etc.) vernichteten ganze Populationen an Land. Die zeitweise Erwärmung des Meerwassers und die Zufuhr von schädlichen Stoffen (Stickstoff, Phosphor etc.) bewirkten im Meer ebenfalls Veränderungen im natürlichen Ökosystem.

Dagegen stehen die Ansprüche der Touristen. Man ist es einfach gewöhnt, im Sommer mindestens einmal täglich ausgiebig zu duschen und sich auch sonst wenig einzuschränken. So steigt der Wasserverbrauch in den Sommermonaten drastisch an. Die Hauptverantwortung dafür nun einfach den Touristen anzulasten, wäre aber keineswegs richtig, denn die wenigsten Urlauber sind über das Problem informiert. Wer die Schwierigkeiten der Wasserbeschaffung nicht kennt, der geht auch nicht sparsamer mit dem ›teuren Gut‹ um. Die Angst, durch entsprechende Informationen Touristen zu verlieren, sollte heutzutage keine Rolle mehr spielen. Es wollen schon viele Urlauber nicht mehr nur ein einmaliges kurzes Vergnügen erleben, sondern zeigen ein deutliches Interesse daran, daß ihr Urlaubsland in seiner Schönheit erhalten bleibt.

Ebenso dringlich sollten auch die Bemühungen des Landes selbst vorangetrieben werden, die Wiederaufbereitung des Wassers weiter auszubauen; z. B. kann ein Großteil des Abwassers aufgefangen und aufbereitet werden, anstatt ungenutzt ins Meer abzufließen. Erste Schritte in dieser Richtung werden bereits unternommen. Meerwasser-Entsalzungsanlagen, wie es sie auf einigen wenigen Kykladen-Inseln im Versuchsstadium gibt, sind auf Santorin inzwischen auch gebaut (wie in Perivolos, kurz vor Oia), aber noch nicht in Betrieb genommen.

Es sollte sich also jeder – auch der Besucher der Insel – zur Sparsamkeit aufgerufen fühlen, damit man weiterhin ohne Bedenken das gute griechische Wasser trinken kann, das für jeden Griechen immer noch von besonderem Wert ist.

Wie gravierend waren aber diese Einwirkungen? Wie wandelten sich die ökologischen Verhältnisse der Insel aufgrund dieser Ereignisse? Die ersten Nachweise von Pflanzenbewuchs auf Santorin stammen aus einer Zeit wahrscheinlich noch vor der menschlichen Besiedlung. In 60000 sowie 18000 und 13000 Jahre alten Bodenschichten fand man Reste eines natürlichen Baumbewuchses, der aus Zwergpalmen, Mastixsträuchern, Dattelpalmen, Ölbäumen und Tamarisken bestand. Wahrscheinlich bedeckte dieser Wald aber keine großen Flächen, sondern war auf kleinere Areale beschränkt. Das Klima entsprach in etwa dem heutigen, jedoch war die Insel weniger trocken und besaß einzelne Wasserläufe und Tümpel. Die nächsten Hinweise liegen dann aus minoischer Zeit vor, d. h. aus der Phase vor dem großen Vulkanausbruch vor 3600 Jahren. Es gibt zwar keinen direkten Beweis für einen natürlichen Baumbestand – man fand nur den Stumpf einer Eiche und Kerne von Oliven –, aber die Einwohner verwendeten bei der Konstruktion ihrer Häuser Holz, z. B. für Fenster- und Türrahmen. Man weiß allerdings nicht, inwieweit die Menschen den Bewuchs beeinflußt hatten, d. h. ob sie eher abholzten oder anpflanzten. Die Landschaftsdarstellungen auf den Wandmalereien stellen auch nicht eindeutig die wahren Verhältnisse dar, da man davon ausgehen kann, daß einige Tier- und Pflanzenabbildungen von auswärtigen Künstlern gemalt wurden, denen ihre eigene Heimat als Vorbild diente (s. a. S. 174 f.).

Der derzeitige Zustand des Ökosystems von Santorin erscheint einigermaßen stabil. Durch die geringen Wassermengen, die dem Inselboden zur Verfügung stehen, gibt es zwar nur einen kultivierten Baumbestand, die gesamte ökologische Situation hat sich aber wieder verbessert, und dies durch ein äußerst bemerkenswertes Phänomen: Durch den steigenden Tourismus treten die Viehhaltung und der Ackerbau immer mehr zurück, so daß die Pflanzen und Tiere den einst bewirtschafteten Boden wieder zurückerobern können. Man muß sich andererseits natürlich darüber im klaren sein, daß die steigende Zahl der Touristen auch den Wasserbedarf stark in die Höhe treibt (s. S. 28 f.) und eine zunehmende Verschmutzung (Müll, Abwässer etc.) nach sich zieht. So trägt trotz der eingreifenden Naturkatastrophen heute zum größten Teil der Mensch die Verantwortung für ein intaktes Ökosystem.

Neben der Sonderstellung, die jedes Inselsystem gegenüber dem Festland in Bezug auf Flora und Fauna einnimmt, werden die Verhältnisse auf Santorin zusätzlich kompliziert durch die wiederholten gewaltigen Vulkanausbrüche. Bei dem letzten um 1600 v. Chr. wurden große Teile der Insel in die Luft gesprengt und die Reste mit einer bis zu 60 m dicken Bimssteinschicht bedeckt. Daraus schließen einige Wissenschaftler, daß das Leben nach diesem Ausbruch zunächst völlig erloschen war und sich die heutige Fauna und Flora erst danach auf der Insel entwickelt hat. Santorin müßte demnach eine sehr junge und artenarme Organismenwelt aufweisen. Dagegen gibt es aber Stimmen, die zu bedenken geben, daß die Steilhänge der Berge nicht mit Bimsstein bedeckt waren und dort in Spalten und an anderen geschützten Stellen sehr wohl Pflanzen und Tiere überlebt haben könnten. Zusätzlich kann die Flora und Fauna in den letzten 3600 Jahren durch den Kontakt der Inselbewohner mit der Bevölkerung benachbarter Inseln (Einschleppung auf Handelsgütern wie Kulturpflanzen, Nahrungsmitteln etc.) wieder erneuert worden sein. Der relativ hohe Artenreichtum der ›modernen‹ Flora von Santorin mit über

Müll in den Steinbrüchen

Ein schwerwiegendes ökologisches Problem ist die Abfallbeseitigung. Durch das Anwachsen der Touristenzahlen steigt auch der Müllberg immer mehr, vor allem der des kaum zu beseitigenden Plastiks. So fallen dem im Umweltbewußtsein geschulten Nordeuropäer sofort die im Süden Europas häufiger anzutreffenden wilden Müllkippen unangenehm auf. Dem versuchen die Santoriner entgegenzuwirken, indem sie größere Müllhalden anlegen. Dabei ergibt sich aber zum einen das Problem, einen geeigneten Ort zu finden, und zum anderen, die Halden gegen den steten Wind abzusichern. Den passenden Ort meinen sie – zum großen Leidwesen der Geologen – in den alten Steinbrüchen (wie dies oft auch in Deutschland der Fall ist) gefunden zu haben. Durch den Abbau der obersten Bimssteinlage entstanden hier große Freiräume, in die der Unrat mühelos von oben hineingekippt werden kann.

Neben dieser unschönen Nebenwirkung für die Wissenschaftler wiegt aber die ungenügende Befestigung der Halden viel schwerer. Der Wind wirbelt das Plastikmaterial und andere leichte Teile immer wieder auf und verteilt sie in der Umgebung. So müssen sie mühevoll aufgesammelt und zurücktransportiert werden. Ein weiteres Problem wirft die schon bei der Wasserversorgung erwähnte Durchlässigkeit des Bodens auf: Die mit dem Müll anwachsenden Schadstoffe gelangen in den Untergrund und schließlich in das umliegende Meer. Daher wird ein Teil des Abfalls bereits mit Schiffen auf die Müllhalden des Festlandes gebracht. Das kann auf Dauer aber keine Lösung sein. Auch hier hilft es, wenn sich der Urlauber ein wenig wie zu Hause verhält und versucht, Müll möglichst zu vermeiden.

550 Arten und eine Fauna, die anderen – nicht vulkanischen – Inseln vergleichbar ist, unterstützen diese Theorie.

Flora

Ein natürlicher Baumbewuchs fehlt auf Santorin gänzlich. Es gibt einige angepflanzte Baumarten, die aber nur in bescheidenen Gruppen zusammenstehen, wie Kiefern *(Pinus brutia)* auf den Elias-Bergen, Pistazien- *(Pistacia lentiscus)* und Eukalyptuspflanzungen als kleine Alleen z. B. in Kamari oder an der Hauptausfallstraße von Thira. Als einzelnstehende Bäume findet man oft Palmen, Zypressen und auch

Platanen wie z.B. in Vothonas und Potamos. Oliven- und Feigenhaine sind hauptsächlich für den eigenen Bedarf angelegt. Der Genuß der Früchte dieser Bäume gilt als verdauungsfördernd, außerdem werden sie zu Salben verarbeitet. Dem frischen Saft der Feigenblätter sagt man z.B. Heilkräfte gegen Warzen nach.

Mittagsblume

An natürlicher Vegetation überwiegen die Arten der sog. *Phrygana,* einer Pflanzengesellschaft aus kleinwüchsigen, äußerst widerstandsfähigen Sträuchern, zu denen der Ginster, die Zistrose, Thymian, Rosmarin, Myrthe und Salbei gehören. Allein der Mastixstrauch, ein Sumachgewächs, kann bis zu 6 m hoch werden.

Die Hauptblütezeit der 68 Pflanzenfamilien mit ca. 550 verschiedenen Arten liegt auf Santorin zwischen März und Mai. Von allen Pflanzen machen die Familien der Korbblütler und der Schmetterlingsblütler etwa ein Viertel aus. Zu ihnen zählen u.a. so bekannte Arten wie die gelbblühende Margerite, die Kamille, die Ringelblume, Alant und Löwenzahn, die Disteln mit ihren meist rosa oder hellvioletten Blüten, verschiedene Klee- und Wickenarten sowie die bis zu 80 cm hohe, blaublühende Lupine. Der Ginster überzieht vor allem im April die Hänge mit seinen leuchtend goldenen Blüten.

Viele der Pflanzen haben eine große Bedeutung als Futter- wie auch als Heilpflanzen, so z.B. der Johannisbrotbaum (s. Abb. S. 26) Seine Schoten dienen als Viehfutter und in Notzeiten sogar als Menschennahrung, da sie über 40% Zucker und ca. 10% Proteine enthalten. Sein Harz kann bei der Papierfabrikation, der Lebensmittel- und Tabakherstellung und für alkoholische Getränke verwendet werden. Heute ist der Baum aber vor allem als Schattenspender unentbehrlich.

Den Familien der Schmetterlings- und Korbblütler gehören ebenfalls einige der wenigen Pflanzen an, die schon im Januar und Februar blühen, wie das besonders auf Kalkfelsen wachsende Bitterkraut, der Tragant mit seinen charakteristisch gekrümmten Hülsen und die Platterbse, die oft am Straßenrand zu finden ist (s. Abb. S. 27). Zu den Frühblühern zählen auch eine Anemonenart (Hahnenfußgewächs), die hier ausnahmsweise rote Blüten zeigt, die Kreuzblütler Brillenschötchen und Schildkraut mit ihren markanten, gut voneinander zu unterscheidenden Schötchen sowie der ausdauernde Scheinkrokus (Irisgewächs). Von den etwa sieben verschiedenen Orchideenarten, die auf der Insel beheimatet sind, zeigen als erste die Gelbe und die Braune Ragwurz ihre unscheinbar gelbgrünen Blüten mit den sehr schön gezeichneten Lippen. Im Februar erscheint außerdem das Goldgras aus der Familie der Süßgräser, der drittgrößten Pflanzengruppe auf Santorin. Die Süßgräser setzen sich auch unter schwierigen Klimabedingungen durch wie z. B. kurzen Vegetationsperioden, bedingt durch Feuchtigkeitsmangel. Sie bilden eine zusammenhängende Pflanzendecke, welche einen Schutz gegen Bodenerosion oder Dünenbildung bietet.

Bei einigen Pflanzen, die ihre Blüten erst Ende Mai oder Juni ausbilden, dauert die Blütezeit bis in den Oktober hinein. Das gilt für den Blauen Gauchheil (Primelgewächs), die Gewelltblättrige Königskerze (Rachenblütler), oder auch für den aus Mittelamerika eingeschleppten Blaugrünen Tabak (Nachtschattengewächs). Noch im November sieht man die Blüten der Europäischen Sonnenwende (Rauhblattgewächs) und die zartvioletten Blüten des Keuschbaumes (Eisenkrautgewächs), von deren Duft die Kreuzfahrer glaubten, daß er als »Anti-Aphrodisiakum« wirke. Einige Felder sind mit Hekken ganz aus Keuschbäumen eingesäumt. Bis in den Dezember hinein blüht gar das Große Zittergras (Süßgras), dessen kolbenförmige Ährchen bei der kleinsten Berührung zu zittern anfangen.

Zu den wenigen Herbst- und Winterblühern gehören weiterhin die Herbst-Alraune (Nachtschattengewächs, September bis November), die seit dem Altertum als Schmerz- und Schlafmittel Verwendung findet, der kräftig gelb blühende Nickende Sauerklee (Sauerkleegewächs, November bis Mai), die imposante Meerzwiebel (Liliengewächs, August bis Oktober), deren bis zu 15 cm große Zwiebel von den Bauern zu Rattengift verarbeitet wird, und der Krummstab, der oft in Olivenhainen zu finden ist (Aronstabgewächs, Oktober bis Mai).

Auf Therasia ist der Pflanzenbestand etwas eingeschränkter, es finden sich ca. 42 Familien mit 144 verschiedenen Arten. Die Klima- und Standortbedingungen unterscheiden sich aber nicht von denen der Hauptinsel. Allerdings ist der Kraterrand weit üppiger bewachsen als auf Thera. Trotzdem gibt es nur eine einzige Art, die nur auf Therasia vorkommt, und das ist der Strandflieder *(Limonium sinuatum)* mit seinen violetten und weißen Blüten.

Auf Aspronisi wurden bisher 17 verschiedene Arten gefunden; aus den Familien der Brennesselgewächse, der Gänsefußgewächse, der Nelkengewächse, der Schmetterlingsblütler, der Seidelbastgewächse, der Rauhblattgewächse, der Nachtschattengewächse, der

Lippenblütler, der Korbblütler und der Süßgräser.

Auf Nea Kameni hat der Artenbestand, bedingt durch einzelne Vulkanausbrüche, stark variiert. 1911 wurden z. B. 82 Pflanzenarten gefunden und 1933, nach dem Vulkanausbruch von 1925–28, nur noch 25. Nach einer längeren vulkanischen Ruhepause hat sich der Pflanzenbestand nicht nur wieder regeneriert, sondern es haben sich viele neue Arten angesiedelt, so daß man heute ca. 130 unterscheiden kann. Unter den Pionierpflanzen, d. h. Pflanzen, die als erste den Vulkanboden wieder bewachsen, fallen besonders der rostrote Ampfer *(Rumex bucephalophorus)* und die gelbe Strohblume *(Helichrysum italicum)* ins Auge, die auf den Aschelagen des Ausbruchs von 1940 gedeihen. Auch auf Nea Kameni gibt es Pflanzen, die auf den Hauptinseln nicht zu finden sind: das Geraniengewächs *Geranium molle*, ein einjähriges Kraut, das Moosdickblattgewächs *Crassula tillaea*, die Feste *Crepis dioscoridis L.*, ein Korbblütler, und der Trespen-Federschwingel (Süßgras).

Die wesentlich kleinere Insel Paläa Kameni, die ebenfalls von den Vulkanausbrüchen in Mitleidenschaft gezogen wurde, beherbergt ca. 170 verschiedene Pflanzenarten. Die Samen gelangten entweder durch die Luft, über das Wasser, im Kot verschiedener Vögel oder durch den Menschen auf die kleine Insel. Die manchmal extremen klimatischen Bedingungen verhindern es, daß auf den Kameni-Inseln die empfindlichen Irisgewächse und Orchideen gedeihen.

Fauna

Die Bestandsaufnahme der Fauna von Santorin wird erst seit Ende der 70er Jahre intensiver betrieben und ist noch lange nicht abgeschlossen, so daß die Frage nach der Wirkung des Vulkanausbruchs um 1600 v. Chr. auf die Tierwelt noch nicht endgültig geklärt werden konnte. Da die natürlichen Schutzzonen von Wald und Gebirge fehlen, beschränkt sich die Fauna vor allem auf die Klein- und Kleinsttierwelt. Die Jagdleidenschaft der Griechen hat die größeren Tierarten noch zusätzlich dezimiert, so daß z. B. nur noch ca. 16 Vogelarten auf der Insel brüten. Dazu gehören der Turmfalke, das Chukarhuhn, die Silbermöwe, die Felsentaube, die Haubenlerche, die Samtkopfgrasmücke, der Haussperling, der Kolkrabe und die Nebelkrähe. Gut beobachten kann man die Brutplätze der Felsentauben und der Nebelkrähen, die sich an den Hängen des Mesa Vouno niedergelassen haben.

An Säugetieren sind zusammen mit den Haustieren nur etwa zwölf Arten vertreten, zu denen vor allem das Kaninchen, der Igel und verschiedene Mäusearten zählen. Die wichtigsten Haustiere sind neben Schaf und Ziege, die den in Griechenland so wichtigen Käse und die Milch liefern, Esel und Maultier. Beide dienen sowohl in der Landwirtschaft als auch als Zug- und Reittiere. Vor allem prägen sie aber das Bild, das sich beim Einfahren in den Hafen von Thira bietet: Zahllose Esel- und Maultierkarawanen ziehen die gewundenen Treppen hoch hinauf bis zur Inselhauptstadt.

Bei den Reptilien gelten zur Zeit fünf Arten als sicher nachgewiesen. Den rot bis gelbbraun gefärbten, bis zu 10 cm langen Europäischen Halbfingergecko *(Hemidactylus turcicus turcicus)* kann man vor allem abends auf Steinmauern und Felsen beobachten. Der Ägäische Nacktfingergecko *(Tenuidactylus/Cyrtodactylus kotschyi)* wird bis zu 13 cm lang; als mehr tagaktiver und hervorragender Insekten- und Spinnenfresser ist er auch in Wohnungen gern gesehen.

Während die Kykladen-Eidechse *(Podarcis erhardi myconensis)* ca. 20 cm mißt, erreicht die ungiftige Leopardnatter *(Elaphe situla)* mit ihrem auffallend rot und schwarz gefleckten Schuppenkleid eine Körperlänge von über 1 m. Bei Gefahr versucht die weder angriffslustige noch beißfreudige Schlange in eine Mauerspalte oder unter einen Stein zu entkommen. Schließlich ist noch die Europäische Katzennatter *(Telescopus fallax pallidus)* zu erwähnen, die fast 1 m lang werden kann. Sie versucht nur in äußerster Bedrängnis zur Verteidigung zu beißen, ihr Gift ist für den Menschen aber völlig ungefährlich.

Ägäischer Nacktfingergecko

Ob der eher unauffällige Walzenskink *(Chalcides moseri)*, die durchschnittlich 1,50 m lange Kaspische Pfeilnatter *(Coluber caspius)*, deren Biß für den Menschen ungefährlich ist, und die mit bis zu 2,9 m längste, aber ebenfalls harmlose tagaktive Vierstreifennatter *(Elaphe quatuorlineata quatuorlineata)* heute noch auf Santorin leben, ist ungewiß. Sie wurden in jüngerer Zeit nicht mehr beobachtet.

Die größte Gruppe der Kleinlebewesen nehmen die Insekten ein. Neben den meist flügellosen Insekten wie z. B. den Felsenspringern, Silberfischchen, Spinnfüßlern und

Ohrwürmern gibt es die allseits bekannten Heuschrecken, Grillen, Zikaden, Wespen, Bienen, Mükken, Fliegen, Libellen und Schmetterlinge mit einer unterschiedlichen Anzahl von Familien.

Herausragend ist die Gruppe der Käfer, die am meisten beachtete Insektenordnung mit bisher ca. 72 nachgewiesenen Arten. Die Vielfalt der Käferarten reicht von wunderschön bunten und prachtvoll metallisch glänzenden zu unscheinbar braunen und schwarzen Käfern mit langgestreckten oder runden Körpern und mit vielfach variablen Fühlertypen, wie z. B. faden- und perlartigen, gesägten, gefiederten, gekeulten oder fächerartigen Fühlern. Sie halten sich in den unterschiedlichsten Biotopen auf und sind auf allen fünf Inseln (sogar mit fünf Arten auf dem kleinen Aspronisi) anzutreffen.

Sehr artenreich ist darüber hinaus auch die Gruppe der Pflanzen-Wanzen mit 15 verschiedenen Familien, zu denen so schöne Exemplare wie die Streifenwanzen und die prachtvoll gezeichneten Feuerwanzen gehören.

Auch Schnecken und Spinnen sind mit vielen Arten vertreten. Sie fühlen sich vor allem in den blasenreichen Bimssteinen zu Hause. Von den sonst im Mittelmeerraum recht zahlreich auftretenden Skorpionen ist auf Santorin bisher nur eine einzige Art *(Euscorpius carpathicus)* gefunden worden, ausgerechnet auf dem höchsten Berg, dem Profitis Elias.

Bei den krebsartigen Tieren gibt es neben den im Wasser lebenden Arten wie Wasserflöhen, Ruderfuß- und Muschelkrebschen auch auf dem Land lebende Arten, die ebenfalls in den unterschiedlichsten Biotopen zu finden sind.

Von Therasia sind bisher noch keine Tierarten bekannt geworden, die es auf der Hauptinsel nicht auch gibt. Sehr häufig trifft man hier die Eidechse und den Nacktfingergecko an. Diese Tiere sind sehr genügsam in ihren Ansprüchen an das Biotop, so daß sie inzwischen auch auf Paläa Kameni leben. Auf Nea Kameni findet man sie ebenfalls, dort steht allerdings der Tierbestand noch weit hinter der Pflanzenbesiedlung zurück. Man muß abwarten, ob sich im Laufe der Zeit weitere Arten auf der Insel niederlassen.

Die Tier- und Pflanzenwelt im umgebenden Meer wird allerdings vergeblich auf Zuwachs warten. Im Gegenteil, die Fischer von Santorin beklagen zunehmend einseitigere Fänge. Die Bestände einiger Fischarten, der Oktopoden und Kalmare verringern sich immer mehr – einerseits bedingt durch die ökologischen Veränderungen, d. h. die zunehmende Belastung und Verschmutzung der Meere, andererseits aber auch durch das bis vor kurzem praktizierte Fischen mit Dynamit (s. S. 152 f.).

Klima

Santorin gehört wie die anderen Kykladen zu den sonnenreichsten Gebieten Griechenlands. Es liegt etwa auf dem gleichen Breitengrad wie Sizilien, Tunis, Algier und Gibraltar, erreicht allerdings längst nicht so hohe Temperaturen während des Sommers. Das liegt vor allem an den kühlen und trockenen Etesien-Winden aus Nordost bis Nord, die in der Ägäis auftreten. Diese von den Griechen *Meltémia* genannten Winde wehen überwiegend in den sonst drückendheißen Sommermonaten Juli bis September und wirken dadurch eher belebend und erfrischend (s. S. 38). Die durch den Wind gut zu ertragenden Temperaturen von durchschnittlich 26°–29° C verleiten aber auch zur Unvorsichtigkeit, deren Folge oftmals ein Sonnenbrand oder sogar ein Sonnenstich ist. Man darf nämlich nicht vergessen, daß die ultravioletten Strahlen trotzdem vorhanden und sehr intensiv sind.

Einen richtigen Winter gibt es auf Santorin nicht. Der Schnee ist ein ausgesprochen selten gesehener Gast, so daß die Einwohner eigentlich nur von drei Jahreszeiten sprechen. Da ist zunächst die Blüte- und Reifezeit von März bis Anfang Juni. In diesen Monaten zeigt sich die Insel in ihren schönsten Farben, alles blüht und wächst, und es ist noch genug Wasser vorhanden. So liegt auch die beste

Leben mit dem ewigen Wind

Wie Wilhelm Hausenstein sagt, ist der »eigentliche Bewohner der Insel der Wind«, und zwar der *Meltémi,* ein trockener Wind der südlichen Ägäis, welcher vornehmlich in den heißen Sommermonaten fast immer aus der gleichen Richtung bläst: aus Nordosten, auch mal aus Norden oder Nordwesten. Er beginnt morgens mit einer leichten Brise und nimmt bis zur Mittagszeit kräftig zu. Dann wirbelt er den Bimssteinstaub über die freien Felder und vor allem den Rand der Caldera hoch und treibt die kleinen Sandteilchen wie kleine Nadelstiche in die Kleidung, die Haare und die Haut. Alles, was nicht fest steht oder befestigt wurde, wird aufgewirbelt und treibt die Gassen entlang. Die Flugzeuge können weder starten noch landen, und auch die Schiffahrt kommt zum Erliegen.

Zu solchen Zeiten tut man gut daran, sich mit dicken Tüchern zu schützen, oder noch besser, sich in die sicheren Häuser zu retten. Auch vom Baden sollte man absehen, da das Meer aufgewühlt und äußerst gefährlich sein kann. Aber plötzlich, meist am späten Nachmittag, herrscht dann wieder völlige Ruhe, und man glaubt, einem Spuk aufgesessen zu sein. Die Insel erstrahlt in dem ihr eigenen Licht und schmeichelt mit der Schönheit der Landschaft.

Für die Inselbewohner ist der Wind ein Teil ihres Lebens. Die Häuser sind so ausgerichtet, daß die Türen nie nach Nordosten zeigen, es ist immer ein Vorhang vor Fenstern und Türen, um den gröbsten Staub fernzuhalten, und die Gäßchen hat man extra so verwinkelt angelegt, daß sie dem Wind keine Angriffsfläche bieten. Die Frauen und Männer, zumindest die älteren, gehen nie ohne Kopfbedeckung, die sie sich tief ins Gesicht ziehen können.

Für die Fischer ist die Kenntnis dieser Winde lebenswichtig, denn bei zu starkem Meltémi wäre es für sie höchst gefährlich auszufahren. Aber selbst die erfahrensten unter ihnen tun sich bei einer Wettervorhersage manchmal schwer. Andererseits ist es aber gerade der Wind, der das Klima in den sonst sehr heißen Sommermonaten erträglich macht. Man kommt nie in eine ›Backofen‹-Situation, in der die Hitze steht und einen zu erdrücken droht. Es entsteht vielmehr eine äußerst klare und reine Luft, welche die Intensität der Farben erhöht und sie zum Leuchten bringt. An manchen Tagen ist dann die Fernsicht geradezu phantastisch. Man erblickt alle umliegenden Inseln und kann sogar die Berggipfel Kretas erkennen.

Reisezeit für diejenigen, die die Insel erwandern möchten, zwischen Ende April und Anfang Juni. Die Temperaturen sind mit 20°–25° C sehr angenehm, und man muß kaum noch mit größeren Regenschauern rechnen. Ab Mitte Mai etwa kann man bei Wassertemperaturen von 19°–20° C auch schon baden gehen.

Von Juni bis Mitte Oktober folgt die Trockenzeit. Die meisten Blüten sind bereits verdorrt, und die Insel wirkt mancherorts wie verbrannt. Auch das Wasser in den Zisternen geht langsam zu Ende. Es ist allerdings die schönste Badezeit, bei 22°–25° C warmem Wasser. Die Lufttemperaturen sind durch den Wind gut zu ertragen.

In der zweiten Oktoberhälfte beginnt die Regenzeit, die bis in den März hinein reicht. In dieser Zeit fallen etwa 80 % der gesamten Regenmenge von durchschnittlich 364 mm/Jahr. Es ist mit Temperaturen zwischen 19° (Oktober) und 10° C (Februar), selten bis 0° C zwar immer noch wärmer als bei uns, aber durch den ständigen Wind wird es sehr ungemütlich und kalt. Auch die Hotels und Restaurants sind nun nicht mehr auf Gäste eingestellt, so daß Santorin kein angenehmer Winteraufenthaltsort ist.

Klimatabelle

	Lufttemperatur (°C)	Tageshöchsttemperatur (°C)	Sonnenstunden/ Tag	Regenmenge (mm)	Luftfeuchtigkeit (%)	Wassertemperatur (°C)
Jan	11	15	4	74	74	16
Feb	11	16	5	52	73	15
März	12	17	5	41	72	15
April	15	20	8	21	71	16
Mai	19	24	10	12	69	19
Juni	22	28	11	2	65	22
Juli	25	29	13	0,1	61	24
Aug	25	29	12	1,5	60	25
Sep	22	27	9	9	68	23
Okt	19	23	7	26	72	21
Nov	16	20	6	52	73	19
Dez	13	16	4	74	74	17

(Durchschnittswerte in den letzten Jahren)

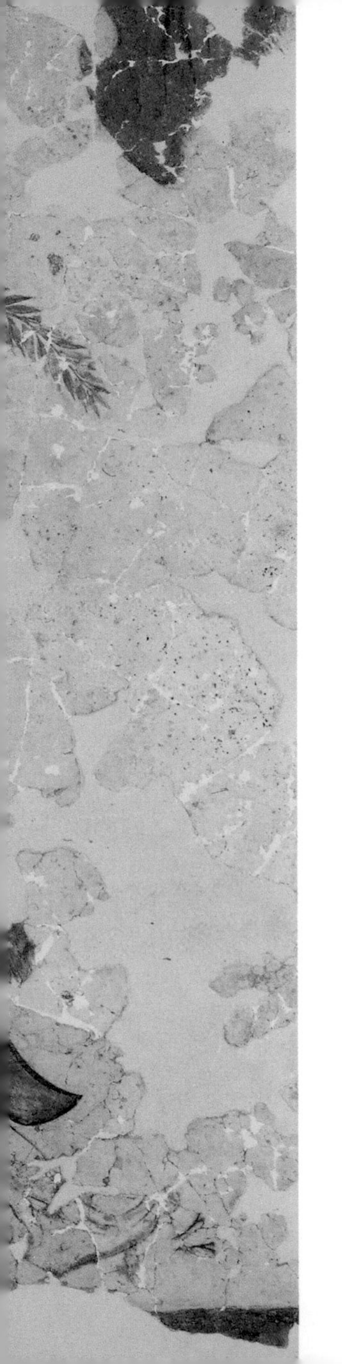

Geschichte und Gesellschaft

Viele ›Herren‹ kamen, doch die Eigenständigkeit blieb

Theräische Erde für den Sueskanal

Energie: die Sonne hilft

Der Kubus – die allereinfachste Figur

Ostern – Heimkehren nach Santorin

Tourismus – Jobs für die Inseljugend

»Unglückliches Mädchen« – Teil eines im prähistorischen Akrotiri gefundenen Freskos

Daten zur Geschichte

Bisher lassen sich keine sicheren Indizien für die Anwesenheit von Menschen auf Santorin vor der Bronzezeit (ca. 3000 –1500 v. Chr.) feststellen, obwohl sich die Insel bis zu dieser Zeit in einer Phase vulkanischer Ruhe von über 13 000 Jahren zu einem fruchtbaren Eiland mit einer reichen Flora entwickelt hat. Gesicherte Funde der frühen Besiedlung Santorins stammen aus der Übergangszeit zwischen der Stein- und Bronzezeit, also um 3000 v. Chr. Die prähistorische Siedlung bei Akrotiri weist aber schon einen sehr hohen zivilisatorischen Standard auf.

Bronzezeit (ca. 3000–1500 v. Chr.)

3200 –1100 v. Chr. Kykladische Kultur

3200 – 2000 Frühkykladische Periode
Die geographische Lage der Kykladen zwischen dem europäischen Festland, Kleinasien und Nordafrika begünstigt den Kulturaustausch und den Handel zwischen diesen Ländern. Die Verarbeitung von Metallen für Kunst- und Gebrauchsgegenstände beginnt, und die Keramik- und Marmorbearbeitung entwickelt sich weiter. Auf Santorin entstehen um 3000 v. Chr. die ersten Siedlungen an der Südküste des heutigen Therasia und auf der Halbinsel Akrotiri. Es wird angenommen, daß diese frühen Siedler aus Kleinasien stammen.

2000 –1500 Mittelkykladische Periode
Der Einfluß von Kreta und dessen minoischer Kultur macht sich überall auf den Kykladen in Kleidung, Kunst und Architektur bemerkbar. Trotzdem bleibt auf Santorin noch genügend Freiraum für eine eigenständige theräische Entwicklung, die vor allem in der ungewöhnlichen Lebendigkeit von Stil und Inhalt der Wandmalerei zum Ausdruck kommt. Durch ihre weitgehende wirtschaftliche Unabhängigkeit sind die Santoriner auch politisch relativ autonom. Die politischen Belange werden hier nicht wie auf Kreta von der zentralen Macht der Könige geregelt, sondern eigenverantwortlich von verschiedenen »Behörden«. So bestehen immer gute Beziehungen zwischen Santorin und Kreta, wobei sich die kleinere Insel nie von der Übermacht der großen vereinnahmen läßt.

Die Harfenspieler

In den Bimssteinbrüchen von Thira entdeckte man 1838 ein Grab, in dem sich u. a. zwei Musikantenidole aus gelblich-grauem Marmor (16,5 und 15,6 cm Höhe) befanden. »Die Harfenspieler« stellten eine kleine Sensation dar, sind sie doch eines von nur zwei bisher in Gräbern gefundenen Figurenpaaren. Die beiden Figuren stammen wahrscheinlich aus derselben Werkstatt, aber – wie die Ausgestaltung nahelegt – von zwei verschiedenen Meistern. Ob sich die Werkstatt auf Santorin oder einer anderen Kykladeninsel befand, ist aber noch unklar.

Datiert werden die »Harfenspieler« auf den Anfang der Keros-Syros-Kultur, d. h. die Zeit von ca. 2700 bis 2500 v. Chr. (Übergang Frühkykladisch Stufe I/Stufe II). Musikantenidole werden meist als musikalische Begleiter der »Großen Göttin« angesehen. Diese war sowohl die Göttin des Lebens und des Todes, aus deren Leib alles Leben hervorging und in den es wieder zurückkehrt, um neu geboren zu werden, als auch die Königin des Himmels, die die Nacht in der Unterwelt verbrachte und am Morgen wieder in den Himmel aufstieg. Die Musikanten sollten dabei ihren Aufgang bzw. den der Toten mit ihren Liedern erleichtern.

Um 1600 Der verheerende Vulkanausbruch auf Santorin sprengt eine 83 km^2 große Caldera in der Mitte der Insel frei und begräbt die bronzezeitlichen Siedlungen unter einer bis zu 60 m dicken Bimssteinschicht. Die Einwohner können aber, durch Erdbeben vorgewarnt, rechtzeitig die Insel verlassen.

Zeit nach der Eruption (ca. 1600–900 v. Chr.)

ca. 1500 – 1100 Spätkykladische Periode
Die Mykener besetzen die Kykladen und verdrängen Kreta aus seiner Vormachtstellung. Santorin wird davon allerdings nicht berührt, denn es bleibt nach dem Vulkanausbruch sehr lange Zeit unbewohnt. Erst nachdem sich aus den vulkanischen Gesteinsschichten langsam wieder fruchtbarer Boden gebildet hat, kommen die ersten Siedler etwa um 1200 v. Chr. Wahrscheinlich handelt es sich um Phönizier, die nach dem Niedergang der Mykener allmählich eine Handelsmacht im östlichen Mittelmeer aufbauen und unter der Führung von Kadmos auch auf Santorin, damals Kalliste genannt, landen. Einer Sage nach soll Kadmos seine von Zeus entführte Schwester Europa bis zu den Kykladen-Inseln verfolgt haben. Als er Kalliste erreichte, ließ er dort seinen Gefolgsmann Membliaros zurück, der auf dieser strategisch günstigen Insel eine Kolonie gründete.

Dorisches Santorin (ca. 900–323 v. Chr.)

1100 – 700 Geometrische Periode
So genannt nach der Verzierung auf der Keramik, bei der geometrische Muster (Mäander, Kreise, Dreiecke etc.) bevorzugt werden.
Die Dorer erreichen bei ihrer Wanderung vom Norden Griechenlands die Inseln der Kykladen und besiedeln sie. Dabei zerstören sie weitgehend die Kultur der ansässigen Bevölkerung.

Um 900 wird auch Santorin dorische Kolonie unter der Führung Theras, der sich auf der Suche nach einem neuen Machtterritorium auf der Insel niederläßt. Theras kommt ursprüng-

»Ein Klumpen Erde«
Oder: Wie Santorin entstanden ist

Es gibt viele Sagen und Geschichten, die sich mit der Insel Santorin beschäftigen. Eine der ältesten und auch schönsten stammt aus der griechischen Mythologie und wird in der Argonauten-Sage erzählt:

Als Jason zum jungen Mann wurde, kehrte er in das Königreich seines Vaters zurück, um von seinem Onkel den rechtmäßigen Thron zurückzufordern. Dieser willigte zwar ein, zuvor sollte Jason ihm aber das Goldene Vlies aus Kolchis bringen, das von einem Drachen bewacht wurde. Auf dem neu gebauten, großen Ruderschiff, der »Argo«, machte sich Jason mit zahlreichen Gefährten auf den Weg. Nach vielen Abenteuern gelang es ihm schließlich mit der Hilfe der Königstochter Medea, das Vlies zu rauben. Aber auch die Rückfahrt von Kolchis war sehr gefahrvoll. Zunächst kamen die Argonauten nach Libyen, wo sie an Land gespült wurden und sich in der Wüste verirrten. Wie so oft waren es wieder einmal die Götter und Halbgötter, die sie aus der ausweglosen Situation befreiten. Unter diesen befand sich auch Triton, der Sohn Poseidons und seiner Gattin Amphitrite, der von der Hüfte abwärts die Gestalt eines Fisches besaß. Er wies ihnen den Weg zum Meer. Nachdem sie ihm zum Dank dafür einen goldenen Schemel aus Delphi geschenkt hatten, hob jener einen Klumpen Erde vom Boden auf und gab ihn dem Euphemos, einem Gefährten Jasons. Dies war gleichzeitig ein Symbol dafür, daß Euphemos' Nachkommen an dieser Stelle einstmals die Herrschaft ausüben würden. Auf der Weiterfahrt nördlich von Kreta drohte eine unwirkliche Finsternis die Argonauten in die Irre zu leiten. Nachts träumte Euphemos, daß sich Tritons Erdscholle in ein Mädchen verwandelte, das ihn bat, sie den Töchtern des Nereus wiederzugeben, so daß sie im Meer, nahe Anafi, wohnen, später aufsteigen und seinen Enkeln als Heimat dienen könne. Daraufhin warf Euphemos den Erdklumpen ins Meer, und es stieg vor ihnen die Insel Kalliste aus den Fluten auf. Vor Kalliste, das später Santorin genannt wurde, ankerten die Argonauten bis zum frühen Morgen und fuhren dann, ohne weitere Abenteuer zu erleben, in den heimatlichen Hafen. Euphemos aber kehrte später auf die Insel zurück und bewohnte sie von nun an mit seinen Kindern, die gemäß der Weisung an den Küsten Libyens die Kolonie Kyrene gründeten und über sie herrschten.

lich aus Sparta, wo er die Regierung seinen inzwischen erwachsenen Neffen als Erben des Thrones übergeben mußte. Da er selbst phönizischer Abstammung ist, gibt es bei der Kolonialisierung der phönizischen Santoriner keine Probleme. Wie Herodot uns mitteilt, gründet Theras auf Santorin sieben Städte, mit dem antiken Thera als Hauptstadt. Zu Ehren ihres Führers wird die Insel ab diesem Zeitpunkt Thera genannt.

700 – 490 Archaische Periode
Mit der Gründung außergriechischer Kolonien im ganzen östlichen Mittelmeer erblühen auf den Inseln erneut Handel und Kultur. Delos wird zum Zentrum und religiösen Mittelpunkt gewählt, es entstehen die ersten Tempel. Auch Santorin kommt nun in Kontakt mit anderen Kulturen, u. a. mit denen von Kreta, Paros, Rhodos, Attika, Korinth und Ionien. Allerdings läßt sich die konservative Gesellschaft auf Thera von den neuen Eindrücken wenig beeinflussen, sie ist mit dem zufrieden, was die Insel selbst ihr bietet.

Um 630 Selbst die Gründung seiner einzigen Kolonie (Kyrene) in Libyen unternimmt Santorin quasi gezwungenermaßen, denn die Insel wird von einer sieben Jahre andauernden Dürreperiode heimgesucht. Als Ausweg erhält König Grinnos von Thera vom Orakel in Delphi die Weisung, an Nordafrikas Küste eine Kolonie zu gründen. Dorthin wandern viele Einwohner ab. Die Beziehungen zur Mutterinsel werden aufrechterhalten, so daß nun deren Produkte wie der köstliche Wein (»Dionysischer Wein«), die hochentwickelte Keramik und die bunten Stoffe in weite Teile des östlichen Mittelmeerraumes gelangen. Etwa im 7. Jh. v. Chr. entwickelt Thera sein eigenes Alphabet, welches das phönizische ersetzt.

Ab 530 prägt Thera seine eigenen Münzen mit zwei übereinanderliegenden Delphinen als Emblem.

490 – 336 Klassische Periode

490 – 449 Zeit der Perserkriege. Als Athen 480 v. Chr. von den Persern unter Xerxes angegriffen wird, nimmt Santorin nicht an dessen Verteidigung teil. Es fühlt sich durch die räumliche Nähe mehr zu Asien hingezogen.

477 Gründung des Attisch-Delischen Seebundes der Athener gegen die Perser. Santorin und Milos weigern sich wiederum, sich anzuschließen, da sie als Kolonie der Dorer aus Sparta pro-spartanisch und anti-athenisch eingestellt sind.

Relief am Heiligtum des Artemidoros in Alt-Thera, 4./3. Jh. v. Chr.

449 Vernichtung der persischen Flotte bei Salamis durch die Athener.

431–404 Peloponnesischer Krieg zwischen dem aristokratischen Sparta und dem demokratischen Athen um die Vorherrschaft in Griechenland. 430 ordnet sich Santorin dann doch den Athenern unter und wird 377 v. Chr. Mitglied des 2. Attischen Seebundes.

338 Athen unterliegt bei der Schlacht von Chaironeia den nordgriechischen Makedoniern unter der Führung von Philipp II., der von nun an die Herrschaft über Griechenland und die Kykladen ausübt.

Hellenistische Zeit (336–146 v. Chr.)

336–323 Nach Philipps II. Ermordung 336 v. Chr. kommt dessen Sohn Alexander der Große an die Macht und regiert auch die Kykladen. Auf seinen Feldzügen verbreitet er die griechische Kultur weit in den Osten hinein.
Da er keinen erwachsenen Nachkommen hat, wird das Reich nach seinem Tod aufgeteilt: Die Inseln fallen im

	3. Jh. v. Chr. an die Ptolemäer, die zwar in Ägypten leben, aber griechischer Abstammung sind. Ihr erster Führer, Ptolemäos I. Soter, erkennt die strategisch günstige Lage Santorins und macht es zu seinem Flottenstützpunkt.
200–197	Der II. Makedonische Krieg zwischen Rom und Makedonien endet mit dem Sieg Roms. Die Ägäischen Inseln werden nach und nach in römische Provinzen umgewandelt.
197	Bei einem Vulkanausbruch entsteht die Insel Paläa Kameni in der Mitte der Caldera.

Römische Zeit (146 v. Chr.–395 n. Chr.)

146 v. Chr.	Die Kykladen werden römische Provinz. Für die Santoriner ändert sich kaum etwas, da die Insel in der Strategie Roms keine Rolle spielt.
305 n. Chr.	Märtyrertod der hl. Irene aus Thessaloniki (284–305). Sie fällt der Christenverfolgung des Kaisers Diokletian zum Opfer. Später wird sie die Schutzheilige der Insel Santorin.
391	Das Christentum wird Staatsreligion. Die Tempel werden nach und nach in christliche Kirchen umgewandelt, wie z. B. die Kapelle Agios Nikolaos Marmaritis bei Emborio (s. S. 156).

Byzantinische Zeit (395–1204 n. Chr.)

395	Das Römische Kaiserreich wird in ein West- und ein Ostreich geteilt. Konstantinopel (Byzanz) regiert das Ostreich und damit auch die Kykladen. Die Verwaltung bleibt allerdings über 800 Jahre den Inselbewohnern nahezu selbst überlassen.
823–961	Gegen Ende der byzantinischen Herrschaft überfallen arabische Piraten wiederholt die Kykladen und plündern sie aus. Die Einwohner Santorins flüchten sich in die versteckt liegenden Bimssteinhöhlen.

In dieser Zeit entstehen überall auf der Insel griechisch-orthodoxe Kirchen, z. B. die Kirche Theotokaki im alten Dorfkern von Pyrgos aus dem 10. Jh. und die berühmte Kirche der Panagia Episkopi, die der byzantinische Kaiser Alexios I. Komninos im Jahr 1115 stiftet (s. S. 118 f.).

Fränkisch-Venezianische Zeit (1204–1537 n. Chr.)

1204 Fränkische Kreuzfahrer erobern auf ihrem 4. Kreuzzug Konstantinopel. Die Kykladen fallen an die Republik Venedig. Der venezianische Doge Enrico Dandolo überläßt die Inseln seinem Neffen Marco Sanudo. Santorin übergibt er seinem Begleiter Giacomo Barozzi als Lehen. Die Insel wird fortan nach der hl. Irene *(Santa Irini)* Santorin(i) genannt.

1335 Mitglieder der Sanudo-Familie vertreiben die Barozzis nach einer jahrelangen Fehde und beherrschen etwa 50 Jahre lang die Insel. Santorin untersteht in dieser Zeit dem Herzogtum Naxos.

1383 Ermordung des letzten Sanudo-Erben Nicolo II. Sanudo durch Francesco Crispo, der sich selbst zum Herzog ernennt. Bis 1479 bleibt Santorin unter der Herrschaft der Crispi-Familie. Für die Bewohner von Santorin ändert sich wenig.

Darstellung der Insel Santorin mit den venezianischen Festungen, 1576

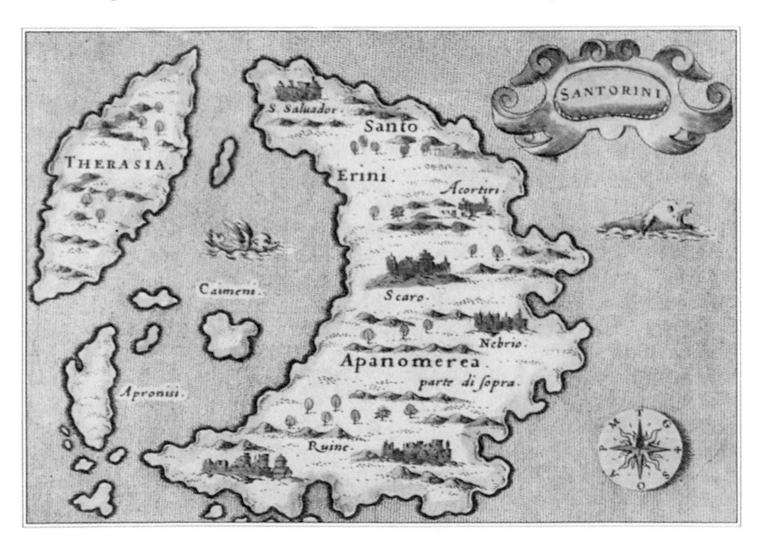

1480 Jacopo III. Crispo verheiratet seine Tochter Fiorenza mit Domenico Pisano von Kreta und gibt ihr die Insel Santorin als Mitgift. Der neue Herzog verhilft der Insel bis ins Jahr 1494 zu wirtschaftlichem Aufschwung, und zwar vor allem indem er Baumwolle, Wein und Oliven anbauen und exportieren läßt.

1494 Nach dem Tod von Pisanos Schwiegervater fordert ein Mitglied der Crispi-Familie die Herrschaft über Santorin zurück, die sie bis ins Jahr 1566 behält. Allerdings wird der Herzog ab 1537 dem Türken Sultan Suleiman II. tributpflichtig.

Während der gesamten venezianischen Herrschaft haben die Inseln unter Piratenüberfällen zu leiden. Die italienischen Adelsfamilien bauen zum Schutz gegen die Piraten und andere Eindringlinge Festungen, Kastelle und Wachttürme (Oia, Skaros, Pyrgos, Emborio und Akrotiri). Die Bevölkerung verarmt jedoch zusehends durch Fehden der Lehensherren untereinander. Und obwohl die katholischen Adelsfamilien die orthodoxe Bevölkerung weitgehend tolerieren, kommt es immer wieder zu Auseinandersetzungen zwischen den religiösen Führern beider Gemeinschaften.

Osmanische Zeit (1537–1832 n. Chr.)

1537–1538 Chaireddin Barbarossa, ein islamischer Grieche und Großadmiral des osmanischen Sultans, erobert die Kykladen und plündert sie aus.

1538 Chaireddin schlägt Venedigs Flotte in die Flucht. Daraufhin müssen die Venezianer ab 1540 fast alle Stützpunkte in der Ägäis den Türken überlassen. Santorin bleibt zwar weiterhin Lehensgut der Italiener, diese sind aber zu hohen Tributzahlungen verpflichtet.

In der Folgezeit gewähren die Türken den Inselbewohnern Glaubensfreiheit und das Recht auf eine eigene Verwaltung. Gleichzeitig öffnen sich die Inseln für Handelsbeziehungen zu Kleinasien und damit zu so großen Städten wie Alexandria, Konstantinopel und Odessa. Santorin wird vorübergehend Deimerjdik (Kleine Mühlen) genannt.

1570/73 Der Santorin-Vulkan wird wieder aktiv, und Mikra Kameni entsteht. Theras Südküste senkt sich, so daß große Teile überflutet werden.

1650 Drei Monate andauernde Beben mit anschließendem Vulkanausbruch, der den Vulkankegel vor Kap Koloumbos aus dem Meer auftauchen läßt. Dabei bilden sich giftige Schwefeldämpfe, die viel Vieh verenden lassen.

1707–1711 Der älteste Teil der Insel Nea Kameni wird durch vier Jahre währende Vulkanausbrüche gebildet.

1768–1774 Russisch-türkischer Krieg, in dem ein Teil der Bewohner der Kykladeninseln auf der Seite der Russen kämpft, um sich von den Türken zu befreien. Dies gelingt tatsächlich auch für einige Zeit, aber im Jahre 1774 fallen die Inseln erneut an die Türken.

1821–1829 Freiheitskampf der Griechen gegen die Türken unter Einsatz der griechischen Handelsflotte. Auch Santorin nimmt aktiv am Kampf teil.

1.1.1822 Auf dem Nationalkongreß in Epidauros wird die Unabhängigkeit des hellenischen Volkes verkündet. Es kommt aber zu keiner endgültigen Lösung der griechischen Frage.

Ab 1825 Guerillakrieg (Klephtenkrieg) um wenige Brennpunkte wie Athen oder Mesolongi.

1829 Frieden zu Adrianopel. Santoriner sind nicht mehr beteiligt.

Neuzeit (seit 1832)

1832 Die Kykladen werden Teil des 1830 gegründeten Griechischen Staates (unabhängiges Königreich). Erster König wird der Wittelsbacher Otto I. (1834–62).

1919–1922 Krieg mit der Türkei um die kleinasiatische Westküste. Griechenland werden zunächst in den Abkommen von Neuilly (1919) und Sèvres (1920) West- und Ostthrakien sowie die Region von Smyrna zugesprochen.

1922 Niederlage der Griechen in der entscheidenden Schlacht im unwegsamen anatolischen Bergland.

Ab 1923 Bevölkerungsaustausch zwischen Griechenland und der Türkei, griechische Flüchtlinge kommen auch auf die Kykladen.

1925–1928 Erdbeben und neue Vulkanausbrüche auf Nea Kameni.

Santorin im Blickpunkt der Welt

Die Liste derer, die sich mehr oder weniger intensiv mit Santorin beschäftigten, ist sehr lang. Sie geht bis in die Antike (um 500 – 400 v. Chr.) zurück, aus der allgemeine Beschreibungen der Insel oder auch der Entstehung des Paläa-Kameni-Vulkans z. B. von Herodot, Pindar und Poseidonius überliefert sind. Allerdings stammen diese Berichte nur aus zweiter Hand, da keiner der Schreiber jemals selbst Santorin besucht hat.

Danach fand die Vulkaninsel in der Ägäis lange Zeit keine Erwähnung mehr. Erst im Mittelalter, als die Seefahrer immer neue Wege erforschten, taucht Santorin auf verschiedenen Seekarten auf. Die erste wirklich gute und präzise Darstellung der Insel stammt von dem Florentiner Christoforo Buondelmonti (1465). Weitere Kartenwerke, die z. T. noch heute Gültigkeit haben, zeichneten in späterer Zeit auch die Franzosen (z. B. Guillaume Antoine Olivier 1794) und die Engländer (u. a. die britische Admiralitätskarte von Thomas Graves 1851).

In der Zwischenzeit entstanden gleichfalls die ersten Beschreibungen zur Geographie, der Anzahl der Orte, der Bevölkerungsdichte und der vulkanischen Tätigkeit Santorins sowie von Alt-Thera, diesmal aus eigener Anschauung: Dabei waren die Franzosen die Vorreiter, unter ihnen der Arzt, Botaniker und Naturforscher Pitton de Tournefort, der Jesuitenpater François Richard, der seit 1642 auf Santorin lebte, sowie de Thévenot und Fauvel, die in ihren Büchern von 1665 bzw. 1788 die Ruinen von Alt-Thera und deren erste Ausgrabungen beschreiben. Aber auch einheimische Schriftsteller meldeten sich zu Wort, wie z. B. der Santoriner Delendos, der über den Ausbruch von Mikra Kameni 1707 berichtet.

Ende des 18. und Anfang des 19. Jh. trat eine ganz andere Art von Literatur auf, nämlich die Reisebeschreibung. Es bildeten sich zwei recht gegensätzliche Richtungen heraus, deren berühmteste Vertreter zum einen der reiselustige Fürst Hermann von Pückler-Muskau, zum anderen der aus Holstein stammende Ludwig Ross waren. Letzterer, Oberkonservator griechischer Altertümer und Professor in Athen, bringt uns in seinem 1841 erschienenen Buch in unbestechlichem und sachlichem Stil die Insel Santorin näher. Fürst Pückler-Muskau schildert dagegen seine ebenfalls äußerst präzisen Beobachtungen aus dem Jahr 1836 in lebendigen und schillernden Farben. Beide verstehen es vorzüglich, bei den Lesern die Sehnsucht nach der Ferne zu wecken.

Der Ausbruch des Santorin-Vulkans im Jahr 1866 lockte wiederum Scharen von interessierten Fachleuten und Laien auf die Insel. Es folgten detaillierte Beschreibungen der Eruption wie auch Überlegungen zum Ausbruchsmechanismus, verfaßt von vielen auswärtigen Geologen (z.B. Fouqué und Lopschine) und auch griechischen Wissenschaftlern, unterstützt von einheimischen Forschern wie de Cigalla, da Corogna und Delenda. Im Jahr des Ausbruchs veröffentlichte François Lenormant auch die erste Fotografie des Santorin-Archipels.

Obwohl in den folgenden Jahren bei Forschern und Schriftstellern immer wieder der Vulkan und seine Ausbrüche im Vordergrund standen, entdeckte man allmählich, daß dies nicht das einzige ist, was die Insel an Interessantem zu bieten hat. 1871 wurden zunächst zwei Franzosen (H. Mamet und H. Gorceix) auf die Dorer-Stadt Alt-Thera auf dem Mesa Vouno aufmerksam. Sie beschrieben einzelne Gebäude aus dem großen Stadtkomplex und führten auch Ausgrabungen in kleinerem Umfang durch. Diese wurden 28 Jahre später von dem Deutschen Baron Friedrich Hiller von Gaertringen systematisch weitergeführt. Ihm verdanken wir ein vierbändiges Werk (1899–1909) über die alte Stadt und ihre Bewohner.

Die erneute Eruption im Jahr 1925 brachte aber bald wieder den Vulkan in die Schlagzeilen. Diesmal kam ein ganzes Heer von Wissenschaftlern und Berichterstattern auf die Insel, die ihre Beobachtungen in größeren und kleineren Schriften niederlegten (u.a. D. Hondros, G.C. Georgalas, C.A. Ktenas und N. Liatsikas). Ein umfassendes Werk über die Ausbrüche der Jahre 1925–28 gab der Geologe Hans Reck unter der Mitarbeit vieler deutscher, griechischer und holländischer Kollegen (z.B. M. Neumann van Padang) 1936 heraus. 1928 entstand die erste private Luftbildaufnahme von dem Schweizer Walter Mittelholzer, der auf seinem legendären Afrika-Flug Santorin überquerte.

Weiterhin blieb die wissenschaftliche Erforschung das Hauptinteresse der meisten Inselbesucher. Eines der großartigsten Werke über Geologie und Geographie von Santorin hinterließ uns Alfred Philippson in seinem vierten Band über die griechischen Inseln (1959). Aber auch reine Reisebeschreibungen waren wieder auf dem Vormarsch. Viele Autoren widmeten auf ihren Fahrten in die Ägäis speziell Santorin einige begeisterte Seiten (u.a. Wilhelm Hausenstein, Kasimir Edschmid, Robert Lidell, Louis Golding). Zwei Bücher (1965 und 1975), in denen aus jeder Zeile die besondere Liebe zu Santorin spricht, stammen von Lois Knidlberger. Er beschreibt äußerst ausführlich die einzelnen Orte, die Kirchen, Altertümer und das Leben auf der Insel.

Die Entdeckung und systematische Ausgrabung der prähistorischen Stadt Akrotiri ab 1967 durch den griechischen Archäologen Spyridon Marinatos und seinen Nachfolger Christos Doumas wurden eine Weltsensation. Ganze Heere von Wissenschaftlern, Journalisten und Neugierigen bevölkerten die Insel. Viele Berichte erschienen, in denen auch die wildesten Vermutungen über diese minoische Stadt und ihre Kultur geäußert wurden. So wollen einige Autoren in Santorin das versunkene Atlantis Platons sehen (vgl. S. 178 ff.). In ihren Büchern führen sie detaillierte Erläuterungen zu ihrer Hypothese auf (z. B. John V. Luce, Angelos G. Galanopoulos, James W. Mavor und Karl A. Frank), und einige halten bis heute an dieser Theorie fest.

In den 70er und 80er Jahren erschienen die ersten größeren Reiseführer über die Ägäis und speziell über die Kykladen-Inseln, in denen Santorin natürlich ein Platz eingeräumt wurde. Aber auch die Wissenschaftler (Geologen, Archäologen, Zoologen und Botaniker) gingen immer detaillierter auf die kleine Insel ein. Eine Flut von Untersuchungen und Arbeiten über einzelne Aspekte Santorins erschien vornehmlich in Fachzeitschriften. Seit 1978 findet auf Santorin regelmäßig ein Kongreß statt (Thera and the Aegean World), auf dem geologische, archäologische und geochronologische Themen diskutiert werden.

Aber immer wieder sind es einfach die phantastische Kulisse der Insel Santorin wie auch die unverwechselbaren Lichtverhältnisse in der Ägäis im allgemeinen, die die Menschen zum Schreiben anregen. In unzähligen Beschreibungen und Geschichten rühmen sie die Schönheit der Inseln (u. a. Hugo v. Hofmannsthal, Lawrence Durell, Nikos Kazantzakis, Johannes Gaitanides, Gerd Höhler).

Schließlich fand die Insel Santorin sogar Eingang in die Trivialliteratur, zumindest als attraktiver Hintergrund der Romanhandlung (»Der Santorin-Schock« von Alistair MacLean).

So wird die Liste derer, die ihre Begeisterung für die Insel Santorin zu Papier bringen, auch heute noch immer länger.

1941–1944 Deutsche und italienische Truppen besetzen Griechenland. 1941 sind zunächst die Italiener auf Santorin, danach die Deutschen bis zum 18. 10. 1944.

1946–1949 Bürgerkrieg in ganz Griechenland, einige Kykladen-Inseln werden zu Verbannungsorten.

1952 Griechenland tritt der NATO bei.

9. 7. 1956 Ein schweres Erdbeben auf Santorin zerstört mehr als 3000 Häuser und fordert über 50 Menschenleben. Viele

Nach dem Erdbeben von 1956

	Bewohner kehren nach der Teilevakuierung nicht mehr auf die Insel zurück.
1967–1974	Militärdiktatur in Griechenland unter dem Präsidenten Georgos Papadopoulos.
1.8.1974	Sturz der Militärjunta.
17.11.1974	Parlamentswahlen, aus denen die neu gegründete *Nea Demokratia* als stärkste Partei hervorgeht. Ministerpräsident wird der Konservative Konstantinos Karamanlis.
8.12.1974	Bei einer Volksabstimmung wird die Republik als künftige Staatsform in Griechenland beschlossen.
11.6.1975	Die neue Verfassung tritt in Kraft.
1.1.1981	Griechenland wird Vollmitglied der EG.
1981	Griechenland gehört wieder der NATO an, aus der es 1974 vorübergehend ausgetreten war.
	Bei Neuwahlen kommt die Partei der PASOK (Panhellenische Sozialistische Bewegung) an die Macht unter dem Präsidenten Andreas Papandreou.
18.6.1989	Wahlniederlage der PASOK. Aber auch die *Nea Demokratia* kann keine absolute Mehrheit erringen, daher kommt es zum Bündnis zwischen der rechten Partei und dem Links-Bündnis (orthodoxe Kommunisten und Sozialisten), die eine Übergangsregierung bilden.

8.4.1990	Wahlsieg der *Nea Demokratia* unter Konstantinos Mitsotakis.
10. 10. 1993	Die PASOK mit Andreas Papandreou an der Spitze erhält bei den Parlamentswahlen die absolute Mehrheit.
10. 3. 1995	Kostis Stephanopoulos legt vor dem Parlament in Athen den Eid als Staatspräsident ab.
22. 1. 1996	Konstantinos Simitis (Prof. Dr.) von der PASOK wird neuer Ministerpräsident.
13. 6. 1999	Europawahl: Stärkste Partei ist die *Nea Demokratia* (36%), gefolgt von der PASOK (32,9%) und den linken Parteien KKE (8,7%) und DIKKI (6,8%).

Wirtschaft

Der Tourismus steht an erster Stelle

Die Wirtschaftsstruktur in Griechenland war lange Zeit auf die Landwirtschaft ausgerichtet. Gerade auf Santorin, wo die Vulkanerde äußerst fruchtbar und nährstoffreich ist und geringe Wassermengen ausreichen, baute man in großem Umfang Wein und Tomaten sowie verschiedene Getreidesorten an. Der hervorragende Wein wurde nach ganz Europa und nach Übersee in extra dafür eingesetzten Weinschiffen exportiert. Zehn Fabriken verarbeiteten die kleinen, wohlschmeckenden Tomaten vor allem in den Jahren von 1945–75 zu Ketchup oder zu Konserven.

Seit Mitte der 70er Jahre geht die Landwirtschaft aber ständig zurück, wohingegen der Tourismus mit vielen neuen Stellen im Dienstleistungsbereich bis heute zum wichtigsten Erwerbszweig aufgestiegen ist. Der Anteil der Dienstleistungen am Bruttoinlandsprodukt beträgt schon über 63,6 % (Gesamtgriechenland). Im Tourismusgeschäft verdingen sich inzwischen auch einige derjenigen, die noch bis zum Jahr 1990 in den großen Bimssteingruben bei Thira tätig waren, in denen die Pozzuolana-Erde in großen Mengen abgebaut und in Schiffe verladen wurde (s. S. 58). Die Arbeiter gingen entweder in den Kalkabbau auf andere Inseln oder auf das Festland – manche bauten sich mit ihren Ersparnissen ein Hotel oder Restaurant auf Santorin auf.

So hat der Tourismus neben seinen allseits bekannten negativen Auswirkungen auch seine guten Seiten. Vor allem wird die Jugend davon abgehalten, aus den Dörfern oder ganz von der Insel fortzuziehen. Die Jugendlichen können inzwischen nirgendwo so schnell so viel Geld verdienen wie hier in der Touristik-Branche. Der Fremdenverkehr konzentriert sich zwar am stärksten auf die Hauptstadt

Der Tourismus schafft Jobs – Hotelwerber am Hafen von Athinios

Thira, auf Oia und die Badeorte Kamari und Perissa, doch es werden vermehrt auch in den kleineren, im Landesinnern gelegenen Orten Restaurants und Übernachtungsmöglichkeiten eingerichtet, da hier, abseits der großen Zentren, der Individualtourismus zunimmt.

Man darf allerdings nicht übersehen, daß sich ebenfalls auswärtige Investoren für die in der Gunst der Touristen steigende Insel interessieren. So kommt viel Geld für den Bau von Hotels und Restaurants vom Festland, speziell aus Athen. Außerdem werden zahlreiche Saisonarbeiter angezogen, die nur in den Sommermonaten auf der Insel leben, wie z. B. die meisten Betreiber der Goldläden.

Andererseits muß gerade in dieser Branche das gesamte Jahresgehalt in den Sommermonaten erwirtschaftet werden. Deshalb hält sich auf Santorin, wenn auch in kleineren Dimensionen, teils nebenbei, teils als Hauptberuf, immer noch die Landwirtschaft. Es haben sich ein paar größere Weinkellereien organisiert, die auch heute noch die berühmten Santorini-Weine ins europäische und außereuropäische Ausland exportieren. Die Tomatenfabriken sind allerdings zugunsten des Tourismus auf einen Betrieb bei Monolithos reduziert. Und dieser produziert auch nur noch für den Eigenbedarf, der natürlich in den Sommermonaten

»Santorinerde«
Der hydraulische Mörtel

Eines der wichtigsten Exportgüter Santorins war bis ins Jahr 1990 die Theräische Erde, auch Santorinerde oder Pozzuolana genannt. Gemeint sind damit die Bimssteine, die die ganze Insel wie ein weißes Tuch bedecken. Zu Mehl verarbeitet und im Verhältnis 8 : 1 mit Kalk und etwas Wasser vermischt, ergeben sie einen besonderen Zement, der unter Wasser erhärtet und gegenüber Seewasser äußerst widerstandsfähig ist.

Diese Eigenschaft der Santorinerde war schon seit Jahrhunderten bekannt, und sie machte die Pozzuolana zum Zement Nr. 1 bei den meisten Hafenkonstruktionen des östlichen Mittelmeeres. Zusätzlich fand die Santorinerde speziell beim Bau des 163 km langen Sueskanals (1859 – 69) Verwendung.

Hierfür grub man in den großen Tagebauen südlich von Thira ungeheure Mengen des Bimssteins auf verschiedenen Geländestufen ab und leitete sie über Förderbänder zum Caldera-Rand. Von dort aus rutschten die Bimssteine dann den Steilhang hinab und über entsprechende Transporteinrichtungen direkt in die unten bereitstehenden Frachtschiffe. Noch heute sind unterhalb der Steinbrüche die Rutschen und Anlegestellen zu sehen.

Hier fanden viele Inselbewohner und auch Auswärtige Arbeit, die allerdings außerordentlich hart war. Die Männer mußten sich acht Stunden lang dem vom Wind aufgewirbelten Bimssteinstaub aussetzen, der sich von den Haar- bis zu den Zehenspitzen überall einnistete. Nicht selten war daher auch eine Staublunge das Resultat jahrelanger Tätigkeit im Steinbruch.

Trotz allem begehrten die Männer diese Arbeit, da sie hier einen festen, gesicherten Arbeitsplatz hatten, an dem sie genug verdienten, um ihren Kindern eine bessere Ausbildung finanzieren oder sich nach ein paar Jahren in irgendeiner Form selbständig machen zu können. Deshalb gab es nicht nur von seiten der Regierung zunächst erhebliche Proteste gegen die Schließung der Abbaue. Neben zahlreichen Wissenschaftlern ist es nicht zuletzt der steigenden Zahl der Touristen zuzuschreiben, die eine weitere Zerstörung der Insellandschaft und der Schönheit der Natur verhinderte. Es bleibt zu hoffen, daß die neuen Besitzer des inzwischen verkauften Geländes auch weiterhin in diesem Sinne mit dem Grundstück verfahren.

steigt. Daneben gibt es noch ein paar Fischer, die die Restaurants beliefern (s. S. 152 f.), und die Besitzer der Reit- und Lasttiere. Viele der männlichen Bewohner von Therasia arbeiten weiterhin traditionell als Seeleute oder als Hafenarbeiter in Piräus.

Trotz allem ist heute der Tourismus auf der Insel die größte Einnahmequelle. Mit diesen Devisen muß eine Menge an Nahrungsmitteln, Dingen des täglichen Bedarfs, Rohstoffen, Maschinen, Material zum Feuern, für den Straßenbau etc. importiert werden. Die wichtigsten Importländer sind neben der Bundesrepublik Deutschland Italien, Frankreich, England und die USA. Exportiert werden zur Zeit nur noch der Wein und in begrenztem Maße Wolle, Pistazien und Feigen.

Während der Weinanbau immer noch eine wichtige Rolle spielt, sind Fischernetze nicht mehr so oft in Gebrauch

Energiewirtschaft

Am Energieverbrauch in Gesamtgriechenland hat die Industrie mit über 35 % den größten Anteil, gefolgt von den privaten Haushalten (34 %) und staatlichen Einrichtungen (20%). Der Verbrauch der Landwirtschaft (6%), der Straßenbeleuchtung (2 %) etc.(5%) ist dagegen fast zu vernachlässigen. Auf Santorin steigt der Bedarf in den Sommermonaten an, wenn alle

Früher war der Wind auf Santorin eine wichtige Energiequelle, doch der Meltémi zerstörte auch viele Mühlen

Hotels, Restaurants etc. bis spät in die Nacht in voller Beleuchtung stehen. Um bei einem solchen Verbrauch wenigstens die Energie für die Warmwasserbereitung zu reduzieren, werden in steigendem Maße Sonnenkollektoren zur Energieerzeugung verwendet. Man sieht sie schon in fast jedem Ort auf den Flachdächern der neueren Häuser.

Dadurch wird sich der prozentuale Anteil der Solarenergie an der gesamten Energieversorgung erhöhen. Bisher hat Griechenland als Energieträger weitgehend Kohle (35 %) und Mineralöl (60 %) eingesetzt. Es liegt dabei mit 2267 kg Öleinheit je Einwohner (1 kg Öleinheit = 0,043 Gigajoule) an 14. Stelle des Energieverbrauchs der EU-Länder.

Der Strom wird aber immer noch von dieselangetriebenen Generatoren erzeugt, die in einer Fabrik in Monolithos untergebracht sind. Allerdings in relativ geringem Umfang im Verhältnis zu den immer weiter steigenden Ansprüchen. Vor allem im Sommer, der Hauptsaison, reicht die Kapazität manchmal nicht mehr aus, so daß es schon einmal vorkommen kann, daß die Beleuchtung für eine kurze Zeit ausfällt. Aber das Abendessen einmal bei Kerzenschein einzunehmen, kann wiederum auch ein besonderes Erlebnis sein.

Architektur

Die Architektur in Santorin hat eine sehr lange, gewachsene Tradition, die von der Antike (ein Beispiel: Haus C5 in Alt-Thera) bis heute reicht. Man findet sie oft allgemein unter dem Begriff Insel- oder Kykladenarchitektur beschrieben. Allerdings nimmt Santorin eine Sonderstellung unter den Kykladen ein, da es aufgrund seiner morphologischen Verhältnisse und seines spezifischen Baumaterials auch über eigene architektonische Elemente verfügt.

Die auffälligste Eigenart der Inselarchitektur ist die sog. agglutinierende Bauweise, d. h. das Aneinanderreihen kubischer oder rechteckiger ›Zellen‹ verschiedener Größe und Höhe, die je nach Bedarf durch neue Elemente erweitert werden können. Dadurch ergibt sich für die Häuser ein unregelmäßiger Umriß. Auch die Wege und Plätze erhalten so eine unregelmäßige Gestalt, was aber den Eindruck eines malerischen ›Geflechts‹ vermittelt. Trotz der Einfachheit und der klaren Linien der einzelnen Gebäudeteile erkennt man an kleinen Treppen, Geländern, Terrassen- und Hofgestaltungen das Gespür für Formen und die Liebe zum Detail. Vor allem aber ist diese Art von Architektur den Bedürfnissen der Menschen wunderbar angepaßt. Die verwinkelten und verschachtelten Siedlungen waren früher bei Überfällen leicht zu verteidigen; darüber hinaus bieten sie – auch heute noch – Schutz vor der Sonne und dem Wind. Ernst Heinrich (1958) nennt diese Architektur sehr treffend »menschennah«, man könnte auch sagen menschenfreundlich, da sie von dem Respekt gegenüber dem Nachbarn und dessen Bedürfnis nach Luft und Licht geprägt ist. Jedes Hauselement wird so gebaut, daß auch die unterhalb liegenden, eigenen oder nachbarlichen Wohnbereiche noch genug Sonne bekommen und die Bewohner »frei atmen« können.

Die Siedlungen auf Santorin lassen sich grob in drei Grundtypen einteilen. Erstens: Linear angelegte Orte, wie etwa Thira, Oia und Manolas, welche sich die Caldera entlangziehen, unterhalb derer sich kleine Hafenbuchten befinden. Zweitens: Dörfer wie Pyrgos, Emborio oder Akrotiri, die sich um die alten, schützenden Festungen der Venezianer herum entwickelt haben. Drittens schließlich Ortschaften wie Vothonas, Foinikia und Karterados, welche den alten Erosionsrinnen folgen. Die Bebauung paßte sich bei diesem Siedlungstyp den Geländegegebenheiten an und die Häuser wurden ganz oder teilweise in den Bimsstein hinein gebaut (Troglodytische Bauweise). Dies hatte allerdings zur Folge, daß die unteren Räume stets feucht waren und daher nur als Weinkeller oder Vorratsräume genutzt werden konnten. Als der Schutz vor Piratenüberfällen nicht mehr vorrangig war, entwickelten sich zusätzlich noch Orte, wie Kamari und Perissa. Sie entstanden als kleine Fischer- und Bauerndörfer an der Küste, mit einem fruchtbaren Hinterland. Die Bebauung erfolgte nach keinem

Oia: die verschachtelte Bauweise garantiert Licht, Luft und freien Blick

Farbenfroh gibt sich dieses Haus in Thira

konkreten Plan. Zunächst entstand eine breite Kaistraße, die gleichzeitig Markt›platz‹, Spazierweg und Treffpunkt war. An diese schlossen sich später strahlen- oder halbkreisförmig Häuserzeilen an, die aber immer noch Raum genug für die Gersten- oder Weinfelder und die kleinen Pistazienhaine ließen.

Obwohl auf Postkarten meist ein einheitlich erscheinendes weißes Häusermeer zu sehen ist, gibt es auf Santorin verschiedene Häusertypen. Der häufigste Häusertyp allerdings war und ist das sog. bürgerliche Wohnhaus. Es ist auf engem Raum gebaut und besitzt die typische unregelmäßige Form. Meist besteht es aus einem Erdgeschoß und einem ersten Stock mit seitlich angebauter, oft blumengeschmückter Terrasse, ohne viele Nebengebäude, wobei sich die Wohnräume um einen außenmittigen Hof herum gruppieren und sich Küche und Toilette meist auf eben diesem Hof oder der Terrasse befinden. Die Mauern, Treppchen, Terrassen oder Loggien sind mit einfachsten Mitteln gestaltet, aber immer in handwerklich ausgezeichneter Art. Am auffallendsten aber sind die Gewölbedächer, die auf Santorin – im Gegensatz zu den anderen Kykladeninseln – sehr oft sichtbar bleiben, d. h. sie sind nicht durch ein darüber gearbeitetes Flachdach verdeckt. Das Gewölbedach ohne feste Holzkonstruktion hat sich als einfachste sowie auch gegen Erdbeben wirkungsvollste Bauart herauskristallisiert, entspringt aber ebenso dem Umstand, daß es auf Santorin nie nennenswerte Mengen von Holz gab.

Das Hauptbaumaterial für die Häuser stammte aus Gesteinen der Insel, welche je nach ihrer Beschaffenheit verwendet wurden. So benutzte man unbehauene, schwarze, kompakte Lavabrocken als Wandverstärkungen oder Unter-

Moderne Häuser in Imerovigli

mauerungen. Die etwas poröseren, roten Laven des Kokkino Vouno, von Akrotiri oder von Oia kamen als Torpfeiler, in Fenstervorsprüngen oder als Verkleidungen zum Einsatz. Der blasige Bimsstein fand wegen seiner Leichtigkeit in den Gewölbekonstruktionen sowie bei Flachdächern und Terrassen seine Verwendung. Schließlich war vor allem die Santorinerde (s. S. 58) sehr wichtig, die sich als äußerst haltbarer Mörtel, als sog. ›Alleskleber‹ erwies. Ihr war es zu verdanken, daß man auch Gewölbe mit einer Öffnung bis zu vier Meter bauen konnte, ohne Eisentraversen benutzen zu müssen. Das Prinzip dazu, das auf der Festigkeit und dem geringen Gewicht des Santorin-Mörtels basierte, entwickelte ein Santoriner Werkmeister um das Jahr 1925. Über einer formgebenden Unterkonstruktion aus Holzbalken, Ästen und einfachem Mörtel (kakólaspi = Schlammabfall) wurde nach einer Trocknungsphase das eigentliche Dach errichtet. Dazu wurde der Santorin-Mörtel lagenweise zu einem 20–25 cm dicken Gewölbe aufgeschichtet. War das Dach nach 20 Tagen trokken, konnte der Holzrahmen entfernt werden, und das Gewölbedach blieb unversehrt stehen. Auf dieser Technik aufbauend, konnten auch Flachdächer und Terrassen errichtet werden, indem das Gewölbe mit Bimssteinen aufgefüllt und das ganze wiederum mit Santorin-Mörtel abgedeckt wurde. Die enorme Tragfähigkeit des getrockneten Materials erlaubte sogar den Bau unterirdischer Wohnräume, wie sie z. B. für Mühlen vorteilhaft waren, in denen der »oberirdische« Arbeitsbetrieb nicht gestört werden sollte. Auch machte es der Santorin-Mörtel möglich, daß Häuser in der Steilwand der Caldera Halt fanden oder gassenüberspannende Torbögen sowie Glockenträger (z. B. in Megalochori) gebaut werden konnten.

Ein weiterer Haustyp, das Bauernhaus, basiert auf einer ähnlichen Bauweise wie das bürgerliche Wohnhaus. Da es aber meist frei im Gelände steht, kann es sich mehr »ausbreiten«. Es besitzt daher zusätzlich einen großen Hof mit Stallungen, Zisterne und Backofen sowie mehrere andere Nebengebäude, die rund um das eigentliche Wohnhaus angeordnet sind. Ein charakteristisches Merkmal des Bauernhauses sind die bogenförmigen Doppeltüren der Nebengebäude. Allen diesen Häusertypen gemeinsam ist der für Santorin typische strahlend weiße Verputz. Dazu wurde früher gelöschter Kalk verwendet, der die Innenräume kühl hielt und gleichzeitig eine desinfizierende Wirkung hatte. Heute wird (leider) ›normale‹ Industriefarbe benutzt, die jedes Jahr wieder aufgefrischt wird.

Die sog. venezianischen Herrschaftshäuser waren dagegen vorwiegend in beige, ocker oder rostrot gehalten, einfarbig oder auch mit in den Verputz gedrückten Gesteinen geschmückt (s. Kirche in Messaria). Man sieht diesen Häusertyp heute wieder öfters in alter Pracht auf Santorin, da viele ehemalige Palazzi renoviert wurden und werden (z. B. Archontiko Argyrou in Messaria, s. S. 112). Sie stammen zum überwiegenden Teil aus dem 19. Jh. und befinden sich meist im Zentrum der Siedlungen (besonders schön in Thira, Oia oder Megalochori). Es wurde auf drei Ebenen gebaut mit einem Niveauunterschied, der bis zu fünf Meter betragen konnte. Im Erdgeschoß befanden sich meist die Ställe, während sich die eigentlichen Wohnräume in den beiden oberen Stockwerken befanden. Die monumentale Fassade war immer symmetrisch gestaltet und z. T. mit Marmorsäulen und Wappen geschmückt. Ebenso waren die Terrassen und Balkone oft mit Marmor ausgelegt oder zeigten ein schön gestaltetes Mosaik und waren von einem eisernen Geländer umrahmt. Der reine Renaissance-Stil mischte sich später aber zunehmend mit Santoriner Elementen. So entstand in manchen Vierteln ein Gemenge aus abendländisch anmutenden Häuserkuben und mediterranen Palazzi.

Die heutige Bauweise lehnt sich immer noch an die Gewölbebauten mit ihren auf verschiedenen Ebenen befindlichen Wohnelementen an. Allerdings wird heutzutage durchweg Stahlbeton verwendet, der zwar auch erdbebensicher ist, dessen langfristige Haltbarkeit sich aber erst noch zeigen wird.

Tradition und Gesellschaft

Die besondere Mentalität der Inselgriechen liegt einerseits in der Geschichte begründet, andererseits in der geographisch isolierten Lage ihrer Heimat.

In den Zeiten der Fremdherrschaft konnten die Bewohner nur dadurch ihre Wertvorstellungen und ihre Traditionen bewahren, daß sie sich nach außen hin zwar anglichen, im Innern, im Familien- und Dorfverband, aber nach eigenen Regeln lebten. Große Unterstützung fanden sie während dieser Zeit bei den Priestern und Mönchen, die in Geheimschulen die griechische Sprache und Schrift an die Kinder weitergaben (s. S. 140 f.). Dies förderte ihren Drang nach Unabhängigkeit und Freiheit und ließ es zu, daß sie in Maßen ihre eigenen Herren blieben. Gleichzeitig setzte eine solche Überlebensstrategie aber Ehrlichkeit, Höflichkeit und Vertrauen untereinander voraus, Eigenschaften und Qualitäten, die man noch heute bei der überwiegenden Zahl der Inselbewohner findet und die auch kriminelle Handlungen weitgehend ausschließen.

Die konservative, z. T. starre Gesellschaftsform behinderte andererseits ein Mithalten mit der Entwicklung in Wirtschaft und Technik, so daß die Inselgriechen bis zum verstärkten Auftreten des Tourismus überwiegend von Landwirtschaft, Fischerei und Seefahrt lebten.

Besonders in den Orten, in denen die Mehrzahl der Einwohner Seefahrer waren, wie z. B. in Oia, findet man weitere Charaktereigenschaften, welche die besondere Mentalität ausmachen. Man spürt die größere Bereitschaft zum Risiko sowie zur Durchsetzung eigener Ideen und gleichzeitig eine gewisse Listigkeit.

Das Streben nach Freiheit und Eigenständigkeit war auch die Antriebsfeder für die Aufspaltung der Wirtschaft in viele Kleinbetriebe. Der Grieche liebt es, sich seine Arbeit und vor allem seine Zeit selbst einzuteilen. Mit der Gewißheit, sich dann etwas Eigenes aufbauen zu können, ist er jedoch auch bereit, über lange Zeit hinweg schwer zu arbeiten, wenn nötig bis zu 18 Stunden am Tag. Er ist dabei aber kein Eigenbrötler, sondern pflegt im Gegenteil seine Freundschaften. Gerade die Selbstbestimmung im Beruf erlaubt ihm ja, wann immer es ihm beliebt, mit Freunden eine Tasse Kaffee zu trinken.

Neben den Freunden gehört die Familie zum wichtigsten Halt im Leben. Sie gewährleistet Geborgenheit und fängt die Menschen bei Krankheit, Arbeitslosigkeit etc. auf. Dieser enge Verband bezieht sich bei kleineren Orten auf die ganze Dorfgemeinschaft und findet seinen Ausdruck bei den verschiedenen Festen wie Hochzeit, Taufe, Namenstage der Heiligen usw., bei denen viel getanzt und gesungen wird. Die Musik spielt dabei eine zentrale Rolle, denn die Lieder geben die Hauptprobleme im Leben wieder, sie handeln von Liebe, Schmerz, Freiheit, Ernte und Fischfang. Leider lösen sich solche Gemeinschaften immer mehr auf. Das ursprüngliche Dorf steht in den Sommermonaten fast leer, nur im Winter ist es noch bewohnt. Die

Ohne Haus keine Hochzeit

Auch heute noch ist es bei den meisten Familien auf der Insel üblich, daß die Braut eine beachtliche Mitgift zu ihrer Hochzeit beisteuern muß. In der Regel handelt es sich um ein Haus oder zumindest eine Wohnung, in der das junge Paar leben kann. Diese hohe Mitgift wird dem Bräutigam als Ausgleich dafür gewährt, daß er in Zukunft für die Familie sorgen muß. Der Brauch kann aber manchmal dazu führen, daß ein Mann, der mehrere Töchter hat, sich für deren Mitgift nahezu ruinieren muß. So sind auch immer die Brüder angehalten, das nötige Geld mitzuverdienen. Erst wenn die Schwestern »unter der Haube« sind, dürfen auch sie nach einer Braut Ausschau halten. Das ist zugleich ein Grund dafür, warum die Brüder sehr streng über die Jugendhaftigkeit ihrer Schwestern wachen.

Trotz dieser noch strengen Sitten ist es aber den Mädchen heutzutage eher möglich, eine Liebesheirat einzugehen als in früheren Zeiten. Da sie inzwischen fast alle auch eigenes Geld verdienen, spielen bei der Heirat finanzielle Gründe keine so große Rolle mehr. So ist dem Vater ein Großteil der Belastungen abgenommen, und er kann freudiger der Hochzeit seiner Tochter entgegensehen. Für die Ausrichtung der Feierlichkeiten ist nämlich nicht er, sondern der Trauzeuge zuständig. Dieser ist es auch, der die Brautleute am Altar symbolisch miteinander verbindet, indem er die Bänder der Brautkränze über den Häuptern des Paares miteinander verknüpft. Und er sorgt dafür, daß jeder Gast nach der Hochzeitszeremonie ein Schächtelchen mit köstlichem Naschwerk *(koufeta)* erhält. Ihm kommt also die wichtigste Rolle zu. Daher ist es für jeden Griechen eine Ehre, zum Trauzeugen erwählt zu werden, und trotz der finanziellen Aufwendungen, die er zu leisten hat, kann es für ihn günstig sein. Als Trauzeuge wird er nämlich Mitglied der neuen Familie und genießt damit auch viele Vorteile.

Im Gegensatz zu den deutschen Brautpaaren, bei denen der »Wonnemonat« Mai an erster Stelle der Heiratsmonate steht, ist es in Griechenland verpönt, im Mai zu heiraten. Das bringt nach einem alten Sprichwort kein Glück, denn: »Im Mai paaren sich nur die Esel«.

Aktivitäten konzentrieren sich auf die Touristenzentren wie Thira, Kamari und Perissa. Dies hat manche allzu konservativen Strukturen der Gesellschaft etwas gelockert; der Einfluß der reichen Industrieländer mit ihren anderen Moralvorstellungen verändert jedoch auch die traditionellen Werte immer mehr. So beginnt einerseits die frühere Vormachtstellung des Mannes etwas zu wanken, weil die Mädchen vermehrt auf höhere Schulen geschickt werden oder zumindest eine Berufsausbildung erhalten. Und die nur langsam erkämpften Rechte auf Wahlbeteiligung, Gleichberechtigung und eigene Arbeit setzen sich endgültig durch. Auch wenn die Frauen eine Familie gründen, ist ihr Platz zunächst immer öfter an der Seite ihres Mannes, z. B. beim Aufbau eines Hotels oder Restaurants. Nach ein paar Jahren, wenn das Geschäft gut läuft und die Frauen älter geworden sind, ist es aber andererseits häufig der Fall, daß wieder nur der Mann die Gäste empfängt und sie unterhält, während die Frau in den Hintergrund, d. h. konkret in die Küche gedrängt wird. Das ist dann die Kehrseite der Modernisierung, nach der die Frau stets schön und jung zu sein hat.

Im eigenen Heim haben die Frauen jedoch weiterhin die Oberhand. Sie bestimmen die Kindererziehung, die heute viel partnerschaftlicher gehandhabt wird; sie nehmen Einfluß auf die schulische und berufliche Entwicklung und werden zunehmend bei wichtigen Entscheidungen einbezogen. In Sonderfällen, wie auf Therasia, wo die Männer einen Großteil des Jahres von zu Hause fort sind, hat sich bei den Frauen darüber hinaus eine große Eigenständigkeit entwickelt (s. S. 184). Eine Ehe ohne Trauschein

Facetten santorinischen Lebens:

Familie, Geselligkeit und Kirche spielen für die Bewohner der Insel nach wie vor eine wichtige Rolle.

Wegen des starken Windes tragen vor allem die älteren Frauen immer eine Kopfbedeckung.

Fast alle Inselbewohner gehören der griechisch-orthodoxen Kirche an. Die Kirchenfeste sind Höhepunkte im gesellschaftlichen Leben.

Ostern auf Santorin

Jeder Seemann kehrt heim auf die Insel

Ostern ist das höchste Fest der orthodoxen Griechen. Es wird überall im Lande groß gefeiert, und wenn sich die Gelegenheit bietet, sollte man daran teilnehmen. Allerdings muß man sich vorher gut informieren, wann Ostern ist, denn die orthodoxen Kirchenfeste werden nach dem Julianischen Kalender berechnet, der gegenüber unserem um 13 Tage differiert (s. S. 236).

Dem Osterfest geht eine siebenwöchige Fastenzeit *(Megalí sarakostí)* voraus, in der kein Fleisch gegessen werden darf und in der auch keine Hochzeiten stattfinden sollen. Letzteres wird immer noch streng eingehalten, während ansonsten heutzutage auch innerhalb der Fastenzeit ab und zu Fleisch auf den Teller kommt. Nur in der Karwoche halten sich vor allem in den Dörfern die meisten an das Gebot. Am Karfreitag werden die Fahnen auf Halbmast gesetzt, und öffentliche Vergnügungen sind verboten. Am Nachmittag treffen sich dann alle in der Kirche, in der Christus symbolisch vom Kreuz genommen und auf den schwarzbedeckten Altar gelegt wird. Es ist ein ruhiger Tag, an dem sich die Menschen meist im Haus aufhalten. Am Karsamstag kommt dagegen noch einmal hektisches Treiben auf. Beim Schlachter herrscht Hochbetrieb, die letzten frischgeschlachteten Lämmer und Hammel werden verkauft, und an der Tür wartet das angebundene ›Reserve‹-Schaf auf sein Schicksal. Aber auch beim Friseur steht die Tür nicht still, alles putzt sich heraus, und überall werden die letzten Vorbereitungen getroffen. Die Kirchen bleiben bis zum späten Abend geschlossen, sie sind schon mit echten und künstlichen Blumen für den großen Tag geschmückt.

Und spätestens am Nachmittag versammeln sich alle Familienmitglieder im Haus, denn Ostern ist ein großes Familienfest. Wenn es irgendwie möglich ist, kommen daher auch alle Angehörigen aus der Ferne angereist, sogar aus Amerika oder von den verschiedenen Schiffen, auf denen sie angeheuert haben. Sie wollen rechtzeitig zum Höhepunkt des Tages da sein, der um 23 Uhr beginnt. Dann strömen alle

wird bei aller Fortschrittlichkeit dennoch selten praktiziert, nicht einmal von Griechinnen, die im Ausland leben. Das Festhalten an der Jungfräulichkeit bis zur Ehe ist tief verwurzelt und wird auch heute noch auf den Inseln von der Familie überwacht (s. S. 67).

in die Kirchen zur Spätandacht, die sich bis in den Ostersonntag hineinzieht. Nach der Liturgie mit vielen Wechselgesängen tritt der Priester kurz vor 24 Uhr mit drei Kerzen in der Hand vor die Gemeinde, die ihrerseits die mitgebrachten Kerzen entzündet. So erstrahlt die ganze Kirche in hellem Licht, das die Auferstehung Christi symbolisieren soll. Jetzt läuten überall auf der Insel die Glocken, ab und zu knallt schon ein Feuerwerkskörper, obwohl das von der Regierung eigentlich verboten ist. Die Menschen strömen in die Gassen und rufen sich zu »Christus ist auferstanden« *(Christós anésti)*, und man antwortet »Er ist wirklich auferstanden« *(Alithos anésti)*. Man grüßt und umarmt sich, auch die Fremden werden darin eingeschlossen. Aber noch denkt niemand daran, ins Bett zu gehen. Man begibt sich nach Hause oder in ein Restaurant, trinkt noch etwas und unterhält sich.

Der Ostersonntag wird wiederum mit großem Glockengeläut angekündigt, und die Fahnen auf den Kirchen und an den Gebäuden flattern nun vom höchsten Punkt des Mastes. Die Menschen gehen heute in den sog. Versöhnungsgottesdienst *(Agapi)*, der alle im Streit leben den Menschen im Gedenken an Christus versöhnen soll. Es werden rotgefärbte Eier verteilt, die doppelt symbolträchtig sind: Die rote Farbe steht für das Blut Christi, das Ei als Symbol des Lebens. Man grüßt sich auch heute mit *»Christós anésti«*, und nach der Messe gehen alle nach Hause zum großen Festessen. Es gibt Lammbraten und Bohnen. Zu dieser Zeit ist die Insel wie ausgestorben. Man hält sich im Haus auf, ißt, erzählt und feiert. Sogar die Esel und Mulis stehen im Stall oder auf der Wiese und fressen ihr wohlverdientes Futter. Erst zur Spätandacht versammeln sich wieder alle Menschen vor den Kirchen, lange Kerzen in der Hand, die in die sandgefüllten Kerzenständer gesteckt werden. Man ist fröhlich und vergnügt, die Kinder sind dabei, müssen aber nicht still in der Kirche sitzen, sondern laufen raus und rein. Am Ende der Andacht wird auf einem Tablett die Osterspende gesammelt. Anschließend geht eine Prozession durch die Straßen, vorbei an Weihrauchschälchen, die von den Daheimgebliebenen auf die Terrassen und in die Türen gestellt wurden. Abends sitzt man im Freien zusammen und erzählt und erzählt, denn es muß ja für ein ganzes Jahr halten, bis wieder jeder »Seemann« zu Hause ist.

Der Respekt vor dem Alter ist ebenfalls geblieben. Nie wird man alte Menschen allein und verlassen sehen. Sie sind wie selbstverständlich überall dabei, und ihr Rat wird bei allen wichtigen Fragen und Entscheidungen eingeholt. Aber auch die Kinder werden sehr hoch ge-

Traditionell gekleidete Inselbewohnerin Anfang des 19. Jh.

schätzt – nicht nur als »Erhalter« der Familie, sondern immer mehr auch als wichtige Glieder der elterlichen Betriebe, da meist sie es sind, die die Sprache der Touristen verstehen und sprechen können. Dies hält die Jugendlichen wieder auf ihrer Insel, zumindest im Sommer. Im Winter gehen viele aufs Festland und suchen sich dort einen Zusatzverdienst.

Es ist also nicht nur ein Generationswechsel, sondern ebenso ein Wandel in der Gesellschaft im Gange. Während die Alten, die man so gerne auf Postkarten abbildet, noch die Ursprünglichkeit, die Gemütlichkeit, die Tradition, aber auch das harte Leben (Feldarbeit mit Eseln, Fischfang etc.) verkörpern, sind die Jungen – wie überall – eher bestrebt, schnell Geld zu verdienen, um ihren Lebensstandard dem der Industrieländer anzugleichen.

Trotzdem bestehen aber noch viele traditionelle Verhaltensweisen fort wie z. B. die Siesta, die mindestens drei bis vier Stunden dauert. Auch der andere Zeitbegriff, der einen meist auf Pünktlichkeit geeichten Urlauber irritieren kann, einen Griechen aber nur zum Schmunzeln bringt, wird immer erhalten bleiben. Eine Verspätung bedeutet für den Griechen eben keinen Zeitverlust, sondern einen Gewinn. Die Wartezeit kann er mit der ihm liebgewonnenen Gewohnheit des Kaffeetrinkens und Schwätzchenhaltens ausfüllen.

Ihre Pflichtschuljahre können diese beiden auf Santorin absolvieren

Ein wichtiger Bestandteil des Lebens ist außerdem der Glaube, vor allem auf Santorin, das immer wieder von Naturkatastrophen wie Erdbeben und Vulkanausbrüchen erschüttert wird. In den vielen Kirchen und Kapellen der Schutzheiligen finden die Menschen Trost und Beistand.

Nicht zuletzt besteht das vielbeschriebene Ehrgefühl der Griechen fort, das jeden verpflichtet, immer hilfreich zu sein und keine Bitte abzuschlagen. Es ermöglicht u. a., daß alleinreisende Frauen kaum Probleme haben. Sie sollten sich allerdings angemessen verhalten. Die sprichwörtliche Gastfreundschaft der Griechen wird man ebenfalls überall antreffen – wenn nicht immer aus dem Herzen, so doch aus der Tradition heraus. Aber auch das kommt natürlich immer auf das Gegenüber an.

Bildungswesen

Das griechische Schulsystem ist in mehrere Stufen gegliedert. Die Vorschule nimmt Kinder ab drei Jahre für einen zweijährigen, vorbereitenden Schulunterricht auf. Mit fünf bis sechs Jahren kommen sie in die Grundschule, die sechs Jahre dauert. Für den Übertritt in die anschließende Sekundarstufe I (auch als mittlere oder gymnasiale Ausbildungsstufe bezeichnet), in der nur in allgemeinbildenden Fächern unterrichtet wird, ist keine Aufnahmeprüfung erforderlich. Die Pflichtschulzeit beträgt neun Jahre. Nach der I. Stufe folgt die II. Stufe der Sekundarausbildung für weitere drei Jahre, diese führt zum Abitur. Sie wird geteilt in die technisch-berufliche Vorbereitung auf ein Studium an einer höheren technischen Berufsschule und in die Ausbildung in allgemeinbildenden Fächern zur Vorbereitung auf die Universität. Das Abitur beinhaltet aber noch keine Studienberechtigung. Diese wird erst in gesamtgriechischen Auswahl-Prüfungen erlangt. Es gibt auch Privatschulen unter staatlicher Aufsicht.

Seit Mitte der 70er Jahre sind im Bildungswesen deutliche Fortschritte zu verzeichnen. Der Schüleranteil in weiterführenden Schulen steigt, und die Analphabetenquote sinkt – sie verringerte sich in zehn Jahren bis 1991 um 12,5 % auf nun 4,8 %, wobei nach wie vor der Anteil der Frauen und insgesamt der der Landbevölkerung überwiegt.

Fast 82 % der Bevölkerung haben eine abgeschlossene Grundschulausbildung, wobei der Anteil der Männer und Frauen etwa gleich ist. Von den 25 %, die eine mittlere und höhere Schulbildung haben, beträgt der Anteil der Männer 53 % und der der Frauen 47 %. Erst im Hochschulbereich, in dem etwa 7 % einen Abschluß nachweisen, ändert sich das Geschlechterverhältnis doch etwas, 42 % der Absolventen sind Frauen.

Es gibt 12 Universitäten in Griechenland, darunter eine Universität der Ägäis, in der 173 Professoren etwa 1668 Studenten unterrichten. Auch hier macht sich im Gegensatz zu den vorangegangenen Jahren eine Steigerung der akademischen Bildung zulasten der berufsorientierten Ausbildung bemerkbar.

Auf Santorin haben die Kinder die Möglichkeit, die ersten neun Pflichtschuljahre zu absolvieren. Zusätzlich gibt es seit kurzem in Thira eine technische Berufsschule, um den Jugendlichen eine fundierte Berufsausbildung zu ermöglichen. Zur Zeit bleibt die Jugend aber wegen der guten Verdienstmöglichkeiten im Tourismus auf der Insel. Während die Zahl der Lehrlinge und Berufsschulanwärter stark zurückgeht, erweitern viele ihre Fertigkeiten in verschiedenen Sprachen.

Entsprechend stagniert gegenwärtig auch die Zahl derer, die studieren wollen. Zum einen müssen die Kinder zum Studium von zu Hause fort, was eine weitgehende Lebensumstellung erfordert, gerade von den stark in die Familie eingebundenen Inselbewohnern. Zum anderen sind die Aufnahmeprüfungen sehr hart, und die Aussichten, nach dem abgeschlossenen Studium einen Arbeitsplatz zu bekommen, werden immer schlechter. So lassen immer mehr Eltern, sofern sie es sich finanziell leisten können, ihre Kinder im Ausland studieren, wobei sich nach der Rückkehr ins eigene Land die Berufschancen wesentlich verbessern.

UNTERWEGS AUF SANTORIN

»Das Licht ist hier alles«
Erhart Kästner

»… unsäglich scharf und unsäglich mild zugleich«
Hugo v. Hofmannsthal

»… (es) ist voller Geist: solches Licht half den Menschen, klar zu sehen, Ordnung in das Chaos zu bringen, es zum Kosmos zu gestalten. Und Kosmos heißt Harmonie«
Nikos Kazantzakis

SCIROCCO
APARTMENTS
CAFE

Thira, die Inselhauptstadt

566 Stufen hinauf zur Stadt

Ta Phrangika – eine Minderheit macht sich stark

Das Lebenswerk des Friedrich Hiller von Gaertringen

Die Höhle der »Aussätzigen«

Die direkt am Caldera-Rand gelegene Inselhauptstadt Thira

Vom Hafen per Seilbahn, Esel oder zu Fuß an den Rand der Caldera, über die Einkaufs›meile‹ zum Katholischen Viertel mit dem Megaron Ghyzi und dem Archäologischen Museum; ein Abstecher in den Süden Thiras zur ehemaligen Leprastation

Ein Spaziergang durch die Stadt

»So kühn, so hoch, so senkrecht, so atemlos phantastisch liegt kaum eine andere Stadt der Welt«, schrieb König Ludwig I. von Bayern (1786 – 1868) über die Inselhauptstadt, als er mit dem Kriegsschiff »Medea« Santorin besuchte.

Direkt am Kraterrand gelegen, gleicht Thíra von weitem einer zarten Neuschneedecke, die abends mit bunten Lichtern geschmückt ist. Erst bei genauerem Hinsehen entdeckt man die vielen kubischen und rechteckigen Häuser mit flachen und gewölbten Dächern, die direkt in den Bimsstein gebaut sind, eines an das andere gedrängt, mit verzierten Balkonen, Fenstern

Thira 1 Dom 2 Katholische Klöster 3 Ghyzi-Museum 4 Archäologisches Museum 5 Rathaus 6 Seilbahn-Bergstation 7 Eselstation 8 Orthodoxe Kathedrale 9 Busbahnhof 10 Öffentliche Toiletten 11 Hauptpost 12 Telefon (OTE) 13 Taxistation 14 Banken 15 Krankenhaus 16 Hafenpolizei 17 Polizei 18 Bank 19 Kirche Ag. Minas

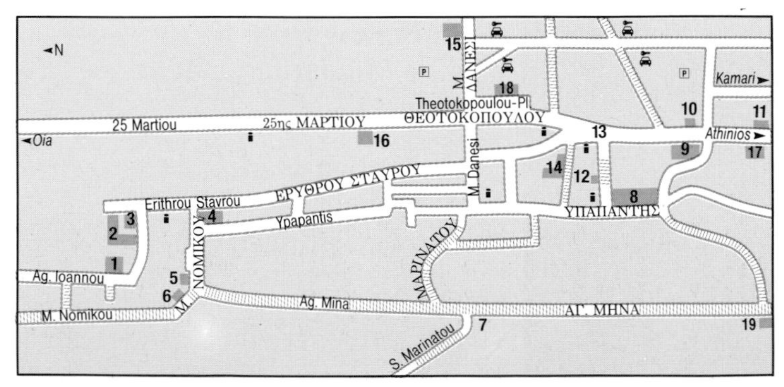

Über die Skala erreicht man auf einem Maultier oder zu Fuß die Stadt

und Türen. Es sind die Wohnungen und Arbeitsstätten von fast 2000 Menschen, nicht mitgerechnet die Bewohner der Nachbarorte Firostefani und Imerovigli, die inzwischen ganz mit Thira zusammengewachsen sind.

Thira wurde 1806 von Katholiken aus der ehemaligen Burgsiedlung des Skaros (s. S. 103) neu gegründet. Es entstand ein Labyrinth von engen Gäßchen und Treppen, deren Breite von der eines beladenen Maultieres (ca. 2 m) bestimmt wurde, so daß es bis heute in der Innenstadt keinen Autoverkehr geben kann. Nur 34 Jahre später, im Jahr 1840, während der Regierungszeit Ottos I. von Wittelsbach, legte der bayrische Pionierhauptmann von Weiler die beeindruckende, serpentinenreiche **Treppe (Skala)** an, die hinunter zum Hafen führt. Sie trägt heute den Namen Spyridon Marinatos, zu Ehren des Archäologen, der Akrotiri ausgrub. Die 566 Stufen (bis zur Ypapantis-Straße sind es 587) wurden später von den Ein-

Der Hafen von Thira

wohnern weiter ausgebaut, haben sich aber sonst in ihrer ursprünglichen Form bis heute erhalten.

Der **Hafen** von Thira besteht aus einem Wirrwarr von Restaurants und Kaffeehäusern mit den typischen gewölbten Dächern. Zwischen ihnen liegen Ketten, Seile und zum Transport bereite Waren, bewacht und beschützt vom hl. Nikolaus, dessen kleine Kapelle sich am südlichen Kai-Ende befindet. Je nachdem, zu welcher Zeit man hinuntersteigt, zeigt der Hafen zwei ganz unterschiedliche Gesichter. Manchmal wirkt er sehr verschlafen, nur die Kaffeehausbesitzer und die Eselstreiber sind anzutreffen, und die Zeit scheint keine Rolle zu spielen. Bei der Ankunft der Schiffe aber ist es, als habe man in ein Wespennest gestochen. Dann lohnt es sich, dort zu sitzen und das bunte Treiben zu beobachten. Die kleinen Ausflugsboote kommen von ihren Fahrten zurück, kleinere und größere Privatjachten versuchen anzulegen, und zwischen allem eilen die Eselstreiber geschäftig hin und her, die ihre Tiere für den Ritt in den Ort anpreisen. Man sollte einen solchen Ritt in der Tat einmal mitgemacht haben. Die Esel und Mulis sind stets schön geschmückt mit handgewebten Decken und bunten Perlen, die in die Mähne und das Geschirr geflochten werden. Der Aufstieg dauert ca. 15 Minuten, und man hat das Vergnügen, den faszinierenden Blick in die Caldera an jeder Kurve von neuem zu genießen. Der Ritt ist

Das Ghyzi-Museum

Das aus dem 17. Jh. stammende Haus der Ghyzi-Familie mit seinen kuppelförmigen Räumen und einem gepflasterten Hof liegt gleich am Anfang des Katholischen Viertels. Es erlitt bei dem Erdbeben von 1956 schwere Schäden, wurde dann aber mit Mitteln aus der katholischen Diözese wieder aufgebaut, um darin ein kulturelles Zentrum einzurichten. Später kaufte es ein Kunstsammler aus Athen, der hier die idealen Räumlichkeiten fand, um ein Museum zu eröffnen. Kupferstiche, Kostümholzschnitte, alte Fotografien, Gemälde, historische Karten von Santorin und der Ägäis sowie Dokumente und Aufzeichnungen der katholischen Diözese geben Einblicke in das Leben auf Santorin vom 16.–19. Jh. Unter den Kupferstichen befinden sich auch viele Darstellungen der einzelnen Eruptionen des Santorin-Vulkans, wie z. B. des Ausbruchs vom 23. 7. 1870, bei dem der Georgios-Krater auf Nea Kameni entstand, und der Eruption von 1866, gezeichnet von dem Vulkanologen Ferdinand Fouqué. Ein wunderschöner Kupferstich aus dem Jahr 1782 zeigt den Ort Emborio.

Wie sich das Leben und insbesondere die Heiratsbräuche bei den Venezianern abspielten, zeigt u. a. das folgende Dokument vom 19. Mai 1578: »In das Herrschaftshaus von Maroula Sigalena kam Arlados Grimanis und hielt um die Hand der Tochter der Herrin Katherina an. Die Werbung wurde angenommen, und er bekam eine Mitgift von 1700 Dukaten. Der Bräutigam selbst versprach, alles was er besaß und noch erlangen wird, mit seiner Frau zu teilen. Sollte einer der beiden seine Meinung noch ändern, muß derjenige eine Geldstrafe von 100 Jekinia zahlen, und zwar 50 an den Nachfolger und 50 für die Verlobungsfeier.«

Im 1. Stock sind Dokumente aus neuerer Zeit ausgestellt, wie z. B. Fotos des Erdbebens von 1956 und Gemälde griechischer Künstler des 20. Jh., die auch Santorin zu ihrem Thema gemacht haben. Darunter sind auch die naiv-modernen Bilder des Deutschen Werner Pittinger, der in Oia lebt und inzwischen liebevoll »Antonius, der Santoriner« genannt wird. Er malte auch das Restaurant Irini in Kamari aus und war mit seinen Bildern schon auf vielen Ausstellungen im Ausland. Seit ein paar Jahren finden im Museum auch immer mehr Veranstaltungen statt, wie z. B. Musikabende, Bilderausstellungen, Theatervorführungen und Vorträge. Das Museum ist Mo–Sa von 10.30 – 13.30 Uhr und von 17 – 20 Uhr sowie So von 10.30 – 16.30 Uhr geöffnet.

KATRIN
KATRIN
KATRIN
ORBAS

auch nicht teurer als die Fahrt mit der Seilbahn. Diese wurde in den frühen 80er Jahren von einem griechischen Reeder namens Nomikos gestiftet, vor allem für schwere Lasten, gehbehinderte und ältere Menschen oder einfach solche, die es besonders eilig haben. Die Seilbahn benötigt für die Strecke nämlich nur knapp zwei Minuten. Da sie aber für die Maultiertreiber eine starke Konkurrenz darstellt, erhalten diese zum Ausgleich 20 % des Gewinns.

Man kann den Weg natürlich auch gemütlich zu Fuß bewältigen. Dabei ist allerdings darauf zu achten, daß nicht gerade Mittagshitze herrscht oder ein Kreuzfahrtschiff angelegt hat, da man sonst von den hinaufstürmenden Eseln leicht zur Seite gedrängt werden kann. Es besteht jedoch kein Grund zur Furcht, weil die Esel an Fußgänger gewöhnt und auch völlig harmlos sind. Hingegen ist es ratsam, gutes Schuhwerk zu tragen, denn die Treppenstufen sind mit Kopfsteinpflaster befestigt, und häufig liegt der unvermeidliche Eselsdung auf ihnen. Der Weg dauert je nach Vitalität 30–40 Minuten.

Viele Touristen, vor allem die Kreuzfahrer, deren Zeit auf Santorin meist auf ca. zwei Stunden begrenzt ist, strömen, oben angelangt, gleich zum »Shopping« in die Hauptstraße. Es ist heiß, laut

Thira bei Nacht

Ta Phrangika
Das katholische Viertel

Nachdem die katholischen Glaubensbrüder 1204 während des 4. Kreuzzuges Konstantinopel besetzt hatten, verbreitete sich der katholische Glaube auch auf den einst von dort regierten griechischen Inseln. Auf Santorin etablierte sich im 13. Jh. die römisch-katholische Kirche, wobei die neuen Herren aber zu jeder Zeit den griechisch-orthodoxen Glauben tolerierten. Der Katholizismus gewann bald an Bedeutung und zog viele französische und italienische Priester und Nonnen an, die Schulen und Klöster errichteten. Die ersten waren die Dominikanerinnen, die sich 1596 im Gebiet der Skaros-Burg niederließen. 54 Jahre später rief Pater Fournier dort eine Jesuitengemeinde ins Leben, die sich 131 Jahre hielt. Er gründete eine Schule, in der u. a. Philosophie, Rhetorik, Mathematik und Sprachen unterrichtet wurden. Nach deren Auflösung im Jahr 1773 baute 10 Jahre später Pater Colsi, ein Lazarit, wieder eine Schule auf, aus der die berühmte griechisch-französische Handelsschule hervorging. Schüler aus ganz Griechenland kamen zu der Zeit nach Santorin. Ende des 18. Jh. begannen die Katholiken (zuletzt die Dominikanerinnen 1811) das Gebiet um Skaros zu verlassen, das immer mehr verfiel und errichteten ihre Institutionen in Thira. Dorthin kam auch als letzter Orden 1841 der Orden der Barmherzigen Schwestern, die mehrere Einrichtungen für das Gemeinwohl aufbauten, u. a. Schulen, ein Krankenhaus, ein Entbindungsheim und ein Altersheim. Ihren Lebensunterhalt bestritten sie z. T. mit der Teppichweberei, die sie in Form einer Webschule betrieben. Diese war von Königin Frederike, der Mutter König Konstantins, gegründet worden. Hier lernten Mädchen zwischen 13 und 16 Jahren aus armen Familien das Weben sowie Sticken und andere Handarbeiten, um sich nach zwei bis drei Jahren Lehrzeit damit selbst ernähren zu können. Leider mußte die Teppichweberei im März 1991 geschlossen werden, da es keinen Nachwuchs mehr für diese schwere Arbeit gab. Das Erdbeben von 1956 forderte die völlige oder teilweise Schließung der Einrichtungen der Lazeristen und der Barmherzigen Schwestern. Heute ist von den ehemals drei Klöstern nur noch eines vorhanden, das sich in unmittelbarer Nähe des Domes befindet, nämlich das des Ordens der Dominikanerinnen. Ihr Kloster der hl. Katherina mit der dazugehörigen Kirche wurde 1596 von einer jungen Inselgriechin unter der

Obhut des Bischofs gegründet. Der Orden gilt auch heute noch als Symbol einer Weltkirche, da hier Ordensschwestern aller Nationen aufgenommen werden.

Das Katholische Viertel, auch Ta Phrangika (Fränkisches Viertel) genannt, entstand also, als die Katholiken sich zur Stärkung ihrer schwindenden Macht an einem Ort sammelten. Sie konzentrierten sich im Norden des heutigen Thira oberhalb der Seilbahn-Bergstation bzw. des Archäologischen Museums. Hier entstand auch im Jahre 1823 die schöne Kathedrale mit ihrem weithin sichtbaren Glockenturm. Auch sie wurde beim Erdbeben stark beschädigt, konnte aber restauriert und ab 1975 wieder genutzt werden.

Einmal während des Aufenthaltes sollte man sich die Zeit nehmen, durch dieses Viertel zu bummeln. Man spürt sofort den »anderen Geist«, der einst hier herrschte und auch in der Architektur zum Ausdruck kommt. Es gibt keine typisch santorinischen Häuser, deren Bauweise durch die drohenden Naturgewalten bestimmt ist, sondern ›aufrecht‹ stehende Herrschaftshäuser, versehen mit allerlei architektonischen Spielereien und gekennzeichnet mit dem Wappen der residierenden Familie. Die Häuser, die die ehemalige Macht der Venezianer demonstrieren, besitzen häufig schöne Vorhöfe sowie verzierte Türen, und auf den Straßen läuft man immer wieder uber kunstvoll gestaltete Mosaiken. Auch den Kirchen ist ihre andere Herkunft anzusehen. Mit den säulengeschmückten Glockentürmen, hohen Portalen und großen Fenstern lassen auch sie die italienischen Baumeister erkennen. Der alte Glanz ist freilich vergangen, aber geblieben ist ein Stück anderer Lebensart, die auch einmal zu Santorin gehörte.

Heute gehören nur noch etwa 2% der Bevölkerung dem römisch-katholischen Glauben an, der in zwölf Kirchen auf der Insel, vor allem in Thira, Firostefani, Kontochori, Karterados und Vourvoulos, gepredigt wird. Der römisch-katholische Erzbischof ist zugleich für Syros und Santorin zuständig, hält sich aber zur Sommerzeit meist auf Santorin auf.

und vor allem in der Hauptsaison fast unerträglich voll. Die Besucher fragen sich vielleicht, wo sie sind, denn eigentlich sieht es hier nicht anders aus als auf den anderen griechischen Inseln. Aber spätestens, wenn sie sich erschöpft vom Einkauf in eines der Cafés am Caldera-Rand setzen, wird es ihnen bewußt. Hier ist nichts wie auf einer der anderen Inseln. Der Blick in das freigesprengte Kraterrund, auf die steil abfallenden, verschiedenfarbigen Felsen und auf die neuen Vulkaninseln in der Mitte fasziniert jeden Betrachter und läßt ihn die Hektik um sich herum schnell vergessen. Man wähnt sich fast in völliger Einsamkeit. Wendet man sich dagegen wieder den Häusern zu, spürt man das pulsierende Treiben.

Thira gleicht im Hochsommer einem kosmopolitischen Zentrum. Vier langgestreckte Hauptstraßen laufen parallel zur Caldera-Wand, verbunden durch viele kleine Querstraßen. Hier gibt es Läden jeglicher Art, die zum Bummeln, Schauen und Kaufen einladen und in denen eigentlich alles gehandelt wird, was man sich denken kann. Die vielen Obst- und Gemüseläden sowie ein sehr guter Supermarkt auf der Straße 25 Martiou Richtung Imerovigli sorgen dabei auch für das leibliche Wohl. Und was man sonst noch alles auf der schönen Insel unternehmen kann, erfährt man in einem der zahlreichen Touristikbüros, die sich auf der Plateia Theotokopoulou, dem Platz oberhalb der Bushaltestelle, angesiedelt haben.

Von den ehemals erheblichen Erdbebenschäden ist in Thira kaum noch etwas zu sehen. Die Stadt wurde sehr schnell wieder aufgebaut. So haben die renovierten oder neu errichteten Häuser, die unzähligen Geschäfte, Restaurants und Kaffeehäuser den ursprünglichen Charakter der Stadt zwar überdeckt, die einzigartige Lage und der überwältigende Ausblick aber bleiben bestehen. Ein weiterer Vorteil gegenüber anderen Inselhauptstädten liegt darin, daß man die Stadt sehr schnell verlassen und wieder erreichen kann. Denn sie ist von allen Punkten auf der Insel mit dem Bus (oder Auto) längstens eine Stunde weit entfernt.

Zu den Sehenswürdigkeiten von Thira gehören vor allem das **Archäologische Museum** (s. S. 88 f.), das **Ghyzi-Museum** (s. S. 81), das **Kongreßzentrum** (Petros Nomikos), in dem auch Konzerte und Ausstellungen stattfinden, sowie das **Katholische Viertel** (s. S. 84 f.). Das Stadtbild prägen aber auch die vielen Kirchen und Kapellen mit ihren charakteristisch blauen Kuppeln und den verschiedenartigen Glockentürmen. Leider sind die meisten Kirchen wegen Diebstahlgefahr geschlossen. Die größeren öffnen aber zu den Gottesdiensten ungefähr um 17/18 Uhr, so daß man sie dann in Ruhe besichtigen kann. Zu dieser Zeit kann man auch in die neue **orthodoxe Kathedrale Ypapanti** (Mariä Lichtmeß) hineinschauen, wel-

Arkadengänge der orthodoxen Kathedrale Ypapanti in Thira

che die alte Hauptkirche von 1827 ersetzt, die durch das Erdbeben 1956 völlig zerstört wurde. Sie liegt am Caldera-Rand am Ende der Ypapantis-Straße, so daß ihre hohe Kuppel, die weitläufigen Arkadengänge und die vielen Bogenfenster im byzantinischen Stil schon von weither zu sehen sind. Innen ist sie reich mit Decken- und Wandmalereien ausgestattet, und auch die Ikonostase besticht durch ihre prächtige Gestaltung. In einem Nebengebäude der Kathedrale befindet sich eine kleine Sammlung liturgischer Geräte, Meßgewänder sowie kirchlicher Bücher und Manuskripte.

Neben diesen »offiziellen« Sehenswürdigkeiten kann man in der Hauptstadt aber noch andere Dinge entdecken, die einen Bummel durch die Gassen immer wieder lohnenswert machen. Beachtenswert sind beispielsweise besonders schön gestaltete Tore, aufwendig gearbeitete Wappen an Häuserwänden, kleine blumengeschmückte Hinterhöfe oder auch das **Herzoghaus der Corognas**, das sich gegenüber dem Archäologischen Museum befindet.

Die Corognas gehörten zu den vielen italienischen Familien, die

Das Archäologische Museum

Das niedrige Gebäude, in dem das Museum seit 1970 untergebracht ist, liegt schräg gegenüber der Seilbahn-Bergstation. Es beherbergt überwiegend Funde von Alt-Thera (s. S. 126 ff.) aus der Sammlung Friedrich Hiller von Gaertringens und nur einige wenige Keramiken aus dem prähistorischen Akrotiri (s. S. 162 ff.). Diese sollen demnächst in einem neu gebauten Museum ausgestellt werden, das sich in der Nähe der Bushaltestelle befindet. Unklarheiten bezüglich der Rechte an den Ausstellungsstücken zögerten seine Eröffnung allerdings bisher hinaus. Athen wird z. B. solch einmalige Zeugnisse prähistorischen Lebens, wie sie die Wandmalereien aus Akrotiri darstellen, nicht ohne weiteres wieder hergeben. Dabei spielt natürlich, wie überall, die Politik eine große Rolle. Man muß aber auch bedenken, daß diese Kostbarkeiten bei einem neuen Erdbeben oder Vulkanausbruch empfindlich geschädigt oder sogar gänzlich zerstört werden könnten.

Nichtsdestotrotz ist auch das alte Museum sehr sehenswert. Der Rundgang führt durch einen Vorraum, in dem Gefäße und Idole der Frühkykladischen Epoche I–II aus der Zeit von etwa 2500–2000 v. Chr. ausgestellt sind, in einen großen, rechtwinklig angelegten Saal:

Zunächst betritt man den Nord-Saal, der in drei Abschnitte gegliedert werden kann. Ganz links sieht man geometrische und archaische Urnen und Vasen des 8. und 7. Jh. v. Chr., darunter eine besonders prachtvolle Amphore mit einem Pelikan sowie einem Wagenlenker mit Pegassi (geflügelten Rossen aus der griechischen Sage) als Verzierung. In der Mitte sind kykladische Krater und Amphoren ausgestellt,

sich während der Kreuzzüge in der Ägäis niederließen. Sie kamen 1560 nach Santorin und errichteten dort 1590 den Palast. Heute ist er fast verfallen, doch das Wappen ist noch zu erkennen. Das Kurioseste aber ist der alte Baum, der inzwischen etwas eingezwängt in dem kleinen Hof steht und mit einigen seiner Äste bereits durch das Eisentor wächst.

Hotels in Thira: A: Atlantis, ✆ 2 22 32; El Greco, ✆ 2 49 46; Nomikos Villas, ✆ 2 38 87; Porto Carra, ✆ 2 29 79; Santorini Pallas, ✆ 2 27 71; B: Aressana, ✆ 2 39 00; C: Antonia, ✆ 2 46 21; Kavalari, ✆ 2 24 55; Loucas, ✆ 2 24 80; Panorama, ✆ 2 24 81; Pelican, ✆ 2 31 13; Scirocco Apartments, ✆ 2 28 55, 2 48 11, 2 37 74; Theoxenia Villas, ✆ 2 27 40; D: Santorini, ✆ 2 29 53; Flora, ✆ 2 38 49; E: Albatros, ✆ 2 34 35; Keti, ✆ 2 23 24

die ebenfalls aus dem 8. und 7. Jh. v. Chr. stammen und bei denen ausschließlich die Vorderseiten mit geometrischen Mustern geschmückt sind. Das Prunkstück ist hier eine ca. 30 cm hohe Terracotta-Figur aus der 2. Hälfte des 7. Jh. v. Chr., die eine Trauernde verkörpert. Der rechte Saal-Abschnitt beinhaltet Grabbeigaben eines Kindes (kleine Figürchen, Pferdchen, kleine Vasen etc.) sowie eine protokorinthische Vase vom Anfang des 7. Jh. v. Chr.

Im anschließenden Süd-Saal befinden sich u. a. römische Skulpturen und Inschriften von der archaischen bis zur römischen Zeit, ein archaischer Löwe von der Agora Alt Theras aus dem 6. Jh. v. Chr., schwarz- und rotfigurige attische Vasen, archaische Tonidole in Menschen- und Tiergestalt sowie Skulpturen aus hellenistischer Zeit. In den Vitrinen in der Mitte des Saales stehen Terracotta-Figuren (Delphine, Affen, Widder, Tauben, Schildkröten etc.) von dem archaischen Friedhof aus dem 6. Jh. v. Chr. Besonders auffallend sind die an dem großen Fenster aufgestellten Skulpturen aus der hellenistischen und römischen Periode, u. a. der Kopf einer Frau (vielleicht der Agrippinas) des 1. Jh. n. Chr. aus dem Theater von Alt-Thera. Sie zeigt das für Skulpturen aus dieser Zeit charakteristische »Lächeln mit geschlossenem Mund«.

Der Rundgang endet schließlich im Hofraum, zu dem man durch eine Glastür gelangt. Hier sind die großen Skulpturen und Steinarbeiten von Alt-Thera ausgestellt, z. B. eine Säule mit der Inschrift eines Briefes von Ptolemäos VI., verschiedene Köpfe und Grabsteine sowie ein großer Säulentisch mit reliefierten Girlanden und Stierköpfen. Leider gibt es keinen Führer oder Postkarten von den Ausstellungsstükken. Geöffnet ist das Museum täglich außer montags von 8.30–15 Uhr.

In Firostefani: A: Grotto Villas, ✆ 2 21 41; Faros, ✆ 2 32 51; The Tsitouras Collection, ✆ 2 37 47; C: Dana Villas, ✆ 2 46 41; Galini, ✆ 2 20 95; Manos Apartments, ✆ 2 32 02

Jugendherberge: im Katholischen Viertel gelegen, ✆ 2 24 28

Camping: Santorini Camping, ✆ 2 29 44

Restaurants in Thira: Archipelagos; Café Classico (3 Ebenen, untere Terrasse vor allem an windigen Tagen empfehlenswert); Café-Restaurant Kastro, gegenüber der Seilbahn-Bergstation (sehr gemütlich, guter Kaffee, herrlicher Blick auf Caldera und Hafen, bei gutem Wetter auch auf die Christiani-Inseln); Café-Bar Porto Carra (gute Kaffees, auch mit Alkohol); China Terrace (ind., chin. und jap. Küche); Fira Roof Garden (griech. und intern. Küche der

Die ehemalige Leprastation

Im Süden von Thira, in Richtung der Bimssteinbrüche, liegt rechts der Straße Thira – Athinios (man muß vor dem Getränkegroßmarkt Agorá nach rechts über das Ödland abbiegen), am Caldera-Rand eine alte Leprastation. Man sieht von der Straße aus schon das kleine Kreuz der Kapelle. Hier hauste noch bis kurz nach dem Zweiten Weltkrieg eine Handvoll »Aussätziger«. Möglichst weit abgeschoben, lebten sie in zwei Bimssteinhöhlen sowie einem kleinen Gebäude mit wenigen Räumen und einer Terrasse – neben einer Kapelle alles, was sich dort befand. Sie waren darauf angewiesen, daß Verwandte oder andere mitleidige Seelen ihnen von der Terrasse aus mit Speisen gefüllte Körbe herabließen. Obwohl Lepra weitaus weniger ansteckend ist als z. B. Tuberkulose, steigerte vor allem das z. T. furchtbare Aussehen der Kranken die Angst vor ihnen, so daß sie unter solch unwürdigen Bedingungen ihr Dasein fristen mußten. Noch heute spürt man die Traurigkeit und das Bedrückende des Ortes, obwohl die Gebäude längst verlassen sind. Dieser Eindruck wird, wenn auch ungewollt, verstärkt durch die Müllhalden, die heute den Weg hierher säumen - trotz allem lohnt sich ein Besuch. Nirgends werden einem die grausamen Lebensbedingungen früherer Zeiten so bewußt wie an diesem Ort. Das fühlen auch die Einwohner von Santorin, sonst wäre wohl die Station heute nicht mehr so gepflegt und immer wieder frisch gestrichen.

gehobenen Klasse); Kaktos (Terrassenrestaurant, schöner Blick auf die Ostküste und den Profitis Elias); Meridiana, Fabrica Shopping Center (abends Jazz live); Nikolas (frische Speisen, Spezialität: Falsche Keftedes = vegetarischer Hamburger); Select Cafeteria (seit 1936, mit Blick auf die Kameni-Inseln); Sergiani (gute griech. Küche, Faßbier); The Flame (preiswert und ruhig); To Chelidoni (»Schwalbe«, gutes griech. Essen)
In Firostefani: Vanilla (idyllisch, schöner Blick auf die Caldera)

Bars, Discos: Alexandria-Bar, hinter Atlantis Hotel (kleine Galerie, Aussichtsterrasse); Enigma (hell, Neonlicht); Franco's Bar (auch gutes Café, Klassische Musik); Koo Club (moderne Musik); Opa-Opa (griech. Musik); Palia Kameni (eine der ältesten Bars auf Santorin); Piano Bar Gentleman; Santorinia (griechische Live-Musik); Studio 33 (griech. Live-Musik)

Museen: Archäologisches Museum, Di–So 8.30–15 Uhr; Ghyzi-Museum, Mo–Sa 10.30–13.30 und 17–20 Uhr, So 10.30–16.30 Uhr

Touristeninformation in Thira: Bellonias, Tours ✆ 2 24 69; Cy-

Abseits und am Rande der Caldera gelegen ist die frühere Leprastation

clades Travel, ✆ 2 35 12; Mendrinos Travel, ✆ 2 38 82; Nomikos Travel, ✆ 2 36 60; Pelikan Travel, ✆ 2 22 20; Santorama Travel, ✆ 2 31 77; Santo Star, ✆ 2 31 05; Santo Volcano, ✆ 2 21 27; Travel Fate, ✆ 2 20 00; Water Blue Travel, ✆ 2 22 66. **In Firostefani:** Sun Time Travel, ✆ 2 40 21

Krankenhaus, Zahnarzt: an der Straße nach Messaria, ✆ 2 22 37, Mo–Fr 9–14.30

Banken: Agricultural Bank, Credit Bank, Commercial Bank, Ionian Bank, National Bank, Mo–Do 8–14 Uhr, Fr 8–13.30 Uhr

Hauptpost: ✆ 2 22 38, Mo–Fr 8–14 Uhr

Telefon (OTE): ✆ 2 23 99 Mo–Fr 8–14.30 Uhr

Busverbindungen: mit fast allen Orten auf der Insel (s. S. 221), vom Busbahnhof aus

Bootsausflüge: werden von den Touristikbüros organisiert, mit Theoskepasti, Bürohäuschen auf der linken Seite der Straße 25 Martiou in Richtung Oia, oder privat am Hafen zu erfragen

Taxistation: befindet sich am Theotokopoulou-Platz

Autoverleih: in den vielen Büros oder Touristeninformationsstellen; dort kann man auch Mofas, Motorräder oder Fahrräder leihen

Seilbahn: ✆ 2 29 77, tgl. 6.40–21 Uhr alle 20 Min., nur nicht bei starkem Wind; 800 Drs., Kinder 400 Drs.

Der Norden

Sonnenuntergang in Oia

Drei Vulkankegel – rot, schwarz und grau

Skaros – eine Venezianerburg aus dem 13. Jahrhundert

Höhlenwohnungen – alt bewährt und neu belebt

Taverne in Oia

Vom romantischen Oia über die nördlichen Vulkanberge zum Kloster Agios Nikolaos; zu der mittelalterlichen Skaros-Burg mit phantastischer Aussicht auf die Caldera; einen gewundenen Weg entlang durch eine Schlucht nach Vourvoulos mit seinen Höhlenwohnungen

Oía

Der Ort (sprich: Ia) liegt an der äußersten Nordspitze der Insel und ist wie Thira direkt an den Kraterrand tief in die Bimssteinschichten gebaut. Er gleicht in vielem der Hauptstadt, von der er nur ca. 12 km entfernt ist. Aber hier herrscht kein solches Gedränge, die Geschäfte werden noch mit mehr Muße betrieben. Der Ort hieß früher Apano Meria, wurde dann aber, zum Andenken an den gleichnamigen Hafen von Alt-Thera bei Kamari, Oia genannt. Vor dem furchtbaren Erdbeben im Jahr 1956 zählte Oia mit 9000 Einwohnern und 78 Kirchen zu den größten Städten Santorins. 82% der Bewohner waren Seeleute, unter ihnen berühmte griechische Seefahrer. Im Hafen lagen über 160 Segelboote, und es gab sieben Bootswerften. Noch bis zum Zweiten Weltkrieg war Oia daher auch das Handelszentrum der Insel. Das Erdbeben zerstörte den Ort aber so sehr, daß ihn viele Bewohner verließen und nach Piräus umsiedelten. Erst Mitte der 70er Jahre stieg die Zahl der Einwohner wieder auf etwa 500 an, von denen bis 1980 immer noch 75% Seeleute waren. Heute können die Menschen allerdings im Ort selbst mehr Geld verdienen, denn auch hier steigt die Touristenzahl. Die Urlauber haben entdeckt, daß Oia ein ruhiger und sehr romantischer Ort ist, der aber trotzdem auch Städtisches zu bieten hat. Schlendert man auf der **Hauptgasse** mit Blick auf die Caldera entlang, kommt man an vielen Souvenirläden vorbei, die u.a. Keramik, Schmuck und Wollsachen mit traditionellen Mustern anbieten. Man kann auch eine kleine Webstube besichtigen, in der vor allem schöne Flickenteppiche hergestellt werden. Aus den Cafés und Restaurants klingt Musik von Klassik über Jazz bis hin zu den neuesten griechischen Hits, so daß sich jeder nach seinem Geschmack die passende Untermalung zu seinem Kaffee, dem Snack zwischendurch oder dem reichhaltigen Essen aussuchen kann. Hier findet man ebenfalls einige Informationsbüros, in denen man auch Boote mieten oder sich für eine der Exkursionen zu den Vulkaninseln, nach Therasia oder entlang der Caldera anmelden kann. Die Gasse mündet in einen kleinen Platz mit einer Kirche, deren weiße Wände ebenso wie ihr leuchtend blaues Dach in der Sonne strahlen.

Die beiden kleinen Häfen von Oia sind wie in Thira über serpentinenreiche Stufenwege zu erreichen. Der Abstieg zur südöstlich gelegenen **Arméni-Bucht** beginnt etwa in der Mitte der Hauptgasse. In dem kleinen Hafen wurden einst viele Barken und Segler gebaut, heute sieht man nur noch vereinzelt ein aufgedocktes Boot, das den letzten Anstrich bekommt oder repariert wird. Von hier aus starten auch die Boote zur Caldera-Rundfahrt oder nach Therasia. Um pünktlich zu sein, muß man ca. 15–20 Minuten für den Abstieg einberechnen, da es an dieser Stelle keine Seilbahn gibt. Aber auch hier warten geduldige Mulis, um den Ab- bzw. den beschwerlicheren Aufstieg zu erleichtern.

Der zweite Hafen liegt im Westen der Stadt. Am westlichen Ende der Hauptgasse führt der Weg über etwa 290 Stufen hinab zur **Ammoúthi-Bucht**. Er ist relativ steil, inzwischen aber befestigt, nur im Frühjahr liegen gelegentlich heruntergespülte Gesteinsbrocken auf den Stufen. Es empfiehlt sich trotzdem gutes Schuhwerk zu tragen. Unten angekommen gibt es linker Hand ein paar Tavernen, die ab etwa Ende April geöffnet sind. Biegt man nach rechts ab, gelangt man zu einem kleinen Strand, der sich allerdings in Blickweite der im

Hafen in Oia

Das Erdbeben von 1956

9. Juli 1956: In der Nacht zum Montag ereignete sich auf den griechischen Inseln Santorin, Ios, Kalymnos, Siros und auf einigen anderen Ägäischen Inseln ein schweres Erdbeben. Es dauerte nicht einmal eine Minute, erreichte aber eine Stärke von 7,8 auf der Richter-Skala. Am schwersten betroffen war Santorin. Hubschrauberpiloten, die die Insel kurz nach der Katastrophe überflogen, berichteten, daß die drei Orte am Caldera-Rand, Oia, Imerovigli und Thira, fast völlig zerstört waren. Auf der gesamten Insel vernichtete das Beben etwa 40 % aller Gebäude, d. h. über 3500 Häuser, vollständig, und an vielen Stellen hatte sich die Erde weit geöffnet. Nach ersten Schätzungen waren etwa 40 Menschen ums Leben gekommen. Die Gewalt des Bebens war außerdem so groß, daß bis zu 4 m hohe Flutwellen an die Küsten des Festlandes und der umliegenden Inseln brandeten. Viele Einwohner wanderten noch am selben Tag aus.

In der Nacht zum 10. Juli ereignete sich ein weiterer Erdstoß, der ganze Teile der Caldera-Wand einstürzen ließ, die im Meer versanken. Die Erdbebenwarte in Athen hatte innerhalb von 24 Stunden 257 Erdstöße registriert, so daß die Menschen weiterhin in ständiger Furcht vor neuen Erschütterungen lebten. Sie trauten sich nicht mehr in ihre Häuser, die, wie sich gezeigt hatte, für ein solch schweres Beben ungünstig gebaut waren. Die unterschiedlich großen, runden, mit Mörtel verfugten Mauersteine konnten den vertikal ansetzenden Erdstößen keinen Widerstand entgegensetzen.

Am 11. Juli jedoch atmeten die Santoriner auf, da nur noch schwache Nachbeben angezeigt wurden. Allerdings tauchte ein neues Problem auf: Viele Wasserspeicher waren zerstört, so daß die Bewohner vom Durst geplagt wurden. Inzwischen hatte die Regierung in Athen den Menschen überdies verboten, die Insel zu verlassen, da sie Flüchtlingsprobleme auf dem Festland befürchtete. Dafür griff sie den Zurückgebliebenen aber schnell und unbürokratisch unter die Arme, so daß zumindest die Trinkwasserversorgung gesichert werden konnte. Und schon im August begann der Wiederaufbau der Ortskerne. Zusätzlich entstanden sogar neue Siedlungen, und in den einzelnen Gemeinden wurden große, feste Zisternen gebaut, gleichzeitig erweiterte man das Straßennetz. Viele ausländische Hilfsorganisationen, darunter auch deutsche, schickten Lebensmittel, Medikamente und Geldspenden.

Typische Gasse in Oia

Hafen arbeitenden Fischer und Tavernenbesucher befindet, so daß eine entsprechende Badebekleidung angeraten ist. Der Pfad führt weiter vorbei an den Hängen mit roten Schlacken bis zur Nordspitze der Insel. Entlang der Steilküste ist es zwar nicht möglich zu baden, dafür gibt es hier aber sehr gute Angelplätze. In der anderen Richtung kann man jenseits der Tavernen auf einem schmalen Pfad, z.T. auf der Kaimauer balancierend, bis zum vorgelagerten Kap Agios Nikolaos laufen. Gegenüber des Felsens ist ein kleiner »Platz«, von dem aus man gut ins Wasser steigen kann. Der Weg dorthin ist gesäumt von roten Schlacken. Von hier aus eröffnet sich ein schöner Ausblick auf die Millo-Bucht von Therasia.

Auf dem Weg zurück nach oben sind noch ein paar vom Erdbeben gezeichnete Häuserruinen zu sehen, aber auch sehr viele in traditioneller Bauweise errichtete Neubauten. Biegt man auf der obersten Stufe nach rechts ab, kommt man zu den Ruinen des **Kastells der Argyri** aus venezianischer Zeit, das allerdings schon vor dem verheerenden Erdbeben völlig zerstört

Kirchen in Oia ▷

Das Seefahrtsmuseum

Das Museum liegt in einer Parallelstraße zur Hauptgasse von Oia. 1951 von Kapitän Antonis D. Dacoronias gegründet, wurde es nur fünf Jahre später durch das Erdbeben von 1956 weitgehend zerstört. Erst 1979 öffnete es wieder in einem alten Reedershaus an der Hauptgasse. Es war zwar nicht sehr groß, hatte aber Atmosphäre, und es machte Spaß, darin herumzustöbern. Ende 1993 wurde das Museum von seinem alten Standort in eine Parallelstraße verlegt. (Am Westende der Hauptgasse weist ein Schild den Weg zu dem neuen Gebäude.)

Allerlei interessante Dinge der einheimischen Seefahrt, besonders aus dem 19. Jh., sind auf zwei Stockwerken in schönen, hellen Räumen untergebracht, teils in Vitrinen zu besichtigen, teils in den Raum integriert. Es finden sich Bilder und Modelle von Segelschiffen, Schiffsgeräte; wie alte Kompasse, Anker, Ankerwinden etc., alte Fracht- und Heuerpapiere, Bilder griechischer Kapitäne sowie alte Seekarten der Ägäis, darunter auch eine Originalkarte von Captain Cook, dem berühmten englischen Weltumsegler und Entdecker. Mehrere hölzerne Gallionsfiguren schmücken den Raum im oberen Stockwerk, und im Hof sind alte Kanonen und Anker ausgestellt. Alles in allem vermittelt es einen guten Einblick in die Seefahrt der Santoriner. Ein Besuch lohnt sich also.

Das Museum ist täglich außer dienstags 12.30–16 und 17–20.30 Uhr geöffnet. Der Eintritt kostet 800 Drs.

war. Man kann die Überreste besichtigen und hat von dort einen wunderschönen Blick auf die Nachbarinsel Therasia. Wieder auf der Hauptgasse angelangt, sollte man sich noch eine gute halbe Stunde Zeit nehmen, um in das **Seefahrtsmuseum** hineinzuschauen.

Das Hinterland von Oia (Apano Meria), das sich nach Norden bis zum Kap Mavrópetra zieht, zeichnet sich durch sanft abfallende Hänge aus, welche durch zahlreiche Terrassen gegliedert sind. Inzwischen liegen einige der Äcker allerdings brach. Nordöstlich von Oia gibt es einen relativ ruhig gelegenen Strand, den **Baxedes Beach** mit schwarzem vulkanischem Sand. Hier befinden sich auch Tavernen, in denen man Kleinigkeiten essen kann. Der inzwischen asphaltierte Weg führt an der kleinen Siedlung Thólos vorbei.

Perivolos, einst ein unauffälliger Vorort von Oia, hat sich in den letzten Jahren sehr vergrößert und ist mit Oia zusammengewachsen.

Hotels: A: Canaves, ✆ 7 14 53; Flower, ✆ 7 11 30; Oia Mare Villas, ✆ 7 10 70; B: Atlantis Villas, ✆ 7 12 14; Chelidonia traditional Villas, ✆ 7 12 87; Laouda, ✆ 7 12 04; Oia Village, ✆ 7 11 14 (deutsche Leitung); C: Katikies, ✆ 7 14 01; D: Fregata, ✆ 7 12 21; E: Anemones, ✆ 7 12 20
Appartments: Häuser der Griechischen Fremdenverkehrszentrale (EOT) im traditionellen Kykladenstil, ✆ 7 12 34; Amoudi Villas, ✆ 3 11 84; Armenaki, Villas, ✆ 7 12 09; Fanari Villas, ✆ 7 10 08; Villa Agnadi, ✆ 7 16 47; **in Perivolos:** Nikos Villas, ✆ 7 13 68

Jugendherberge: »Oia«, 100 m von der Busstation, ✆ 7 14 65

Restaurants: Café/Pizzeria Flora (jenseits der Hauptgasse, dennoch schöner Blick auf die Caldera); Café/Pizzeria Kastro (an der Stufe 222 zur Ammouthi-Bucht); Café Pelecanos; Koykoymavlos (»kreative« Küche); Kyklos (griech. und intern. Küche); Lotza (solide griech. Küche); 1800 (schönes Restaurant in altem Patrizierhaus); Minims (Café mit Imbiß, sehr schöner Blick auf die Kameni-Inseln)

Touristeninformation: Karvounis Tours, ✆ 7 12 90-2, 7 12 05, Tourist Information Office »Trident«, ✆ 7 12 16; Zeus, ✆ 22 40 13

Erste-Hilfe-Station: ✆ 7 12 27, Funktel. 0 94 76 76 97, Mo–Fr 9.30–14 Uhr

Post: Mo–Fr meist 9–14 Uhr

Busverbindung: Richtung Thira (ca. alle 45 Min., Fahrtdauer 40 Min.); die Bushaltestelle liegt im Norden Oias, an der Fahrstraße

Bootsausflüge: vom Armeni-Hafen nach Therasia und Caldera-Rundfahrt; meist tgl. oder nach Absprache,in den Touristikbüros zu erfragen

Autoverleih: Roadstar-Budget, ✆ 7 13 60, und über Touristikbüros

Foinikiá

Der kleine Ort (sprich: Finikiá) liegt knapp 1 km östlich von Oia etwas abseits der Hauptstraße in einer nach Norden abfallenden Mulde. Im Kern ist er ein noch sehr ursprüngliches Dorf, in dem bis heute viele Seemannsfamilien wohnen. Die Häuser besitzen die typischen Gewölbedächer, und ihre Wände sind aus einzelnen gerundeten Lavablöcken gemauert, die anschließend verfugt und mit Kalkmörtel verputzt wurden. Die durch das Gelände bedingten Höhenunterschiede werden geschickt mit Treppen und Rampen überwunden.

Zur Hauptstraße hin sieht man allerdings immer mehr Neubauten, die durch ihre Flachdächer gleich ins Auge fallen. Vor allem hier werden auch einzelne Zimmer vermietet, und es gibt einige Tavernen.

Vor dem Ort liegt der Friedhof mit einer Kirche und einer kleinen Grabkapelle, deren Kuppel durch ihre ungewöhnliche Form auffällt, die an »Apfelschnitte« erinnert.

Restaurant: Santorini-mou (an der Straße nach Oia, griech. Live-Musik ab 21.30 Uhr)

Megaló Vounó (330 m), Kókkino Vounó (283 m) und Mikró Profítis Elías (314 m)

Nicht weit von Foinikia erhebt sich der dritthöchste Gipfel auf Santorin, der Megalo Vouno. Er besteht aus grauer Lava sowie schwarzen und wenigen roten Schlacken, die in einem zeitlichen Abstand von ca. 100 000 Jahren etwa im Zeitraum von vor 1 Mio. bis vor 100 000 Jahren entstanden sind. Die verschiedenen Farben der Gesteine kommen durch die unterschiedliche Mineralzusammensetzung der Lavaschüttungen zustande. Da der Berg sehr steil ist, können seine Hänge nicht bebaut werden. Auch Pflanzen haben sich bisher kaum angesiedelt, weil sich durch die ständige Erosion noch nicht genügend Boden bilden konnte.

Das gleiche gilt auch für den Kokkino Vouno. Wie sein Name (*kokkinos* = rot) schon sagt, ist er aber überwiegend aus roten, geschichteten Aschen und Schlacken aufgebaut. Wenn man die Hänge ein Stück hinaufklettert, dort wo das Gestein fest genug ist, hat man eine wunderbare Aussicht auf die Terrassenfelder nördlich und östlich von Oia.

Stellt man sich Santorin als einen Dinosaurier vor, so liegt der Mikro Profitis Elias, der »Kleine Eliasberg«, auf dem Hals, d. h. an der schmalsten Stelle im Norden. Der kleine Vulkan besteht aus grauen Lavaschichten, die zwischen 100 000 und 50 000 Jahre alt sind. Auf der Ostseite des Berges hat sich die üppigste wildwachsende Vegetation der Insel entwickelt. Die Phrygana mit Ginster, Zistrose und Spatzenzunge erreicht eine Höhe von bis zu 1 m, und in den Zwischenräumen gedeihen viele niedrigwachsende Blütenpflanzen.

Imerovígli

Der Name Imerovigli stammt entweder aus dem Griechischen (*imera* = Tag und *vigla* = Wachtturm) oder aus dem Italienischen (*meraviglioso* = wunderbar, gemeint ist die Lage). Beide Deutungen haben ihre Berechtigung: Der Ort ist mit 336 m die höchstgelegene Siedlung am Kraterrand. Er entwickelte sich um die mittelalterliche **Skaros-Burg** herum, von der aus man die beste Übersicht über die ankommenden Schiffe und einen wunderbaren Blick auf die Caldera und das ganze Hinterland hatte.

In etwa 20 Minuten ist der Ort von Thira aus zu Fuß zu erreichen. Man kommt an vielen neuen Häusern und auch an zwei kleinen Lebensmittelläden vorbei. Ein bequemer, z. T. gestufter Weg führt an der Caldera entlang, fast immer die Kameni-Inseln und Therasia im Blick. Besonders angenehm läßt sich diese Aussicht von einer Bank auf der Terrasse der **Kapelle Agios Geórgios**

Skaros

Burggebiet aus dem 13. Jahrhundert

Von der kleinen Kapelle Agios Georgios (s. S. 102f.) führt ein Pfad 100 m tiefer in den Kraterrand und über einen Sattel zur Südseite des Skaros-Felsens. Hier befand sich einst eine gewaltige Burganlage. Deren Name wird auf Scaouro, den Gouverneur der Insel während der Römerherrschaft, zurückgeführt, welcher der Sage nach an derselben Stelle seinen festungsartigen Wohnsitz hatte. Mit Sicherheit entstanden ab 1207 nach und nach zwei Burgen. Das Kastell La Rocka lag auf der Spitze des Felsens. Hier residierten in venezianischer Zeit die Herzöge der Sanudi, Barozzi, Pisani und Crispi und bewachten den Westzugang von Santorin. Etwas unterhalb stand eine zweite Burg mit einem Kloster, in dem der Bischof waltete. Die Burganlage war groß genug, daß sich notfalls bei einem Seeräuberüberfall die ganze Bevölkerung darin verschanzen konnte, und wehrhaft genug, daß sie während der 600 Jahre ihres Bestehens nie erobert wurde. Als die Türken im 16. Jh. Santorin einnahmen und in das Burggebiet einzogen, verlor Skaros allerdings allmählich an Bedeutung und mußte um 1811 ganz verlassen werden, da der Felsen zu bröckelig und rissig geworden war. Die Bewohner zogen sich z. T. nach Imerovigli zurück, andere gründeten eine neue Stadt, das heutige Thira. Von da an verfiel die Burg immer mehr und wurde schließlich durch das Erdbeben 1956 gänzlich zerstört. Zusätzlich nagen Wind und Wetter an dem Felsen und lassen ihn immer kleiner werden. Heute sind nur noch wenige Fundamente der Bauten zu sehen. Wenn man sie besichtigen möchte, sollte man sehr vorsichtig sein, da das Gestein an manchen Stellen äußerst brüchig ist. Aber bei klarem Wetter bietet sich von hier aus ein schöner Blick auf den Kleinen Eliasberg und die Insel Ios im Hintergrund. Dabei sieht es durch eine optische Täuschung so aus, als ob der Wasserspiegel der Caldera tiefer läge als der des offenen Meeres.

genießen. Das kleine Gotteshaus liegt gegenüber dem Skaros-Felsen und ist auf einem der Lavaflüsse des Skaros-Vulkans erbaut. An windigen Tagen bläst es dort oben allerdings ziemlich heftig.

Durch den Ort selbst winden sich kleine Gäßchen, vorbei an gerade restaurierten Häusern der einstigen Adligen und zahlreichen Neubauten, da auch hier viel vom Erdbeben zerstört wurde. Man sieht

aber ebenso noch einige Häuser, deren Baumaterial die verschiedenen Gesteine der Insel widerspiegelt: weißen Bimsstein, schwarze Lava und rote Schlacke.

Etwa in der Mitte des Ortes liegt auf einem kleinen Platz die **Kirche Panagía Maltésa**. Sie erhielt diesen Namen, weil die Ikone der *Panagia* (Gottesmutter) in der Nähe der Insel Malta von einem Santoriner Seemann aus dem Wasser gefischt wurde. Die Kirche besitzt einen fast quadratischen Innenraum mit Monumentalmalereien an der Decke und den Wänden sowie einer sehr schönen Ikonostase, deren fünf Ikonen z. T. mit einem Silber-Relief bedeckt sind. Links des Eingangs befindet sich die ebenfalls silbergetriebene Ikone des hl. Georg. Auch dieses Gotteshaus mußte nach 1956 neu aufgebaut werden. Es ist leider, wie alle Kirchen auf Santorin, wegen der Diebstahlgefahr meistens geschlossen, aber man kann es kurz vor dem Gottesdienst um ca. 17 Uhr besichtigen. Zu dieser Zeit trifft man dort auf eine sehr nette alte Frau, die die Kirche versorgt und gerne etwas über die Entstehung und die einzelnen Heiligen erzählt. Gegenüber der Kirche liegt ein kleiner, etwas verwilderter Spielplatz, auf dem man sich ein wenig ausruhen oder seine Vesper einnehmen kann.

Küstenlandschaft im Norden

Am südlichen Ortsausgang befindet sich das einzige noch nicht geschlossene **orthodoxe Frauenkloster** Santorins, **Agios Nikólaos**. Hier leben und arbeiten drei Nonnen, die Besucher gerne durch das Kloster führen.

Das Kloster wurde im Jahre 1674 erbaut und besitzt neben Wohnräumen der Nonnen eine reich verzierte Klosterkirche von 1820, die man über den Innenhof erreicht. Die schön geschnitzte Holz-Ikonostase zeigt Szenen aus dem Alten Testament mit dem hl. Michael, mit Maria und dem Jesuskind, Christus, dem hl. Johannes und natürlich dem hl. Nikolaus, bei dem viele kleine Votivtäfelchen hängen. Die Ikonen sind kunstvoll gemalt und z. T. vergoldet. Die Kanzel zieren reichhaltige Schnitzereien. Rechts des Eingangs fällt eine prachtvolle Gold- und Silberfadenstickerei auf, welche die Grablegung Christi darstellt. An den Wänden hängen ca. 100 Jahre alte Gemälde, auf denen Bischöfe zu sehen sind. Der Andachtsraum für die Nonnen befindet sich auf der linken Seite. Im Klosterhof spürt man auch heute noch die völlige Ruhe und Abgeschiedenheit, obwohl die Hauptstadt Thira doch nur »einen Steinwurf weit« entfernt liegt.

Man kann das Kloster täglich von 8–12.30 und 16–18 Uhr in angemessener Kleidung besuchen. Da das Tor meist geschlossen ist, muß man die Freitreppe hinaufsteigen und an der Klingelschnur ziehen.

Hotels: A: Altana, ✆ 2 32 40; Kaldera's, ✆ 2 34 02; Rocca Bay, ✆ 2 35 69; Veranda View, ✆ 2 36 29; B: Arch Appartments, ✆ 2 32 58; Honey Moon Villas, ✆ 2 28 95; Krokos Villas, ✆ 2 24 88; Thanos Villas, ✆ 2 28 83. Außerdem: Andromeda Villas, ✆ 2 48 44; Anio Apartments, ✆ 2 47 17; Bysanto Villas, ✆ 2 52 30; Oniro Villas, ✆ 2 45 47; Rocabella Studios, ✆ 2 37 11; Sunny Villas, ✆ 2 31 42

Restaurants: Blue Note (oberhalb des Skaros-Felsens), Restaurant/ Bar Caldera (am Caldera-Rand); Skaros

Busverbindung: Richtung Thira und Oia (stdl.); die Bushaltestelle liegt an der Hauptstraße nach Norden

Voúrvoulos

Der kleine Ort liegt in einer Schlucht östlich von Imerovigli, von wo aus man ihn in ca. 20 Minuten zu Fuß erreichen kann. Hier gibt es noch einige **Höhlenwohnungen**, die teils als Unterstände für das Vieh (Esel, Schafe, Hühner etc.) oder als Lagerraum genutzt, teils aber auch noch bewohnt werden. Die Wohnräume sind tief in die Bimssteinschichten hineingegraben, und nur die Türen stehen nach außen vor. So war man am besten vor den kalten Winterwinden geschützt.

Der Ort hat zwei Kirchen, von denen die obere der **Agia Panagía** erwähnenswert ist. Der Eingang der Kirche liegt allerdings etwas versteckt. Durch ein schmiedeeisernes Tor gelangt man über ein paar Treppenstufen auf eine trapezförmige Terrasse, die sich vor der Kirche zur Ebene und zum Meer hin ausbreitet. Das Gotteshaus ist unmittelbar an den Bimssteinhang herangebaut, so daß es ein wenig massig, d.h. fast geduckt wirkt. Als Gegensatz dazu streckt sich daneben der eher ›luftig‹ wirkende Glockenträger mit den zwei großen und der darüberhängenden kleineren Glocke. Im Innern der Kirche fällt der Blick vor allem auf die schön geschnitzte und reich vergoldete Ikonostase mit dem Bild der Mutter Gottes *(Agia Panagia)* und dem kunstvoll gefertigten Lichtträger, der von der Kuppel herabhängt.

Etwas außerhalb von Vourvoulos liegt in nördlicher Richtung die kleine **Kirche des hl. Artemios**, in der am 20. Oktober ein großes Kirchweihfest stattfindet. Nach der Messe und der dreimaligen Prozession um die Kirche sitzen die Festgäste noch lange bei einem kleinen Mahl zusammen und unterhalten sich.

Am östlichen Ortsende führt ein neu angelegter Weg zu einem kleinen **Strand** hinunter. Man trifft direkt auf eine Bucht, an deren rechter Seite eine alte Kaimauer ins Meer hinaus ragt und sich ein paar Bootsgaragen für Fischerboote befinden. Der geröllhaltige Strand aus Lava, Schlacke und Bimsstein ist zum Baden zwar nur mit Badeschuhen geeignet, bietet sich aber an, um Rast zu machen oder einfach auf das Meer hinauszuschauen. Man sieht Anafi entweder glasklar oder gerade noch im aufsteigenden Dunst verschwindend. Nach rechts reicht der Blick über den Strand Exoyalos (s. unten) bis hin zu den Schornsteinen der ehemaligen Tomatenfabrik von Monolithos. Im April und Mai ist man an dieser Stelle vollkommen einsam, und im Sommer baden hier überwiegend die Einwohner selbst.

Hotel: B: Santorini Villas, ✆ 2 20 36

Busverbindung: Richtung Thira und Oia (stdl.); an den Haltestellen Vourvoulos oder Imerovigli aussteigen

Kontochóri

Das Dorf schließt sich nahezu unmittelbar im Nordosten an die Hauptstadt an. Hier wird viel neu gebaut, es gibt sehr luxuriöse Häuser und inzwischen auch einige Hotels. An der Hauptstraße, dort wo zwei große Eukalyptusbäume stehen, führen ein paar Treppenstufen hinauf zur **Ortskirche**. Gebaut wurde sie 1758 vom Malteser Orden. Es ist eine für den ursprünglichen Ort verhältnismäßig große Kirche, ganz in Weiß verputzt, aber mit einem ockerfarbenen, angebauten Glockenturm, der zwei große Glocken trägt.

Im Osten des Ortes, unterhalb des schön gelegenen Friedhofs, befindet sich die kleine Kapelle des hl. Konstantin. In dem danebenstehenden Haus und auf dem Grundstück des Konstantin E. Lygnou eröffnete dessen Neffe Emmanuel A. Lignos ein **Völkerkundliches Museum.** In einer typischen Höhlenwohnung hat man einen alten Weinkeller mit Fässern, Pressen etc. wieder aufgebaut, ebenso die Werkstätten von Zimmermann, Faßbinder, Blechschmied und Schuhmacher. Weiterhin gibt es eine kleine Gemäldegalerie, in der verschiedene Künstler ihre Bilder von Santorin ausstellen sowie ein historisches Archiv mit Lithographien und Büchern von Santorin. Auf dem Vorplatz kann man gemütlich unter Bäumen sitzen und ausruhen. Das Museum ist tgl. von 18–20 Uhr geöffnet, der Eintritt ist frei.

Flache Hänge und Terrassen leiten ostwärts in eine weite Ebene über, die durch den unterschiedlichen Anbau der Äcker farblich gegliedert ist. Durch die verfallenen Windmühlen inmitten der Felder wird die Tiefe dieses Inselteils deutlich wahrnehmbar.

Kurz vor dem nördlichen Ortseingang führt ein Weg hinab in diese Ebene bis an den ca. 2 km langen **Strand Exoyálos.**

Pension: Antonia, ✆ 2 46 21, Thirassia, ✆ 2 25 46

Jugendherberge: ✆ 2 27 22, mit Blick auf den Ostteil der Insel

Der Zentralteil

Von Spinnen und Piraten

Der perfekte Zufluchtsort: Panagia tis Sergeinas

Ein lebenspendender Quell tief im Berg

Dorische Siedler in schwindelnder Höhe

Zwei Mönche: Joachim und Gabriel aus Pyrgos

In Vothonas

Auf den Spuren des Mittelalters: die Kapelle der hl. Anna, venezianische Palazzi, die byzantinische Kirche Panagia Episkopi und das Burggebiet von Pyrgos; dann ein Sprung in die Moderne: Santorins ›Umschlagplätze‹, der Fährhafen Athinios und der Flughafen Monolithos

Karterádos

Das Dorf zieht sich entlang eines breiten Erosionstales, das sich im Innern der Insel nur 2 km von Thira entfernt erstreckt. Seinen Namen erhielt es nach Paul Karterados, einem Vogt des Herzogs Sanudo. Früher wohnten hier fast ausschließlich Seefahrer, und der Ort war wegen der Schönheit seiner Frauen weithin bekannt. Daher wurde er auch oft von Seeräubern heimgesucht. Im Jahr 1313 z. B. sollen sich die Einwohner in einer Höhle vor den Piraten versteckt haben. In ihrer Angst versprachen sie, der hl. Anna eine Kapelle zu errichten, wenn sie verschont blieben. Daraufhin webten Spinnen ein dichtes Netz vor den Höhleneingang, und so waren die Bewohner gerettet. Eben jene **Kapelle der hl. Anna** gibt es immer noch. Sie steht direkt neben einer Höhle, die heute als Friedhof dient.

Im Laufe der Jahre fuhren immer weniger Männer zur See, die Menschen lebten vermehrt von der Landwirtschaft, so daß sich Karterados zum Bauerndorf entwickelte. Allerdings wird aufgrund der Nähe zur Hauptstadt auch hier viel gebaut, so daß die Einwohner zunehmend vom Tourismus leben und von der Ursprünglichkeit leider nicht mehr viel zu spüren ist. Von der oberhalb verlaufenden Straße aus bietet der Ortskern aber besonders im Frühjahr auch heute noch einen sehr schönen Anblick. Aus dem dicht besiedelten Tal ragen in einer Linie die Kuppeln und Glockentürme dreier Kirchen sowie einzelne hochgewachsene Palmen hervor, umgeben von den umliegenden Feldern und Wiesen.

Hotels: A: Dimitris & Rosa, ✆ 2 23 72; B: Santorini Tennis Club, ✆ 2 11 22; C: Albatros, ✆ 2 34 34; Nikolas, ✆ 2 39 12; D: Cyclades, ✆ 2 45 43; Palladion, ✆ 2 25 83; E: Gina, ✆ 2 21 47; Nikos, ✆ 2 37 37

Messariá

Messaria liegt etwa in der Mitte der Insel, am Kreuzungspunkt wichtiger Straßen aus dem Norden (Thira), Süden (Akrotiri), Osten (Monolithos) und Südosten (Kamari). Nach dieser Lage erhielt der Ort seinen Namen (*meson* = Mitte).

Kirche in Karterados

Den Ortskern erreicht man etwa 200 m oberhalb der Kreuzung. Hier leben immer noch in der Hauptsache Arbeiter und Handwerker, so daß das Dorf seinen ursprünglichen Charakter bewahrt hat. Enge Gassen führen an den Häusern vorbei, die überwiegend mit Flachdächern ausgestattet sind, und man sieht immer wieder kleine Werkstätten und Betriebe. So gibt es z. B. am südlichen Ortsende eine kleine Wäscherei, in der man gut in ein bis zwei Tagen seine Wäsche reinigen lassen kann. Allerdings hat sich hier inzwischen auch ein großer Supermarkt niedergelassen, der den kleinen Geschäften schnell zur Konkurrenz werden kann.

Im Dorfinnern treffen wir auf die alte **Kirche des hl. Demetrius**. Sie wirkt etwas steif und fremd in ihrer Umgebung, da sie nicht wie üblich in leuchtendem Weiß erstrahlt, sondern dem Besucher eine braune, mit schwarzen Lava- und Schlackenstücken gesprenkelte Wand zeigt. Der abseits stehende Glockenturm paßt in Form und Farbe auch nicht so recht dazu. Der Blick vom Portal über die verwinkelten Straßen und Häuser von Messaria sowie auf den Profitis Elias, den höchsten Berg der Insel, ist allerdings wunderschön. Am 26. Oktober feiert das Dorf in der Kirche zu Ehren des hl. Demetrius ein großes Fest. Dabei wird auch der neue, in der landwirtschaftlichen Genossenschaft des Ortes hergestellte Wein probiert.

Die Kirche ist eingerahmt von mehreren **italienischen Palazzi,** die zwar sehr baufällig sind, aber mit ihren verzierten Fassaden und den großzügig angelegten Treppenaufgängen etwas von dem Glanz alter Zeiten bewahren. Eines der Häuser ist inzwischen allerdings restauriert – das Haus des Georgios E. Argyros. Er war Grundbesitzer und Weinhändler und schickte seine Ware bis nach Rußland. Der gleichnamige Enkel hat zu Ehren seines Großvaters das 1888 gebaute und 1956 zerstörte Gebäude auf der Grundlage der ursprünglichen Baupläne wiederherstellen lassen. Die Hausbesitzer haben Teile des Hauses mit dessen ursprünglichem Mobiliar in ein Museum, **Archontiko Argyrou,** verwandelt, um den Besuchern einen Einblick in den Lebensstil des 19. Jh. und in das kulturelle Erbe Griechenlands zu geben. Das Museum ist April–Okt. täglich 10–19 Uhr geöffnet. Stündlich findet eine nette und kompetente Führung statt.

Ebenfalls restauriert wurde die zwischen 1680 und 1700 erbaute kleine **Kirche der hl. Irene,** der Schutzpatronin der Insel. Ihr Namenstag am 5. Mai wird hier wie in den anderen ihr geweihten Kirchen mit einem großen Fest begangen.

Hotels: A: Archontiko Argyrou, ✆ 3 16 69; Santorini Image, ✆ 3 18 74; C: Anny, ✆ 3 16 27; Artemidoros, ✆ 3 22 81; Kalma, ✆ 3 19 67; Loizos, ✆ 3 17 33; D: Apollon, ✆ 3 17 92; Andreas, ✆ 3 15 39; Perakis, ✆ 3 15 86

Restaurants: Nikos und Maria, Tavernen an der Bushaltestelle

Touristeninformation: Kamari Tours, ✆ 3 16 34

Erste-Hilfe-Station: rechts hinter dem Museum, Hinweisschild befindet sich schon an der Bushaltestelle

Bankautomat: am Supermarkt

Busverbindungen: Richtung Thira, Kamari (alle 1/2 Std.), Perissa (alle 1/2 Std.) und Akrotiri (alle 1 1/2 Std. bis stdl.)

Vóthonas

Von Messaria führt eine Eukalyptusallee zu dem sich direkt im Südosten anschließenden Dorf Vothonas. Gleich am Ortseingang fesselt ein bezaubernder Anblick: Unterhalb einer intakten Windmühle schmiegt sich die kleine **Kapelle des hl. Tryphon** von 1749 an einen blumenübersäten Hang mit vom Wind gebeugten Bäumen. Nach einer ausgedehnten Fotopause geht

Höhlenwohnung in Vothonas

man die Straße weiter, vorbei an neu gebauten Reihenhäusern, um dann nach links in den eigentlichen Ort hinunterzusteigen. Der Ortskern liegt am tiefsten Punkt des Auffangbeckens von vier einmündenden Erosionstälern. Die Häuser sind kulissenartig an den Hängen der Schlucht erbaut, wobei sich neue Betonwohnungen eng an die aus Vulkanitblöcken gemauerten Häuser und die **Höhlenwohnungen** mit ihren als Viehställe und Speicher dienenden Grotten anfügen. Die erheblichen Niveau-Unterschiede innerhalb des Dorfes werden durch enge Gäßchen mit steilen Treppen überwunden.

Geht man in der nördlichsten Schlucht an den Höhlenwohnungen entlang, dem Tal folgend bis zur Straße, die nach Kamari führt, passiert man die auf der rechten Seite liegende kleine **Kapelle Agios Prokópios.**

Sie liegt sehr idyllisch und ist in die Bimssteinschichten hineingebaut. Im Frühjahr leuchten die blauen Verzierungen an Fenstern, Türen und dem Glockenturm mit der Farbenpracht der sie umgebenden Blumenwiese um die Wette. Der Ort lädt zur stillen Andacht ein; der kleine, mit fünf Ikonen geschmückte Innenraum faßt nur ein paar Stühle.

Die Bauweise in den Bimsstein hinein zum Schutz gegen jegliche Widrigkeiten wurde bei der **Höhlenkirche Panagía tis Sergeínas** noch weiter perfektioniert, so daß sie einen idealen Zufluchtsort vor den Piraten bot. Sie ist ca. 15 Gehminuten vom Ort in einer Schlucht gelegen. Wenn man am südwestlichen Ortsende vor der Kirche der hl. Anna steht, führt der Weg rechts ab zwischen den Befestigungsmauern der Terrassenfelder hindurch. Immer stärker wird er von Feigenbäumen gesäumt, bis man schließlich auf der linken Seite in 12 m Höhe mitten im Bimsstein eine Tür mit einem fallreepartigen Treppenaufgang und einem kleinen weißen Kreuz davor entdeckt. Das eigentliche Gotteshaus erreicht man hinter der Eingangstür über sehr steile Treppenstufen, die im unteren Teil aus einer Art abnehmbarer ›Hühnerleiter‹ bestehen. Noch nicht ganz auf der obersten Stufe ange-

Höhlenkirche Panagia tis Sergeinas. Leider wurde inzwischen vor den imposanten Treppenaufgang ein Glockenturm gebaut. Er paßt weder in die Landschaft noch zur Kirche.

langt, steht man schon in dem 14 m langen und max. 4,40 m breiten, grob aus dem Bimsstein gehauenen Innenraum, der gerade durch seine Einfachheit bei dem Besucher einen sehr starken Eindruck hinterläßt. Eine schlichte Ikonostase im hinteren Bereich des schmucklosen Raumes, eine Reihe Stühle und ein paar Heiligenbilder sowie ein kleiner Kristalleuchter sind das einzige Inventar. Durch zwei kleine Fenster fällt allerdings nur sehr spärlich das Sonnenlicht, so daß der fast dunkle und sehr kühle Ort nicht lange zum Verweilen einlädt.

Vothonas gilt bei manchen als der grünste Ort der Insel. Dies kommt besonders gut zur Geltung, wenn man von dem kleinen Weg, der nach Exo Gonia führt, zurückschaut. Man sieht Vothonas eingebettet in die Erosionstäler, aus denen neben den Häuserspitzen und Kirchenkuppeln immer wieder Palmen, Feigen- und Eukalyptusbäume herausragen. Eingerahmt wird der Ort von einem Teppich weißgelb blühender Margeriten im Vordergrund sowie Büschen und Feldern, die im Hintergrund bis nach Thira reichen. Auch der Weg nach Exo Gonia selbst ist wunderschön grün, gesäumt von einer Vielfalt von Wiesenblumen wie Margeriten, dem Echten Venuskamm, dem Gewöhnlichen Schildkraut, der Kretischen Wicke, dem Sternklee, der Kretischen Strauchpappel, dem Schmalblättrigen Natternkopf etc. Jeder botanisch Interessierte findet im Frühjahr hier seine Freude. Man sollte allerdings geschlossenes Schuhwerk tragen. Der sehr schmale Pfad ist am Anfang zwar noch mit Steinen gepflastert, zum Ende hin unterhalb von Exo Gonia wird er aber geröllreich und noch etwas schmaler.

Hotels: C: Kalisperis, ✆ 3 18 32; Makassia, ✆ 3 15 83. Außerdem gibt es noch die Alafuzos Studios, ✆ 3 13 69

Busverbindungen: Richtung Thira, Perissa (alle ½ Std.) und Akrotiri (alle 1½ Std.)

Monólithos

Monolithos bedeutet »einzelner Stein«, und so heißt auch der 33 m hohe Kalkfelsen, der dicht am Meer im äußersten Osten der Insel aus der Ebene herausragt. Er ist ein ›Ableger‹ des Profitis-Elias-Massivs und gehört somit zum alten Grundgebirge. Nach ihm wurde zum einen der **Flughafen** von Santorin benannt, dessen Rollbahn direkt an dem Felsbrocken vorbeiführt. Hier starten und landen die Flugzeuge von Athen, Kreta, Rhodos und Mykonos sowie die Chartermaschinen deutscher Fluggesellschaften. Und zum anderen bezeichnet Monolithos auch den Strand und die dahinter angesiedelten Häuser, Bungalows und wenigen Tavernen. Der **Strand** ist sehr schön, 5 km lang, bis zu 30 m breit und mit kri-

Das Dorf Vothonas

stallklarem Wasser. Hier herrschen auch ideale Bedingungen zum Surfen, allerdings gibt es noch keinen Brettverleih. Wer zu viel Sonne nicht verträgt, findet am Ende des Strandes in einem kleinen Pinienhain genügend Schatten. Alles in allem ist es ein Platz, an dem man sich vor allem im Hochsommer gut erfrischen und erholen, aber auch austoben kann, wie es z. B. die Einheimischen bei ihrem wöchentlichen Fußballspiel tun.

Leider ist das Hinterland nicht sehr reizvoll. Die z. T. verlassenen Fabriken, das Umspannwerk und die kahle Ebene wirken sehr trist, und auch die Nähe des Flughafens ist etwas abschreckend.

Hotels: A: Damaia Palace, ✆ 3 25 32; Mediterranean Beach, ✆ 3 11 67; C: Santorini Memories, ✆ 2 24 91; Kostas (Bungalows), ✆ 2 24 24

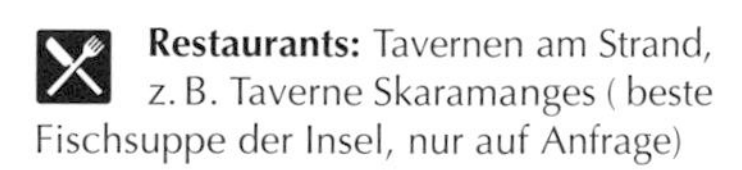

Restaurants: Tavernen am Strand, z. B. Taverne Skaramanges (beste Fischsuppe der Insel, nur auf Anfrage)

Busverbindung: Richtung Thira (stdl., nur in der Hauptsaison)

Exo Goniá und Mésa Goniá

Die beiden Orte liegen im Nordosten unterhalb von Pyrgos, das auf einem Hügel erbaut wurde, inmitten von Weinfeldern und Wiesen. An der Straße von Pyrgos nach Exo Gonia stößt man zunächst auf die relativ neu gebaute **Kirche Agios**

Charálambous, die schon von weitem an den mit roten Ziegeln gedeckten Kuppeln zu erkennen ist. Durch ihre Form und die vergitterten Fenster erinnert sie fast ein wenig an eine Moschee. Die breite Terrasse vor der Kirche schmücken runde Mosaike. Ihre Muster sind aus ovalen, bis etwa 8 cm langen schwarzen Lava- und hellgrauen Kalksteinen gelegt, die ihre Schmalseiten zeigen. Über diese Terrasse gelangt man dann nach Exo Gonia und weiter im Tal nach Mesa Gonia.

Die meisten Häuser der beiden Dörfer fielen dem Erdbeben von 1956 zum Opfer. Fast alle Bewohner wanderten nach Kamari ab. Inzwischen wurden und werden allerdings auch in diesen Orten neue Häuser gebaut, da wieder einige Bewohner zurück in ihren alten Heimatort gezogen sind. In Exo Gonia befindet sich die größte Weinfabrik der Insel. Hier werden im August/September die Weintrauben tonnenweise angeliefert. Die Arbeiter pressen sie dann in den Keltern noch mit den Füßen aus, im gleichen Rhythmus wie schon vor hundert Jahren. Hergestellt werden verschiedene Sorten: der Bysanto (Visanto), ein bernsteinfarbener Süßwein, der Brousko, ein trockener Rotwein, und der Nikteri, ein weißer, trockener Wein. Die Bezeichnung Nikteri stammt daher, daß seine Trauben nur eine Nacht lang (*nyktikos* = nächtlich) lagern und dann sofort verarbeitet werden. Manche führen den Namen auch auf die Venezianer zurück, die den Wein zur Unterhaltung in der Nacht getrunken haben sollen. Heute wird er oft an kalten Winterabenden angeboten, wenn sich die Familien und Freunde gegenseitig besuchen. Die Bezeichnungen der Weine lassen die Namen der Insel aus der Vergangenheit wieder aufleben: Strongyle, Kalliste, Santorini und Thera, oder sie spielen auf ihre Beschaffenheit an, wie Volcan, auf dessen Etikett Poseidon (der Meeresgott) vierspännig über die Flasche prescht, Lava, Hephaistos (der Gott des Feuers) und Dionysos (Gott der Fruchtbarkeit und der schöpferischen Natur). Es werden auch Schätze der Insel abgebildet wie bei Cantata, dessen Etikett mit den schnäbelnden Schwalben der Fresken von Akrotiri geschmückt ist.

Die verschiedenen Weine werden in beiden Orten zum Kosten angeboten. Im **Weinprobelokal Santorini Wine Festival** in Exo Gonia kommt aber wenig Atmosphäre auf. Die findet man viel eher in der gemütlichen **Taverne der Weinkelterei Canava Roussos** in Mesa Gonia, die seit 1841 Santorins hervorragende Weine herstellt.

Die besondere Wuchsform der Weinstöcke kann man auf den umliegenden Feldern betrachten. Die Reben wachsen kreisförmig entlang runder, geflochtener Weinstöcke, die knapp über dem Bimssteinboden angebracht sind. So bleiben sie zum einen besser vor dem Wind geschützt und erhalten

Panagia Episkopi

Klösterliche Stille unter Eukalyptus und Zypressen

Nach einer Legende befand sich die Kirche früher in dem unterirdischen Raum mit Kuppel, der heute als Sammelbecken für das Regenwasser dient. Von dort verschwand täglich die Ikone der Panagia Glykophiloussa und erschien auf dem gegenüberliegenden Hügel. Da sagten sich die Einwohner, daß die Panagia dort auf dem Hügel wohl ein Heim errichtet haben wolle, um aus dem düsteren Keller herauszukommen. Und so erbauten sie die heute noch existierende Kirche.

Nach den nüchternen Geschichtsdaten wurde die Kirche allerdings von dem byzantinischen Kaiser Alexios I. Komninos (1081–1118) im Jahr 1115 gegründet. Bis 1207 war sie dann zunächst Episkopalkirche des orthodoxen Bischofs und wurde anschließend von der venezianischen Adelsfamilie Barozzi als römisch-katholische Bischofskirche übernommen. Daraufhin blieb sie 330 Jahre in den Händen der Latiner, bis die Türken 1537 die Kykladen eroberten und sie wieder den Orthodoxen zusprachen. Da die Kirche aber auch beträchtliche Ländereien und Vermögen besaß, kam es zwischen den Katholiken und den Orthodoxen immer wieder zu langjährigen Streitereien. Diese dauerten an, bis im Jahr 1902 das letzte Stück Land zur Unkostendekkung verkauft werden mußte. Seitdem war die Kirche ohne eigene Gemeinde, stand jedoch allen Gläubigen der Insel offen. 1915 verwüstete ein großes Feuer viele Bücher, Priestergewänder sowie Kleinodien in der Kirche, und 1956 wurde sie durch das Erdbeben stark beschädigt. Im Jahr 1962 stellte die Regierung die Episkopi unter Denkmalschutz, aber es sollte noch 24 Jahre dauern, bis 1986 die Außenfassade endlich renoviert wurde.

Und so stellt sich die byzantinische Kirche heute dar: Durch ein schmiedeeisernes Tor gelangt man in einen Innenhof. Das Gebäude ist ca. 28 m lang und 16 m breit, vom Typ der eingeschrieben kreuzförmigen Kirche mit Kuppel, die sich auf vier Säulen stützt. Das Baumaterial stammt z. T. (Apsis, das reliefgeschmückte Kapitell einer Säule etc.) aus einer frühchristlichen Basilika aus dem 6. Jh., die sich an derselben Stelle befunden hat, und z. T. aus den Ruinen Alt-Theras, wie z. B. dorische Säulen und Kapitelle. Der Boden der Kirche ist aus Marmorplatten verschiedener Größen zusammengesetzt. Die einst wahrschein-

lich die ganze Kirche schmückenden byzantinischen Wandmalereien aus dem 12. Jh. sind heute nur noch im Altarraum und in Teilen des Zentralraums erhalten. Sie wurden von den Türken übertüncht oder durch Feuchtigkeit sowie durch Unkenntnis bei den jeweiligen Restaurierungsarbeiten zerstört. Die noch zu sehenden Fresken zeigen die Heiligen Kyrillos, Euthymios und Makarios, Antonios, die Märtyrer Samnonas und Gourias sowie Christi Auferstehung und Mariä Himmelfahrt. Allen Malereien gemeinsam sind die klaren Konturen der Gestalten sowie deren große Augen, die eine transzendente Mystik ausdrücken. Ohne Kerzenlicht kann man die Bilder allerdings kaum erkennen, da sie sich im dunkelsten Teil der Kirche befinden. Die holzgeschnitzte Ikonostase ist reich mit Blumenmotiven und den zwölf Aposteln verziert, sie weist aber auch leere Plätze auf: Im Juni 1982 sind 26 der schönsten tragbaren Ikonen aus der Kirche gestohlen worden und bis heute leider nicht wieder aufgetaucht.

Wer sich am 15. August auf Santorin aufhält, sollte auf keinen Fall versäumen, an diesem Tag die Feier zu Mariä Entschlafung hier oben mitzuerleben. (Das Fest entspricht Mariä Himmelfahrt, heißt jedoch anders, da die Orthodoxen nicht an eine leibliche Himmelfahrt Mariens glauben). Bereits am Vorabend wird mit der Flamme der immer brennenden Öllampe das Feuer angezündet, das für die Vorbereitungen des Festes benötigt wird. Am Feiertag selbst geht man zu dem festlichen Gottesdienst in die mit Blumen reich geschmückte Kirche. Die Messe hält der Priester der Pfarrkirche Agia Triada, da die Panagia Episkopi seit 1950 keinen eigenen Priester mehr hat. Nach der Segnung der Ikone der Hl. Jungfrau bekommen alle Gläubigen eine Portion Kichererbsenpüree und Bohnen, da dies die ersten Früchte waren, die auf den Feldern der Kirche angebaut wurden.

Man kann die Kirche in angemessener Bekleidung jeden Tag von 9–17 Uhr besichtigen. Eine alte Frau, die hinter der Kirche wohnt, öffnet die Tür. Sie ist dankbar für ein paar Drachmen.

Das Weindorf Exo Gonia

zum anderen genügend Feuchtigkeit, die sich in den blasigen Bimssteinen lange speichert. Diese Feuchtigkeit bildet sich sowohl durch den Niederschlag als auch durch ein Santorin eigenes Phänomen: Da das Wasser in der Caldera wegen seiner Tiefe kälter ist als das umgebende Meer, zieht die Sonne in der Mittagshitze Wasserdampfwolken die Caldera empor. Diese Nebelschwaden ziehen nach Osten und legen sich in Form von Tau auf die Pflanzen.

Am Ortsausgang von Mesa Gonia, kurz bevor man auf die Straße nach Kamari trifft, stehen viele Feigenbäume und eine kleine Pistazien-Plantage. Man muß sich nun rechts halten, vorbei an einigen Weinfeldern und einem kleinen Pinienhain, bis nach ein paar Metern ein Schild nach links den Weg zur Panagia Episkopi weist, dem schönsten Bauwerk auf Santorin aus byzantinischer Zeit. Dem Weg folgend, gelangt man zunächst zu einer kleinen geweißten **Kirche,** zu der ein **Friedhof** gehört. Die Kirche besitzt eine Ikonostase mit sechs Ikonen und ein kleines, silbergetriebenes Bildnis des hl. Georg sowie ein besonders prachtvoll geschnitztes Holzkreuz. Auf dem Friedhof ist, wie auf jedem Friedhof der Insel, kein Krümelchen Erde zu finden. Die Wege sind gepflastert und weiß übertüncht wie das Grab selbst. Ein Grabdeckel verschließt die Gruft. In ihr liegen die Toten nur drei Jahre lang. Danach werden die in Tücher gewickelten Überreste in ein Holz- oder Metallkistchen gelegt und, mit Nummern versehen, in einem Gebeinhaus aufbewahrt. Neben dem Toreingang befindet sich ein solches Gebeinhaus. Eine ältere Frau kommt alle paar Tage hier herauf und zündet in dem Haus und auf den Gräbern die Öllämpchen an. Sie ist sehr freundlich und erzählt gerne etwas über die Kirche und den Friedhof – sie spricht sogar ein bißchen Deutsch. Ihr Name ist Irini, und sie besitzt ein sehr gutes Restaurant in Kamari.

Nur ein paar hundert Meter weiter erreicht man dann die hinter Bäumen verborgene **Panagía Episkopí,** die einsam und sehr idyllisch am Fuße des Profitis Elias liegt (s. S. 118f.). Die Ruhe wird nur ab und zu von an- und abfahrenden Autos gestört, da inzwischen leider, als Zugeständnis an die vielen Touristen, eine Fahrstraße bis zur Kirche hinaufführt.

Hotels: A: Nano (Appartements), ✆ 31001; C: Makarios, ✆ 31375

Busverbindungen: Bushaltestelle etwas unterhalb von Exo Gonia, Richtung Thira, Kamari (alle ½ Std.)

Kamári

Im Jahr 1856 fand man in der Kapelle des hl. Nikolaus und dem ehemaligen Gymnasion – dessen Ruinen heute nicht mehr sichtbar sind – Inschriften aus der römischen Periode, mit deren Hilfe Kamari als das antike Oia und der Hafen von Alt-Thera identifiziert werden konnte. Das heutige Dorf ist eine Neugründung der Bewohner Mesa Gonias, die 1956 aus ihrem vom Erdbeben zerstörten Ort hierher zogen. Seinen jetzigen Namen erhielt es von den römischen Gewölben (*kamara* = Gewölbe), die sich am südlichen Ortsende im Mesa Vouno befinden. Es handelt sich wahrscheinlich um Vorkammern von Gräbern. Wegen seiner schönen Lage am Fuße des Profitis Elias und seinem wunderbaren, 2 km

Der Strand von Kamari

langen Strand aus schwarzem vulkanischem Sand entstanden immer mehr Hotels und kleine Geschäfte, so daß sich der Ort allmählich zum Haupturlaubszentrum von Santorin entwickelte. Diejenigen, die viel Zeit ihrer Ferien einfach mit Schwimmen, Faulenzen und Bummeln am Abend verbringen möchten, sind hier bestens aufgehoben. Allerdings liegt der Strand auch in der Einflugschneise des Flughafens, was – vor allem in der Hauptsaison – störend sein kann. Entlang der schönen **Strandpromenade,** die zur Fußgängerzone erklärt worden ist, sowie rechts und links der Hauptstraße liegen kleine Läden, viele Restaurants und Bars für jeden Geschmack und Geldbeutel. Vom Ort aus kann man alles arrangieren, es gibt Auto- und Motorradverleihe, viele Touristikbüros, in denen auch Geld getauscht werden kann, und einen großen Supermarkt für Selbstversorger. Es gibt überall im Ort Telefonzellen, die mit Telefonkarte bedient werden können. Und am **Strand** können neben Sonnenschirmen und Liegen auch Surfbretter gemietet werden. Im Hochsommer herrscht hier dementsprechend sehr viel Trubel, der sich an dem langen Strand aber schnell verliert.

Zwangloser Treffpunkt aller Touristen ist die Bushaltestelle direkt am Strand. Um nicht in ein dichtes Gedränge zu geraten, empfiehlt es sich in der Hauptsaison, den ersten Bus (7.10 Uhr) zu nehmen. Da er nicht immer ganz pünktlich ist, kann man derweil von der Strandmauer aus das Meer und die heimkehrenden Fischer beobachten.

Auch heute entstehen in Kamari immer noch Neubauten, doch stört kein großer Baulärm die Ferienruhe, da viele Arbeiten noch per Hand und vor allem ganz allmählich ausgeführt werden. In der Planung läßt sich keine rechte Systematik erkennen, es wird vielmehr dort gebaut, wo Platz oder ein Grundstück vorhanden ist, und nur dann, wenn Zeit und Geld zur Verfügung stehen. Die neuen Häuser sind alle sehr nett aufgemacht, und es gibt keine klotzigen Hochbauten. Strenge Bauvorschriften auf der Insel besagen nämlich, daß ein Haus nur zwei Stockwerke haben, bzw. die Höhe von 7,15 m bei einem Flachdach und 8,50 m bei der Kubenform nicht überschreiten darf.

Am 24. September sind alle Häuser und die **Kirche** geschmückt, denn das Dorf begeht das Fest der **Panagia Myrtidiotissa**. Ganz Kamari ist auf den Beinen, und auch die Besucher werden freundlich eingeladen, mitzufeiern.

Vom südlichen Ortsende aus führt ein bequemer Aufstieg zur

Kamari 1 Bürgermeisteramt 2 Krankenstation 3 Camping 4 OTE (Telefon) 5 Eselställe 6 Open-air-Kino 7 Supermarkt 8 Bäckereien

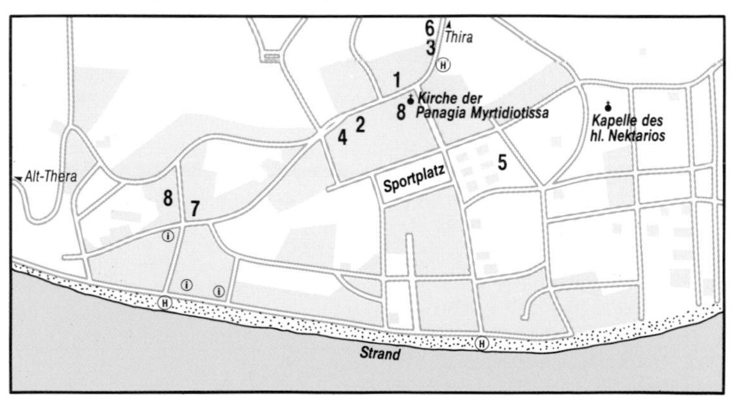

Sellada, dem Sattel zwischen dem Profitis Elias und dem Mesa-Vouno-Berg, und der Ausgrabungsstätte von Alt-Thera (s. S. 126 ff.). Man kann die gepflasterte Serpentinenstraße mit dem Auto, dem Esel oder zu Fuß erklimmen. Zu Fuß erreicht man die Hochfläche in etwa 45–50 Minuten (Geübte auch in einer halben Stunde). Ein anderer Weg führt über die **Quelle Zoodóchos Pigí.** Der Einstieg liegt etwa 50 m rechts von der untersten Wende der Serpentinenstraße. Hier führt ein schmaler, ziemlich steiler, aber auch sehr schöner Stufenpfad in ca. einer halben Stunde zu einer kleinen Kapelle hinauf. Oben angekommen, lädt der Vorplatz ein, im Schatten zweier Johannisbrotbäume auszuruhen. In der hinteren Ecke liegt, durch ein Gittertor abgeteilt, die ganzjährig sprudelnde Quelle in einer Höhle mitten im Berg. Das Tor ist meist offen, so daß man ohne Probleme an die Quelle herantreten kann. Ihr Wasser ist wunderbar klar, rein und herrlich erfrischend. Neben dem Eingang zur Quelle steht ein aus Stein gemauerter Tisch, der bei Festlichkeiten genutzt wird. Die Aussicht von hier oben ist grandios, man überblickt ganz Kamari mit seinem langen Strand und erkennt bei klarer Sicht sogar Einzelheiten auf der Nachbarinsel Anafi. An der Kapelle vorbei, trifft der Weg bald wieder auf die Straße nach Alt-Thera.

Hotels: A: Aphrodite, ✆ 3 27 60; Bellonias Villas, ✆ 3 11 38; Mediterran Beach, ✆ 3 11 67; Rose Bay, ✆ 3 36 50; B: Antinea, ✆ 3 27 53; Dolphins, ✆ 3 16 08; Rivari Santorini, ✆ 3 16 87; Roussos Beach, ✆ 3 15 90; Sunshine, ✆ 3 13 94; C: Artemis Beach, ✆ 3 17 98; Akis, ✆ 3 16 70; Astro, ✆ 3 13 66; Kamari Beach, ✆ 3 12 43; Matina, ✆ 3 14 91; Orion, ✆ 3 11 82; Poseidon, ✆ 3 16 98; Tropical Beach, ✆ 3 22 22; Zephyros, ✆ 3 11 08; D: Andreas, ✆ 3 16 92; Blue Sea, ✆ 3 14 81; Golden Sun, ✆ 3 13 01; Hermes, ✆ 3 16 64; Nikolina, ✆ 3 17 01; Sigalas, ✆ 3 12 60; E: Dionyssios, ✆ 3 13 10; Nina, ✆ 3 16 97

Pensionen: Aneta, ✆ 3 11 53; Irini's Rooms, ✆ 3 12 46; Kafouros, ✆ 3 14 93; Preka Maria, ✆ 3 12 66; Sirigos, ✆ 3 17 59; Tsagarakis, ✆ 3 14 87

Campingplatz: Kamari Camping, am Ortseingang rechts, ✆ 3 14 53 (mit Spielplatz und kleinem Garten, die Plätze liegen unter Bäumen, nett angelegt)

Restaurants: Bei Irini, letztes Restaurant am Strand vor dem Berg (ursprünglich, gute Küche, seit 1965 haben hier schon viele Berühmtheiten gegessen; sehenswert das Wandgemälde von »Antonius, dem Santoriner«, s. S. 81); Boat House (frischer Fisch, familiäre Atmosphäre); Eanos (sehr gutes griechisches Essen); Juttas Biergarten (deutsche Küche und Kuchen); Kiwi (sehr gemütlich, Parallel-Straße zur Uferpromenade); Mama Thira (Imbiß, guter Capuccino); O Christos (Fisch); Ouzeri (frischer Fisch, Meeresfrüchte); Petit Palais (frischer Fisch, griech. Küche); Skaramagas (Fischtaverne); Taverne Kamari (Fava, Pseftokeftedes); Tropical Beach (hausgemachte griech. Spezialitäten)

Hofidyll

Fischer am Strand von Kamari

Bars, Discos: Banana Moon (Piano-Musik); Cobra Bar (gute Cocktails, schöne Musik); Dolphins (direkt am Strand, mit Springbrunnen); Irish (irische u. griech. Musik); Mango; Sail Inn Cocktail Music Bar; Valentino's (Music Bar); Venus (exotische Cocktails); The Yellow Donkey (Disco)

Kino: Open-air-Kino (meist englisch synchronisierte Filme), beim Camping-Platz, tgl. 21.30 Uhr

Touristeninformation: Bellonias Tours, ✆ 3 21 17; Damigos Tours, ✆ 3 14 57; Ifestos Travel, ✆ 3 18 71; Kamari Tours, ✆ 3 13 90; Plotin of Santorini, ✆ 3 19 85; Santorama Travel, ✆ 3 17 17

Erste-Hilfe-Station: ✆ 3 11 75, Mo–Fr 9–13.30 Uhr

Busverbindungen: Richtung Thira (alle 1/2 Std.) und Athinios (zum Hafen, nur in der Hauptsaison, richtet sich nach Abfahrtszeiten der Fährschiffe)

Schiffsverbindung: nach Perissa, Plan an den Strandpromenaden

Auto-, Motorrad- und Mofaverleih: verschiedene Büros an der Hauptstraße

Alt-Thera

Geschichte

Vermutlich um 900 v. Chr. besiedelten die aus Sparta kommenden Dorer die Insel Santorin und errichteten ihre Hauptstadt auf dem Felsrücken des Mesa Vouno. Diese Lage war in jeder Hinsicht hervorragend gewählt: Der einzige Zugang zur Stadt über die *Sellada,* den Sattel, der den Berg mit dem Profitis Elias verbindet, war leicht zu überblicken. An den drei anderen Seiten stürzen die Wände des Mesa Vouno steil ab. Das machte den Ort zu einer natürlichen Festung und bewahrte die Einwohner vor eventuellen Angriffen. Dieser Platz bot zugleich einen guten Schutz vor den immer wieder auftretenden Erdbeben, die in dem festen Kalkgestein wenig Schaden anrichten konnten. Außerdem befanden sich zwei Süßwasserquellen in der Nähe, und die Strände von Kamari und Perissa stellten ideale Ankerplätze für die Schiffe jener Zeit dar. Hinzu kam noch der herrliche Ausblick, der sich von hier oben bietet. Nach ihrem Anführer Theras nannten die Dorer ihre Stadt Thera.

Das Ausmaß der antiken Stadt, das in den Jahrhunderten der Besiedlung stets etwa gleich blieb, paßte sich der langgestreckten Form des Bergrückens an, der ungefähr 800 m lang und 160 m (bzw. 210 m) breit ist. Die Stadt teilt sich in zwei Bezirke auf: Am östlichen Ende befinden sich die Heiligtümer und das Gymnasion der Epheben mit den ältesten heute noch sichtbaren Zeugnissen der Besiedlung, im Westen liegt die Agora (Marktplatz) mit den umgebenden Wohnhäusern und der Garnison der Ptolemäer. Das Grundelement bildet aber die Hauptstraße, welche die Stadt von Nordwesten nach Südosten durchzieht; sie wird z. T. noch heute von den Besuchern auf ihrem Rundweg benutzt. Von ihr zweigen kleinere Gäßchen ab, die z. T. treppenförmig angelegt sind, um die Höhenunterschiede auszugleichen. Alle Straßen waren gepflastert und wurden häufig von überdeckten Kanälen geschnitten, die das Kanalisationsnetz der Stadt bildeten. Baumaterial aller Gebäude war der Kalkstein aus der unmittelbaren Umgebung.

Im 3. Jh. v. Chr. landeten die Ptolemäer aus Ägypten an den Ufern Theras. Sie nahmen Alt-Thera ein und besetzten die bisher freie Stadt, die von nun an unter der Herrschaft fremder Mächte stand. Den Ptolemäern ist der Bau und die Erweiterung des Theaters und der Basilika Stoa (Königshalle) zuzuschreiben. Zusätzlich entstanden zahlreiche Tempel, so derjenige der ägyptischen Götter. Als eine Art Selbstverherrlichung stiftete Artemidoros einen Weihebezirk, der seinen Namen trägt. Allerdings war er es auch, der die Stadt aus ihrem ›Dornröschen-Schlaf‹ weckte, indem er das Straßennetz vergrößerte und verbesserte, die Kanalisation modernisierte und die Kaserne ausbaute.

Die Ptolemäer lebten über 120 Jahre in Alt-Thera, bis die Römer sie im Jahre 146 v. Chr. verdrängten. Diese waren im Gegensatz zu ihren Vorgängern weniger baulustig. Sie versuchten lediglich, mit Hilfe ihres technischen Know-how ihre Umgebung dem gewohnten Komfort anzupassen, indem sie Bä-

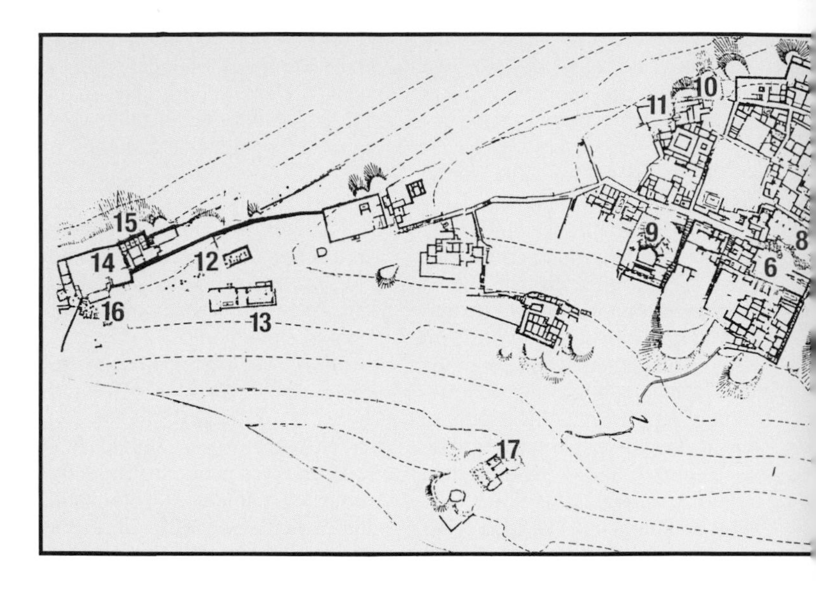

Alt-Thera

der errichteten und notwendige Umbauten vornahmen. So erweiterten sie z. B. das Theater ihren höheren Ansprüchen entsprechend.

Nach dem Abzug der Römer (etwa im 4. Jh. n. Chr.) verließen immer mehr Bewohner in byzantinischer Zeit die Stadt, die zusehends verfiel und schließlich nur noch die Natur (Pflanzen und Tiere) und ihre Gewalten (Regen und Sturm) beherbergte.

Vereinzelte Ausgrabungen fanden in der antiken Stadt bereits in der zweiten Hälfte des 18. Jh. statt. Ihre systematische Freilegung ist aber dem deutschen Archäologen Baron Friedrich Hiller von Gaertringen zu verdanken, der die Arbeiten in den Jahren 1886–1902 auf eigene Kosten durchführte. Eigentlich war er wegen der Felsinschriften nach Santorin gekommen, doch er merkte bald, daß es nicht ausreichte, nur diese freizulegen und zu entziffern. Um die Schrift richtig verstehen zu können, mußte er ein genaueres Bild von den Menschen und ihrer Kultur gewinnen. Das Wesentliche seiner Arbeit beschrieb er einmal selbst:

»Denn eines hatte sich immer deutlicher als Forderung herausgestellt, nicht auf Skulpturen und schöne Inschriften ist in Thera der Nachdruck zu legen ..., sondern es galt das ›Ganze‹ einer kleinen grie-

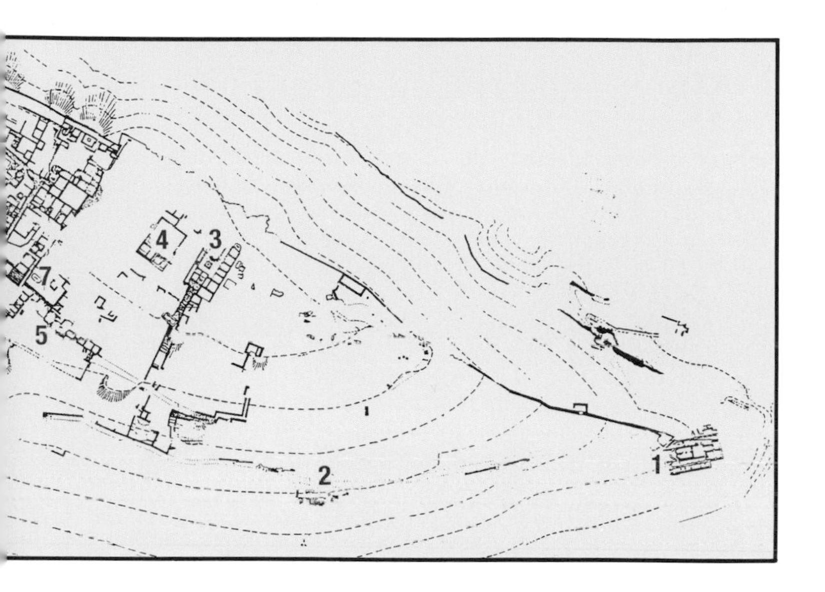

chischen Bergstadt zu erforschen, die sich in unvergleichlich großartiger Lage aufbaut.«

So begann er, die einzelnen Gebäude aus der 6 m mächtigen Ascheschicht herauszuarbeiten, was in der damaligen Zeit mit großen Schwierigkeiten verbunden war. Alle Grabungsmaterialien mußten auf Eseln und Maultieren den Berg herauftransportiert und die wertvollen Funde auf einer Art Schlitten hinuntergeschafft werden. Die größten Probleme brachte allerdings der ständig wehende Wind. Er konnte mitunter eine solche Stärke erreichen, daß die Ausgrabungsplätze verlassen oder zumindest verlegt werden mußten, und das über Jahre hinweg. Die Ergebnisse seiner Ausgrabungen veröffentlichte Hiller von Gaertringen in einem umfassenden vierbändigen Werk (Thera 1899–1909).

Man gelangt nach Alt-Thera auf drei verschiedenen Wegen: von Norden von Kamari über einen Serpentinenweg (zu Fuß, mit dem Esel oder einem Taxi), von Süden von Perissa auf einem Fußpfad zur Sellada oder von Westen über Pyrgos bis zum Kloster Profitis Elias und ebenfalls über den Sattel.

Die Stätte ist täglich außer montags von 8.30–15 Uhr geöffnet, der Eintritt ist frei.

Besichtigung

Der Rundgang durch die antike Stadt wird zu einem Gang durch

Arbeit und Freizeit im alten Thera

Die ersten Siedler in Alt-Thera, die Dorer, waren vor allem Bauern, die neben Getreide auch schon Oliven und Wein anbauten. Sie führten ein spartanisches Leben, die Arbeit spielte eine wesentliche Rolle. Neben der Bauernschicht muß es allerdings auch eine deutlich herausragende Adelsschicht gegeben haben, was sich an den unterschiedlich reich gestalteten Gräbern und Grabbeigaben ablesen läßt.

Die soziale Struktur und das kulturelle Leben der Theräer blieben zunächst weitgehend frei von fremden Einflüssen, da die Menschen auf dem Berg fast wie in einer abgeschlossenen Welt lebten. Daher waren ihre Kunst und Bildung immer etwas konservativer als die der umliegenden Inseln. Obwohl Thera einer der ersten Orte war, in dem die Phönizische Schrift benutzt wurde, trug es z. B. nichts zur lyrischen Dichtung bei, die andernorts zu jener Zeit in hoher Blüte stand. Auch die Stilformen in der Keramik treten zeitversetzt auf. Trotz allem verfolgten die einheimischen Künstler aber die Entwicklung auf den benachbarten Inseln, vor allem die auf Naxos. So fügten sie ihren deutlich lokal geprägten Werkstücken auch fremde Elemente bei. Die Bildhauerkunst dagegen konnte sich auf Thera noch aus einem anderen Grund nicht entwickeln. Der für größere Skulpturen geeignete Marmor fehlt auf Santorin, so daß nur kleinere Idole aus Ton hergestellt werden konnten. Die großartigen Statuen, wie der »Apollon von Thera«, die man auf der Insel fand, stammen daher alle aus den Werkstätten der Naxier.

Vom 6. Jh. v. Chr. an wurden die Beziehungen zur Außenwelt verstärkt, da Thera durch seine geographisch günstige Lage zu einem Verkehrsknotenpunkt der Handelswege von Südost nach Nordwest wurde. So bemerkt man an den Keramiken aus dieser Zeit deutlich den Einfluß aus Attika, aber auch aus Rhodos, Ionien oder Korinth.

Das größte Fest der Theräer waren die *Karneia* zu Ehren des Apollon Karneios. Sie fanden bei Vollmond in der Mitte des Monats Karneios (August–September) zur Zeit der Weinlese statt und dauerten neun Tage und Nächte. Neben den Wettspielen gehörten die Tänze und Gesänge *(Päane)* der nackten Jünglinge zu den Höhepunkten der Feiern. Die besten und beliebtesten Tänzer wurden namentlich in die Felsen der Umgebung eingemeißelt.

Die politische Struktur Theras ähnelte verständlicherweise der von Sparta. An der Spitze der Gesellschaft stand ein König, und die Bürgerschaft war in Gruppen aufgeteilt, die sich regelmäßig zu Besprechungen beim sog. Männermahl trafen. Als im 3. Jh. v. Chr. die ptolemäischen Soldaten die Stadt eroberten, wurde eine demokratischere Ordnung mit großen Volksversammlungen eingeführt. Aber auch kulturell erlebte die Stadt einen Aufschwung, z. B. wurde der Bau eines Theaters initiiert. Zu dieser Zeit standen die Genüsse des Lebens – Tanz und Musik beispielsweise – etwas mehr im Vordergrund. Trotzdem waren auch die Ptolemäer immer wieder gezwungen, beschwerliche, aber lebensnotwendige Arbeiten zu verrichten, die sich durch die extreme Berglage der Stadt ergaben. So mußte der gesamte Bedarf für das tägliche Leben der Einwohner, die Ladungen der in den Häfen anlegenden Schiffe und auch das frische Quellwasser den steilen Weg herauftransportiert werden. Wenn wieder einmal zu lange kein Regen fiel, reichte das Quellwasser nicht mehr für die gesamte Bevölkerung aus. So waren die Bewohner Theras auch damals schon auf die zahlreichen Zisternen (etwa 40 wurden freigelegt) angewiesen. Trotzdem legten sie zu allen Zeiten großen Wert auf Hygiene, was die Zahl der hervorragend eingerichteten Aborte und die Abwasserkanäle belegen, welche Bestandteil jeden Hauses waren.

Alle aus hellenistischer Zeit erhaltenen Häuser weisen den gleichen Aufbau auf. Jeweils um einen Innenhof mit unterirdischer Zisterne gruppierten sich die Zimmer, deren Anzahl und Ausmaße von der wirtschaftlichen Lage und sozialen Stellung des Besitzers abhingen. Als Baumaterial wurden meist unbehauene Kalksteine verwendet. Fragmente bemalten Mörtels lassen vermuten, daß die Häuser innen mit Kalk verputzt und mit Malereien geschmückt waren.

Die Friedhöfe lagen zu allen Zeiten außerhalb der Stadt, doch die Bestattungsbräuche änderten sich im Laufe der Jahrhunderte. Bis in die Mitte des 7. Jh. v. Chr. verbrannte man die Toten, füllte die Asche in Urnen und setzte diese in einzelnen Familiengräbern bei. Grabbeigaben lagen mitunter lose im Grab, wenn in den Urnen kein Platz mehr blieb. Zwei Friedhöfe aus dieser Zeit befinden sich am Südwesthang der Sellada und in den steilen Felsen am Südhang des Mesa Vouno. Der Friedhof mit Gräbern aus dem 6., 5. und 4. Jh. v. Chr. liegt am Nordosthang der Sellada. Ab dieser Zeit fanden auch Erdbestattungen statt, da die Achtung vor der sterblichen Hülle des Menschen stieg.

So war das Leben in der Stadt auf dem Berg zwar immer geschützt und frei von Angst vor Überfällen, es war aber auch recht beschwerlich im Alltag und oftmals sehr einsam und abgeschnitten. Das mag ein Grund dafür gewesen sein, daß die Siedlung in byzantinischer Zeit endgültig verlassen wurde.

die Jahrhunderte, in denen Thera einem stetigen Wandel unterzogen war. Mit etwas Phantasie füllen sich die Heiligtümer, öffentlichen Bauten und Privathäuser dabei scheinbar wieder mit Leben. Im Frühjahr ist die Ausgrabungsstätte allerdings von einer üppigen Vegetation bewachsen, so daß man an manchen Stellen schon genauer hinsehen muß, um etwas zu erkennen. Der Weg beginnt im Nordwesten und zieht sich bis zur schmalsten Stelle im Südosten der Stadt. (Die nachfolgenden Zahlen beziehen sich auf den Plan von Alt-Thera auf S. 128/129)

1 Kapelle Agios Stephanos

Die Kapelle wurde auf den Fundamenten einer Basilika aus dem 4. oder 5. Jh. erbaut, die dem hl. Michael geweiht war. Eine einfache Ikonostase trennt den antiken Altar in der Apsis vom Hauptraum. Dieser wird auf einer Seite von eingelassenen Flachreliefs aus Kreuzen und Rosetten flankiert. In der Kapelle brennen stets kleine Öllämpchen.

2 Temenos des Artemidoros

Den geweihten Bezirk von ca. 23 m Länge mit Altären, Denkmälern und Reliefs ließ Artemidoros, Sohn des Apollonios und Admiral der Ptolemäer-Flotte, bauen. Artemidoros stammte aus Perge in Pamphylien, der heutigen Südtürkei. Er errichtete den Temenos im 4. bzw. zu Beginn des 3. Jh. v. Chr. aufgrund einer Weissagung im Traum, in dem Apollon ihn aufforderte, einen Tempel zu bauen, der mehreren Göttern gleichzeitig geweiht sein sollte. Der Bezirk wurde aus dem Felsen gehauen und mit den eingemeißelten Reliefs verschiedener Göttersymbole verziert. Darunter finden sich ein Delphin für Poseidon Pelagos, ein Löwe, der den Apollon repräsentiert, und schließlich ein Adler für den Olympischen Zeus. Auch Symbole von Kastor

Relief am Heiligtum des Artemidoros

und Pollux, der Erdgöttin Hekate und des Fruchtbarkeitsgottes Priapos sind zu sehen. Außerdem ziert die Wand das lorbeergekrönte Selbstbildnis des Erbauers.

3 Kaserne und Kommandantur der ptolemäischen Garnison
Diese Gebäude liegen am höchsten Punkt der Stadt westlich der Agora und sind über einen gut gepflasterten Stufenweg abseits der Hauptstraße zu erreichen. Wahrscheinlich wurden sie nach 275 v. Chr. erbaut. Die Kommandantur ist ein ehemals zweistöckiges Gebäude mit Vorhalle, mehreren Zimmern und einem Hof. Nur durch seine strategische Lage wurde das Gebäude als Kommandantur identifiziert, ansonsten unterscheidet es sich nicht von den umliegenden Privathäusern.

4 Gymnasion der Ptolemäischen Garnison
Gegenüber der Kommandantur, kaum 10 m entfernt, schließt sich der Übungsplatz der Garnison mit einem großen rechteckigen Hof (15 × 15 m) und zwei seitlichen, geschlossenen Räumen an. Er entstand laut Inschrift von 164–160 v. Chr.

5 Nord-Agora
Der Marktplatz (Agora) nahm in Alt-Thera wie in jeder antiken griechischen Stadt etwa das Zentrum ein. Seine Länge betrug ca. 112 m, die Breite variierte je nach vorhandenem Platz zwischen 15 und 30 m. Die Läden, in denen man in der Hauptsache Lebensmittel kaufen konnte, befanden sich direkt beim Eingang. Leider sind nur noch die Grundmauern erhalten, da die Steine z. T. zerbröckelt sind oder später für den Bau von Kirchen verwendet wurden. Um den Marktplatz herum lagen Wohnviertel, öffentliche Bauten und Heiligtümer, die so angeordnet waren, daß der Blick auf das Meer immer frei blieb. Die Bauten an der Westseite der Agora standen 12–16 m erhöht, wodurch der Marktplatz vor dem häufig aus westlichen Richtungen wehenden Wind geschützt war.

6 Süd-Agora
Es wird vermutet, daß die Süd-Agora der älteste Teil des Marktplatzes ist, der dann später um die Mittel- und Nord-Agora erweitert wurde. Möglicherweise wurde dieser Platz schon in archaischer Zeit als Marktplatz genutzt. Man fand dort eine archaische Inschrift sowie einen Marmor-Löwen aus der Zeit um 560 v. Chr.

7 Tempel des Dionysos
Auf einer Terrasse unmittelbar oberhalb der Nord-Agora steht ein Tempel. Er ist 10,4 × 6,6 m groß und besaß einst eine Vorhalle und einen kleinen Hauptraum (Cella). Den Eingang erreichte man über eine großartige Freitreppe. Die Fassade der Schmalseite schmücken vier dorische Säulen. Der Tempel war dem Dionysos, dem Gott des Weines und des Theaters geweiht

und stammt aus hellenistischer Zeit.

8 Königshalle (Basilika Stoa)
Die aus der Zeit des Augustus (63 v. Chr.–14 n. Chr.) stammende Königliche Säulenhalle (Stoa = langgestreckte Säulenhalle mit geschlossenen Rück- und Seitenwänden) war der Mittelpunkt des öffentlichen Lebens. Sie hat eine Länge von ca. 44 m und eine Breite von ca. 12 m. Ihr Dach wurde ursprünglich von zehn zentral angeordneten dorischen Säulen getragen. Im Nordteil befand sich ein besonderer Raum, in dem Statuen von Mitgliedern der kaiserlichen Familie aufgestellt waren. Inschriften zufolge stürzte das Dach der Stoa zur Zeit Kaiser Trajans (98–117 n. Chr.) ein, wurde aber im Auftrag dreier reicher Bürger aus Thera wieder aufgebaut. Nur 30–40 Jahre später mußte die erneut eingestürzte Halle einmal mehr repariert werden. Kleitosthenes ließ sie ebenfalls auf eigene Kosten bis zum Jahr 150/151 n. Chr. wiederherstellen. Zusätzlich errichtete er am Nordende des Saales den Sitz des Richtertribunals. Gegenüber dem Eingang ist eine Tafel angebracht, die den Stifter ehrt. Vielleicht hatte auch dieser Bau schon einen ›Vorgänger‹ aus archaischer Zeit, denn die unterhalb der Halle befindliche Zisterne ist wesentlich älter.

Im Westen, anschließend an die Halle, liegt eine Art von Reihenhäusern, deren Eckhaus mit dem Relief eines Phallus versehen ist. Hier boten wahrscheinlich Hetären (Prostituierte) ihre Dienste an.

9 Theater
Weiter in Richtung Südosten liegt das Theater, ein Werk der Ptolemäer. Es ist direkt in den Hang des Berges gebaut und gestattet einen zauberhaften Blick auf das Meer. Dieses wurde, zusammen mit dem Fels und dem Himmel, als natürliches Bühnenbild in die Aufführungen einbezogen. Ursprünglich war die Orchestra (Bühne) kreisrund, mit einem Durchmesser von 9,58 m, sie wurde später aber in zwei oder drei Bauperioden, zuletzt zur Zeit der Römer (1. Jh. n. Chr.), zu einem Halbkreis verändert. Das Theater faßte ca. 1500 Zuschauer und diente zeitweise auch als Rathaus. Das lebensnotwendige Regenwasser ließ man nicht ungenutzt verrinnen. Es lief die Zuschauertribüne hinunter und wurde in einer Zisterne aufgefangen.

10 Heiligtum der ägyptischen Götter
(Isis, Sarapis und Anubis)
Die heilige Stätte liegt am äußersten Südwestrand der Stadt. Der Kult um die ägyptischen Götter kam mit den Ptolemäern nach Thera. Vor allem Sarapis wurde von Ptolemäos I. Soter, dem Begründer der Ptolemäer-Dynastie, als Gott verehrt und zum Schirmherren des neuen Reiches ernannt. Daneben fanden Isis, die Gattin des Osiris, und der Totengott Anubis hier ihren Platz.

Das Theater

11 Byzantinische Kirche

Oberhalb des Heiligtums der ägyptischen Götter befinden sich die Anlagen einer byzantinischen Kirche. Die Apsis, das Mittelschiff und die Seitenschiffe sind noch gut erhalten. Die Kirche war von zwei unterschiedlich hoch gelegenen Terrassen eingeschlossen. Unter der Kirche fand man Mauerwerke, die zu einem archaischen Gebäude gehörten. Aufgrund einer Inschriftentafel werden sie einem Tempel des Apollon Pythios zugeschrieben.

12 Agora der Götter, Artemis-Säule

Der heiligste und älteste Platz im antiken Thera ist die Agora der Götter. Sie wurde von den Dorern angelegt und in den darauffolgenden Jahrhunderten nicht mehr wesentlich verändert. Dieser Ort an der äußersten Südostspitze, wo der Mesa Vouno nur noch etwa 40 m breit ist, scheint den Elementen Wasser, Erde und Luft besonders nahe zu sein. Man kann sich beinahe vorstellen, daß hier die Götter direkt aus dem Himmel herabstiegen. Die Theräer verehrten die Gottheiten in einem bilderlosen Kult, d.h. nur die Namen wurden in kleinen Gesteinsnischen in die blanken Felsen geritzt. Die blaßweißen Buchstaben sind allerdings schwer zu entziffern, vor allem da die Zeilen abwechselnd von rechts nach links oder von links nach rechts, die Worte z.T. in Spiegelschrift in der sog. Bustrophedon-(furchenwendigen) Schrift gesetzt sind. Das Alphabet hatten die Theräer als eine der ersten von den Phöniziern (etwa im 9. Jh. v. Chr.) übernommen, die Schrift aber durch die Einführung von Vokalzeichen ihrem Sprachgebrauch angepaßt. Diese Felsinschriften waren es auch, die Friedrich Hiller von Gaertringen zunächst nach Thera lockten. Am besten läßt man sie sich von einem der Wärter zeigen, da sie nur schwer zu finden sind. Die Wärter erzählen auch gerne etwas mehr darüber und führen über den ganzen Platz. So besteht dann außerdem keine Gefahr, die kleine Artemis-Säule zu übersehen, die gleich am Anfang des Platzes steht. Der obere Teil der aus dem nackten Fels gehauenen Viertelsäule ging leider verloren, so daß sie in der Höhe nur noch ca. 80 cm mißt. Sie stammt etwa aus dem 3. Jh. v. Chr.

13 Tempel des Apollon Karneios

Der säulenlose Tempel liegt im Norden des alten Götterplatzes und wird in das 6. Jh. v. Chr. datiert. Vom Tor aus gelangt man in einen Hof (8 × 9 m) mit einer großen, 3 m tiefen Zisterne. In der Eingangsschwelle sind Fußspuren der Pilger eingemeißelt. Rechts ging ein kleiner Raum ab, wahrscheinlich der Wohnraum des Priesters, und links an den Hof schloß sich der eigentliche Tempel mit dem Pronaos (Vorraum) und der Cella (Hauptraum) an.

Im Süden folgt eine von starken Mauern gestützte, 48 m lange Terrasse. Sie diente als Fest- und Tanzplatz bei kultischen Feiern. Hier fanden die Wettspiele *(Gymnopädien)* zu Ehren des dorischen Stammgottes Apollon Karneios (Schützer der Herden oder Widdergott) statt. Oberhalb in den Felsen, vor allem am sogenannten Votivfels, finden sich eingeritzt die Namen von theräischen Männern und Jünglingen, die auf diese Weise nach dorischer Tradition ihren Liebesbund besiegelten.

14 Gymnasion der Epheben

Die Übungsstätte der Jünglinge aus dem 2. Jh. v. Chr. schließt sich im Süden direkt an die Agora der Götter, den heiligsten und ältesten Platz Alt-Theras, an. Hier führten die Knaben bei den kultischen Feiern ihre Tänze auf. Archaische Inschriften belegen, daß solche Tänze an dieser Stelle schon früher, mindestens seit dem 7. Jh. v. Chr., stattfanden.

15 Römische Thermen

Die Thermen wurden von den Römern im Zuge der ›Modernisierung‹ an das Gymnasion der Epheben angebaut.

16 Grotte des Hermes und des Herakles

Die natürliche Höhle, deren Eingang von behauenen Steinen eingerahmt ist, befindet sich etwas unterhalb der Terrasse. Hier wurde dem Götterboten Hermes und dem Halbgott Herakles (oder lateinisch Herkules) gehuldigt.

17 Heroon, Kapelle des Evangelismos

Das Heroon ist ein kleines Tempelchen (wahrscheinlich aus späthellenistischer oder frührömischer Zeit), das dem Totenkult diente. Es hatte einen Hauptraum, einen Vorraum und eine Vorhalle mit Säulen. Sowohl oben im Hauptraum als auch in den unteren Kammern wurden Beisetzungen durchgeführt. Das legt die Vermutung nahe, daß in den unteren Gefilden nicht gleichgestellte, aber doch zur Familie gehörende Personen wie z. B. aus der Dienerschaft ihre Ruhestätte fanden.

An das Heroon angebaut ist die Kapelle des Evangelismos, die der Verkündigung Mariä geweiht ist. Diese Kapelle diente in späterer Zeit des öfteren als Unterkunft. So hauste hier auch Hiller von Gaertringen eine Zeitlang (1896), während er die Ausgrabungen leitete. Das Kirchlein und zwei anschließende Räume wurden dann als Küche, Wohnung und zugleich als Museum genutzt.

Pýrgos

Pyrgos (Turm oder Burg) liegt auf einem ca. 350 m hohen Ausläufer des Profitis Elias und ist damit der höchst gelegene Ort Santorins. Man sieht ihn von fast allen Punkten der Insel aus, so daß er sehr gut als Wegweiser und Orientierungshilfe dienen kann. Vom Ort selbst aus bietet sich ein wunderschöner Blick in alle Himmelsrichtungen bis hin zur Süd- und Nordspitze der Insel. Die Gassen, die sich durch den Ort ziehen, sind sehr verwinkelt und z. T. ziemlich steil. Sie führen alle zum Dorfkern, **»Kastelli«** genannt, an dessen Gipfelpunkt die Reste der mittelalterlichen Befestigungsmauer und des Kastells zu besichtigen sind. Um diese wehrhafte Burganlage, einst Sitz der Familie des Venezianers Aquila, entstanden nach und nach Ringe aneinandergebauter Häuser, die mit ihren starken Außenmauern jeden Angriff von Feinden oder Piraten abwehrten. Drang doch einmal ein Fremder in den Mauergürtel ein, verirrte er sich bald hoffnungslos in den kleinen Verbindungsgassen, von denen die schmalsten gerade noch 70 cm breit sind. Diese in jeder Hinsicht hervorragende Lage veranlaßte die Türken, Pyrgos während ihrer Herrschaft (1537–1821) als Hauptstadt der Insel und Sitz des türkischen *Kadi* (Richter) zu wählen. Die einheitliche, abwehrende Häuserwand gibt es heute allerdings nicht mehr. Das Erdbeben von 1956 und der Zahn der Zeit haben auch hier ihre Spuren hinterlassen. Zwischen den Bögen, Gewölben, Stiegen und Mauerresten wachsen nun verschiedenfar-

Blick vom Profitis Elias auf Pyrgos, Thira, Imerovigli und Oia, im Hintergrund die Inseln Sikinos und Ios ▷

Profítis Elías
Schnaps, Kerzen und Tomatenmark

Der Profitis Elias ist mit 565 m der höchste Berg Santorins. Zusammen mit dem Mesa Vouno, dem Gavrilos-Berg und dem Felsen von Monolithos bildet er das Grundgebirge, d. h. den geologisch ältesten Teil der Insel. Er wird von Kalksteinen (z. T. zu Marmor umgewandelt) aus der Oberen Trias aufgebaut und ist damit ca. 200 Mio. Jahre alt. Wie viele hohe Berggipfel in Griechenland trägt auch dieser den Namen des Propheten Elias, der ja den höchsten Berg wählte, um mit seinem feurigen Wagen direkt in den Himmel zu fahren.

Auf dem Berggipfel befindet sich das gleichnamige Kloster, das 1711 von den Mönchen Joachim und Gabriel aus Pyrgos gegründet wurde. Diese sammelten zunächst nur das Geld für eine kleine Kirche, bauten dann aber bis 1724 mit Hilfe des Bischofs Zacharias Gyzes von Thira und der Billigung des Patriarchen Cyril von Konstantinopel das Kloster. Zu seiner heutigen Form erweitert wurde es vom November 1852 bis zum 25. März 1857, denn die Lage des Klosters entzückte Otto I. so sehr, daß er die notwendigen Mittel zum Anbau bereitstellte.

Bis zu Beginn des Krieges gegen die Türken war das Kloster recht wohlhabend, es besaß Ackerland sowie ein eigenes Handelsschiff, die »Agios Georgios«, die einen regen Transithandel betrieb. Die Mönche betätigten sich zu allen Zeiten geistig, sozial und auch politisch aktiv. Während der Türkenherrschaft unterhielten sie eine Geheimschule, in der sie die Kinder in griechischer Sprache und Kultur unterrichteten. So schufen sie ein Bindeglied, das die Griechen zusammenhielt und ihnen die Fähigkeit bewahrte, die alte Schrift zu lesen. Beim endgültigen Befreiungskampf unterstützten sie die Kämpfer mit einem hohen Geldbetrag. Aber auch in späteren Zeiten waren die Mönche in jeder Hinsicht am Geschehen beteiligt und halfen z. B. aktiv bei den Restaurierungsarbeiten des vom Erdbeben 1956 ebenfalls in Mitleidenschaft gezogenen Klosters. Zur selben Zeit wurde auch die kleine Kapelle des hl. Nektarios vor dem Kloster gebaut.

Später ging die Zahl der Klosterbrüder immer mehr zurück, und heute ist das Kloster leider nicht mehr bewohnt. Der letzte Abt hat Santorin 1990 wegen verschiedener Schwierigkeiten mit dem Bischof von Thira verlassen. Daher ist eine Besichtigung der Anlage auch durch die Touristikbüros zur Zeit nicht möglich.

Im Klostermuseum

Der Weg zum Kloster hinauf ist befahrbar. Von den einzelnen Serpentinen aus hat man eine wunderschöne Aussicht auf die Terrassenfelder im Osten der Insel, die im Frühjahr im Rot der Mohnblumen leuchten. Die Hänge rechts und links der Straße sind übersät von den beeindruckenden Dolden des Riesenfenchel *(Ferula communis)*. Von oben, von der Terrasse des Klosters aus, ist die Aussicht noch grandioser, man blickt auf ganz Santorin und die benachbarten Ägäischen Inseln, bei guter Sicht kann man manchmal sogar die Bergspitzen Kretas erkennen. Nur leider macht eine Radarstation des Militärs dem Kloster den Platz um den höchsten Punkt streitig und nimmt außerdem mit seinen Trägern die freie Sicht auf das Klostergebäude. Das stimmt ein bißchen traurig. Wegen des Militärs sollte man mit dem Fotografieren auch etwas vorsichtig sein.

Da die Fläche auf dem Berg nur geringe Ausmaße hat, durfte der Gebäudekomplex nicht zu breit gebaut werden. Daher haben sowohl das Kloster als auch die Kirche mehrere Stockwerke. Das große Eingangsportal führt unter der Glockenträgerwand mit ihren sechs Glocken hindurch auf die Terrasse des Klosters. Hier stößt man zunächst auf ein marmornes Weihwasserbecken, das ein Mönch aus Lesbos 1742 anfertigte. Daneben befindet sich, sorgfältig mit einer Holzscheibe abgedeckt, der Zugang zu der großen Zisterne, die unter der Terrasse liegt. Durch ein Tor, über dem ein Mosaik mit dem Bildnis des Propheten Elias prangt, gelangt man in den engen Innenhof des Klosters und zur Klosterkirche. Im südlichen Flügel des Gotteshauses befindet sich die kleine Kapelle der Mariä Lichtmeß aus dem 15. Jh. Das Hauptschiff ist dem Propheten Elias geweiht. Es besitzt eine schön geschnitzte Ikonostase von 1836 mit Bildern verschiedener Heiliger und natürlich der Darstellung des Propheten Elias, die aus dem 15. Jh. stammt, sowie viele Reliquien von Heiligen. Der prunkvolle Metallüster, der ebenfalls mit Ikonen verziert ist, wurde im 18. Jh. in Rußland gefertigt. Die etwas überladen wirkende Innendekoration der Kirche ist neueren Datums, sie entstand 1920/21. Im nördlichen Schiff befindet sich die der Hl. Dreifaltigkeit geweihte Kapelle, die ebenfalls Ikonen aus dem 14., 16. und 18. Jh. beherbergt. Am eindrucksvollsten sind die Abbildungen des »Propheten Elias«, der auf dem Berggipfel sitzt, des »Opfers des Abraham«, auf dem Abraham, bereit seinen Sohn zu töten, die Botschaft des Engels hört, er solle ein Lamm statt seines Sohnes schlachten, sowie die Darstellung der *Zoodochos Pigi,* der »Lebensspendenden Quelle«, die Maria mit dem Jesuskind in einem Brunnenbecken sitzend zeigt, unter ihr verschiedene Kranke, die auf ihre Heilung durch das geweihte Brunnenwasser warten. Die Ikonen wurden von kretischen, aber auch von vielen einheimischen Ikonenmalern im kretisch-venetianischen Stil gemalt. Unter den santorinischen Signaturen taucht immer wieder der Name Tsigala auf. Die Tradition des Ikonenmalens kann man in dieser Familie von 1755–1811 verfolgen.

Das ebenfalls im Kloster befindliche Museum ist zur Zeit leider nicht zu besichtigen. Da der letzte Mönch weggegangen und man sich über die Besitzrechte noch nicht einig ist, bleibt es vorerst geschlossen. Das ist sehr zu bedauern, da es sowohl kirchliche als auch historische Gegenstände umfaßt. In seinem Besitz befinden sich neben einer Bibliothek mit etwa 1200 Büchern, historischen Dokumenten und alten Handschriften sowie kostbaren liturgischen Geräten und Gewändern, die die Geschichte und den Reichtum des Klosters aufzeigen, auch Dokumente aus der Arbeitswelt der zum Kloster gehörenden Gehöfte. Dabei können nicht nur einzelne Gegenstände, sondern verschiedene Arbeitsbereiche dokumentiert werden wie z. B. das Kichererbsenmahlen, die Herstellung von Tomatenmark, ein alter Weinkeller mit einem Destilliergerät, in dem Tresterschnaps gebrannt wurde, eine Druckerei und Buchbinderei sowie eine Kerzenzieherwerkstatt. Außerdem besitzt das Museum eine Nachbildung der Geheimschule aus der Zeit der Türkenherrschaft, ein niedriger Raum, der nur durch schießschartenartige Öffnungen belüftet und mit wenigen Öllämpchen beleuchtet war. Damit all dies nicht verfällt, sollten sich so viele Besucher wie möglich nach einer Wiedereröffnung des Museums erkundigen, um so den Druck auf die Behörden zu verstärken. Vielleicht ergibt sich dazu auch eine Gelegenheit, wenn am 20. Juli der Namenstag des Propheten Elias gefeiert wird. Dann gibt es oben am Kloster ein Festmahl aus Kichererbsenbrei mit Zwiebeln, Feuer werden entzündet, und man tanzt Syrtos und Repati, zwei der verbreitetsten Tänze auf Santorin.

Gasse in Pyrgos

big blühende Pflanzen, die gut in die etwas melancholische Szenerie des Ortes passen. Am Gipfelpunkt angelangt, von einer Art kleiner Plattform aus, dem Fußboden eines ehemaligen Herrschaftszimmers, hat man eine unvergleichliche Aussicht auf das gesamte Inselrund.

Das älteste Bauwerk hier im alten Dorfkern ist die kleine **Kirche Theotokáki** (Kleine Gottesgebärerin) aus dem 10. Jh. mit reich geschnitzter Ikonostase, interessanten Inschriften und Resten von Wandmalereien aus dem 14. Jh. Aus der Zeit vor 1650 stammen die beiden etwas unterhalb liegenden **Kirchen des Erzengels Michael und der heiligen Theodosía.** Dieser gegenüber steht die **Kapelle Agia Triada**, in der ein **Museum für Ikonen und lithurgische Objekte** eingerichtet wurde. Die liebevoll zusammengestellten Gegenstände stammen ausschließlich aus den 40 Kirchen und Kapellen in und um Pyrgos. Das Museum kann an hohen Feiertagen sowie meist Mo–Fr 9–15.30 Uhr besichtigt werden, die Kirchen sonntags während der Messe; oft trifft man aber auch auf versperrte Türen. Das Dorf scheint fast menschenleer und verlassen, da es hier kaum Arbeit gibt. Nur am Marktplatz, wo man parken kann und auch der Bus hält, gibt es zwei Mini-Märkte und einen Kiosk, an dem man jegliche Informationen erhalten kann. Im Winter allerdings kehren die Bewohner von ihren Arbeitsstellen in der Hauptstadt oder auf dem Festland zurück in ihre Häuser, der Ort lebt auf, und man bekommt einen Eindruck von dem noch sehr ursprünglichen Leben der Einheimischen.

Hotels: C: Zorbas, ✆ 3 14 33; Xagoraris, ✆ 3 14 33

Restaurant: Estoria Maria (frischer Fisch); Kadouni (Getränke u. Kleinigkeiten); Kallisti; am Ortsende Pyrgos Taverna

Erste-Hilfe-Station: ✆ 3 12 07, Mo–Fr 9–11, Mi 10–12 Uhr

Post: Mo–Fr in der Regel 7.30–14 Uhr

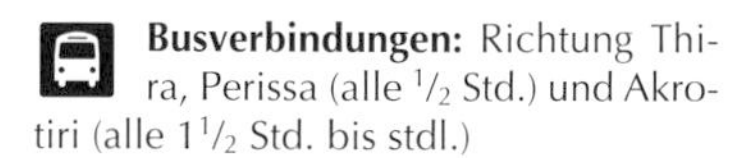

Busverbindungen: Richtung Thira, Perissa (alle ½ Std.) und Akrotiri (alle 1½ Std. bis stdl.)

Athiniós

Athinios war schon zur Zeit der Türkenherrschaft der Hafen von Pyrgos und ist heute nach einer Zeit der Bedeutungslosigkeit wieder zum Haupthafen Santorins avanciert, da man ihn über eine befahrbare Straße erreichen kann. Der serpentinenreiche Weg hinun-

Kirche in dem Dorf Pyrgos

ter führt an markant gefalteten und faszinierend gezeichneten Phylliten vorbei.

Athinios selbst ist kein richtiger Ort, sondern nur eine Kai-Anlage mit ein paar Häusern, in denen sich *Kafenions* (Cafés), Restaurants und ein Mini-Markt befinden, sowie einem Briefkasten und Telefon. Wenn die großen Fährschiffe anlegen, herrscht hektisches Treiben, die Schiffe werden schnell ent- und

Der Hafen Athinios

beladen, und Lastwagen und Taxis fahren ununterbrochen an und ab. Die Atmosphäre entspricht dann etwa der eines großen Güterbahnhofs. Ist dagegen gerade kein Schiff da, wirkt der Kai wie ausgestorben, nur die Hunde suchen nach etwas Eßbarem und kommen freundlich wedelnd auf jeden zugelaufen. Die Zeit spielt hier keine Rolle. Man kann auch mitten in der Nacht ankommen. Busfahrer, Taxi-Chauffeure und Wirte haben sich darauf eingestellt und stehen jederzeit freundlich zur Verfügung. Inzwischen gibt es in zwei Toristikbüros die Fahrkarten für die Fähren zu kaufen (Fahrziele s. u.). Wenn man Zeit und Lust hat, kann man sich einen schönen Platz am Caldera-Rand suchen und dem bunten Treiben von oben ein wenig zusehen.

Busverbindungen: Richtung Thira und Kamari (richtet sich nach den Abfahrtszeiten der Fähren, ansonsten etwa stdl.)

Schiffsverbindungen: in der Regel mindestens 1 x tgl. zu fast allen Kykladen-Inseln; Verbindungen mit Piräus (über Ios, Naxos und Paros) mind. 5 x tgl., nach Kreta u. Rafina (Ost-

Attika) 1 x tgl., nach Thessalonoki 5 x wöchentl. und nach Rhodos 2 x wöchentl., genaue Fahrtzeiten sind in den Touristik-Büros zu erfragen

Megalochóri

Megalochori ist ein freundlicher kleiner Ort mit ungefähr 300 Einwohnern, der an der Straße von Thira nach Akrotiri entlang einer Erosionsrinne liegt. In den verwinkelten Gassen ist es meist sehr ruhig, die Bewohner gehen ihrer Arbeit nach, sind aber dennoch jederzeit zu einer freundlichen Auskunft bereit.

Die Hauptstraße wird zweimal von Glockenträgern überspannt: Einmal gewährt ein Spitzbogen, über dem der pyramidenartige Glockenturm mit seinen drei großen Glocken thront, Durchgang. Und dann führt der Weg unter dem Glockenturm einer Kirche hindurch, dessen Glocken dicht nebeneinander hängen, umrahmt von einem schönen Geländer. Etwas weiter die Straße entlang sieht man die Kuppel der oberhalb gelegenen **Kirche des Hl. Damian.**

Der Rundgang durch dieses noch sehr ursprüngliche Dorf läßt sich mit der Einkehr in den kleinen Kiosk To Steki an der Bushaltestelle beenden. Hier bekommt man zu einer wohltuenden Erfrischung immer noch eine Kleinigkeit zu essen dazugestellt, Oliven, frische Tomaten oder Pistazien etc.

Hotel: A: Vedema, ✆ 8 17 96; B: Caldera View, ✆ 8 20 10; C: Santorini Star, an der Hauptstraße nach Akrotiri, ✆ 8 11 98

Busverbindungen: Richtung Thira, Perissa (alle ½ Std.) und Akrotiri (alle 1½ Std. bis stdl.)

Die Santoriner verstehen es ihre Häuser malerisch zu dekorieren

Der Süden

Der Traum des Gerasimos aus Gonia

Rot, Weiß, Schwarz – das Farbenspiel der Strände

Der Goulas – Wohnsitz, Wachturm und Fluchtburg

Windmühlen und Felsengräber

Bilder einer versunkenen Hochkultur

Bei der Weinernte

Vom idealen Strand für Sonnenhungrige und Wassersportfreunde zurück in die Vergangenheit: ein Besuch des prähistorischen Akrotiri; Wandmalereien, Keramiken und vielseitige Speisepläne – eine Alltagskultur vor tausenden von Jahren, geprägt von der Lebensfreude der Menschen jener Zeit

Períssa

Perissa ist nach Kamari das zweite große Urlaubszentrum von Santorin. Es liegt am Rande einer weiten Ebene malerisch am Fuß des Südhanges des Mesa Vouno. Hervorstechendes Merkmal ist vor allem der 2 km lange, fast bis zum Kap Exomitis reichende **Strand,** an dem man neben Sonnenbaden und Faulenzen auch ausgiebig Wassersport treiben kann. Es werden Wasserski und Surfbretter vermietet, außerdem besteht eine Windsurfschule. Dies und der schöne, direkt am Strand gelegene Campingplatz sind wohl auch der Grund, warum man hier viel mehr Jugendliche aus aller Herren Länder trifft als in Kamari. Sie prägen entscheidend das Bild des Ortes, der dadurch ungleich lebendiger, aber auch etwas hektischer wirkt. Fast jedes Haus bietet private Zimmer an, es gibt zahlreiche Pensionen und Hotels sowie eine zentral gelegene Jugendherberge. In der Hauptstraße haben sich viele Touristikläden, Restaurants und Snack Bars angesiedelt, die vor allem auf jugendliche Gäste eingestellt sind. Den größten Gewinn scheinen aber die Mofa- und Motorradverleiher zu machen, denn man sieht nirgends so viele Zweiräder durch die Gassen fahren wie hier.

Der Trubel konzentriert sich auf die Straßen, den Strand unterhalb des Campingplatzes und die vordere Strandpromenade. Etwas ruhiger geht es dagegen am nordöstlichen Ortsende zu. Am Ende der Strandpromenade mit einigen gemütlichen Restaurants befindet sich eine wunderschöne kleine Bucht direkt unterhalb des steil aufragenden Mesa Vouno. Fischerboote liegen auf dem glitzernden Wasser, und am Strand ordnen die Fischer ihre Netze. Daß es hier noch etwas beschaulicher zugeht, liegt vielleicht an der unmittelbaren Gegenwart des mächtigen Felsmassivs.

Auf dem kleinen Platz oberhalb des Strandes hält der Bus aus Thira; hier treffen sich die Einheimischen gern, denn ein richtiger Dorfkern fehlt Perissa. Der eigentliche Ort ist nämlich sehr klein; außerhalb der Saison leben hier nur etwa 50 Einwohner, die sich um die Schaf- und Ziegenherden kümmern und die

Felder im Hinterland bestellen. Die Küstenebene zwischen Perissa und dem Kap Vlicháda ist die wärmste und zugleich auch fruchtbarste Gegend der Insel. Hier wachsen u. a. Melonen, Tomaten, Linsen und Erbsen besonders gut.

Es gibt zwei Sehenswürdigkeiten innerhalb des Ortes. Eine ist die **Konchenkirche des Hl. Kreuzes** (Stavroskirche). Ihr Bau geht auf einen Traum des Gerasimos aus Gonia vor ca. 150 Jahren zurück. Dem Mann wurde offenbart, daß er an der Stelle, an der das Gotteshaus heute steht, eine alte Kirche und ein Heiligenbild fände. Als er zu graben begann, stieß er aber auf Fundamente einer zerstörten byzantinischen Klosteranlage und auf ein Kreuz *(stavros)*, das der Kirche später den Namen gab. Diese Klosteranlage war ihrerseits über der Ruine eines antiken Rundbaues errichtet worden, welcher als frühchristliche Kirche bzw. Tempel aus dem 1. Jh. n. Chr. gedeutet wurde. Später (im 3. oder 4. Jh.) diente er der Aufnahme von Kataster-Inschriften, war also eventuell ein öffentliches Gebäude. An einem solchermaßen ›vorbelasteten‹ Ort mußte ja eine besondere Kirche entstehen. Und etwas Besonderes ist sie auch geworden. Von oben betrachtet, sieht sie aus wie ein in die Landschaft gelegtes Medaillon. Auf dem Kreuzungspunkt zweier sich rechtwinklig schneidender Tonnengewölbe thront die zentrale

Strandleben in Perissa

Fischerei
Mit und ohne Dynamit

Homers »fischdurchwimmeltes Meer« der Ägäis gibt es heute leider nicht mehr. Die zunehmende Verschmutzung der Meere zwingt die Fischschwärme, in immer entlegenere Meeresgebiete auszuweichen. Für die relativ geringen Fangergebnisse der ägäischen Fischer sind aber noch zwei weitere wichtige Gründe verantwortlich: Zum einen ist die Fischerei keine Familientradition mehr. Die schwere Arbeit und die bescheidenen Verdienste schrecken immer mehr Jugendliche ab, den Beruf des Vaters zu ergreifen. Zusätzlich nehmen Pflege und Reparatur von Boot und Netz so viel Zeit in Anspruch, daß die Fischer nebenher kaum einer anderen Arbeit nachgehen können. Dadurch werden sie leicht zu Einzelgängern, die den Fang auch alleine bewältigen müssen. Eine weitere Schwierigkeit liegt in den Fangmethoden. Mit den kleinen Booten und Schlag- oder kleinen Ringnetzen können nur geringe Erträge eingebracht werden. So ist der Bedarf der Hotels und Restaurants nur noch mit Mühe zu decken.

Zum anderen führte gerade der Versuch, die Fangquote zu erhöhen, beinahe zum endgültigen ›Aus‹ der Fischerei: Um die Mitte der 70er Jahre kam die Dynamit-Fischerei auf. Dabei wurden Sprengstoffstangen mitten in einen Fischschwarm geworfen. Durch den Druck der Explosion platzten den Fischen die Luftblasen, so daß sie an der Oberflä-

Kuppel, die von vier Eckkuppeln eingerahmt wird. In strahlendem Blau heben sich alle fünf Kuppeldächer von den weißen Mauern ab. Der fünfstöckige, etwas abseits stehende ockerfarbene Glockenturm wurde erst in den 70er Jahren errichtet. Einst freistehend, ist die Kirche heute fast gänzlich von Läden und Restaurants zugebaut und verliert viel an Anziehungskraft. Nur bei den Kirchweihfesten am 29. August und am 14. September findet sie, reich geschmückt, wieder gebührende Beachtung. Ebenfalls sehenswert ist die Ruine der kleinen Kirche **Agia Irini** aus dem 4. Jh. Sie liegt oberhalb der Bushaltestelle, am Fuß des Mesa Vouno. Zur Zeit ist die Stätte allerdings nicht zu besichtigen, da sie zu Renovierungszwecken eingezäunt ist.

Etwa auf halbem Weg von Perissa nach Alt-Thera hinauf führt ein Pfad nach rechts zu der kleinen **Kapelle Agios Katefiáni.** Sie steht in der Felswand des Mesa Vouno unter einer Bruchkante, an der ein

che trieben und dort mühelos abgesammelt werden konnten. Dieser vorübergehende Erfolg endete Anfang der 80er Jahre fast mit der Ausrottung ganzer Fischpopulationen, denn das Dynamit tötete ja nicht nur die fangreifen Fische, sondern vernichtete auch ihre Brut und griff drastisch in die Nahrungskette ein. Erst als die Fischer selbst den Schaden erkannten, wurde diese Fangmethode gestoppt und somit erreicht, was vorher selbst durch die seit Jahren verhängten schweren Strafen nicht gelungen war. Seit etwa 1985 wuchs die Fischfangquote sogar wieder um 20 %. Sie liegt nach neueren statistischen Erhebungen etwa bei 130 000 – 157 000 t im Jahr.

Auch um Santorin ist nach Aussagen der Fischer der Fischreichtum wieder etwas gestiegen, seitdem nur noch mit Netzen gefischt wird. In den Restaurants werden hauptsächlich Seebarben, rote Meerbarben, eine Brassenart, Ochsenfische, Petersfische sowie die kleinen Sprotten (Heringsfische) und Sardellen angeboten, daneben auch Kalmare, Kraken und Krabben, meist in Olivenöl gebraten und mit Zitrone überteufelt. Der Petersfisch *(Petropsara)* wird zusammen mit vielen kleinen Fischchen zu der berühmten Fischsuppe *Kakabia* verarbeitet, in der man allerdings ein wenig auf Gräten achten muß. Die meisten kleinen Kochfische stehen aber in der Regel nicht auf den Speisezetteln der Tavernen. Sie gelten vor allem bei den Einheimischen als Delikatesse, wobei es noch Unterschiede zwischen den einzelnen Regionen von Santorin gibt. Im Norden schätzt man z. B. die *Marida* als Spezialität, im Süden den *Epherinos.* Nur der *Skaras,* der im Bereich des Vulkans gefischt wird, ist überall etwas Besonderes.

Teil des Berges heruntergebrochen ist. Dort gibt es auch eine Quelle, die heute noch genutzt wird.

Hotels: A: Kouros Village, ✆ 8 19 72; Nine Muses, ✆ 8 17 81; Santa Barbara, ✆ 8 15 34; B: Kazamiaki, ✆ 8 22 15; C: Amaryllis, ✆ 8 16 82; Hellen, ✆ 8 16 27; Thira Mare, ✆ 8 11 14; D: Christina, ✆ 8 13 62; Marianna, ✆ 8 12 86 (am Fuß des Messa Vouno, mit Blick auf den Weg nach Alt-Thera hoch); Santa Irini, ✆ 8 11 10; E: Boubis, ✆ 8 12 03; Meltemi, ✆ 8 13 25; Nota, ✆ 8 11 05; Rena, ✆ 8 13 86

Am Strandabschnitt **Perivolas,** zwischen Perissa und Vlichada, finden sich einige Hotels/Restaurants, z. B. Argyris, ✆ 8 16 96; Marilla Village, ✆ 8 22 14; Smaragd, ✆ 8 27 01; Vegerra, ✆ 8 20 60

Jugendherberge: am Ortseingang

Campingplatz: Perissa Beach, ✆ 8 13 43

Restaurants: Aceton, Bachos und Marcos am Strand, zahlreiche andere an der Hauptstraße, z. B. Meltemi

Die Kapelle Agios Katefiani in der Felswand des Mesa Vouno

Touristeninformation: Romani Tours, ✆ 8 11 77; Santa Irini Travel, ✆ 8 11 10

Busverbindung: Richtung Thira (alle 1/2 Std.)

Embório

Emborio liegt an der Straße von Messaria nach Perissa. Trotz seiner inzwischen 1600 Einwohner hat sich das Dorf seinen ursprünglichen Charakter erhalten. Es liegt weit genug weg von dem geschäftigen Treiben in Thira und nicht nah genug am Meer. Und so verirrt sich viel seltener ein Tourist hierher. Dabei sind die schöne Umgebung und die mittelalterliche Dorfanlage wirklich sehens- und bewundernswert.

In der Zeit der Venezianerherrschaft gehörte Emborio zu einem der fünf befestigten Dörfer von Santorin. Teile der ehemaligen **Befestigungsmauer** sind noch im oberen, älteren Ortsteil vorhanden. Innerhalb der Mauern führen verwinkelte Gassen an den alten Häusern vorbei, deren untere Etagen zur besseren Verteidigung kaum Fenster hatten. Wie gut diese Verteidigung war, wird einem beim weiteren Rundgang klar. Man weiß nie, ob man bei der nächsten Biegung nicht in einer Sackgasse landet und sich wieder der hohen, manchmal sogar dreistöckigen Wehrmauer gegenüber sieht. Wer also doch einmal hier eindrang, für den gab es kein Entrinnen, denn fand er auch einen der wenigen Mauerdurchlässe, erwartete ihn dahinter bestimmt ein gut bewaffneter Einwohner. Der Schutz der Mauer bewahrte auch die **Kirche der Panagía** aus dem 15. Jh. vor der Vernichtung, so daß man sie noch heute besichtigen kann.

Am unteren bzw. nördlichen Rand des alten Dorfes steht ein weiteres Zeugnis der unruhigen Zeiten auf Santorin: der mächtige Wohnturm **Goúlas,** auch Pírgos d'Argenta genannt. Er wurde in byzantinischer Zeit vom Johanneskloster von Patmos zum Schutz seines Landbesitzes auf Santorin und der Anwohner gebaut. Später war er Wohnsitz der venezianischen Adelsfamilie d'Argenta und diente auch weiterhin den Bewohnern der Umgebung im Ernstfall als Fluchtburg. Der Turm beherbergte in seinem Innern neben zahlreichen Zimmern Küche, Backofen, Zisterne und eine kleine Kapelle.

Der Wohn- und Wachturm Goulas

Die neuen Häuser des Ortes liegen weit verstreut zwischen den großen Weinfeldern, da sie sich nicht mehr zur Abwehr aneinanderdrängen müssen und auch das Gelände keinen Einhalt gebietet. Das Dorf ist ringsum von Feldern und Wiesen eingerahmt. Im Osten befindet sich ein großer, mit Steinen eingefaßter Dreschplatz, der auch heute noch benutzt wird. Das Korn, meist Weizen oder Gerste, wird wie eh und je von Hand gemäht und auf Eseln zum Dreschplatz gebracht, auf dem die Tiere die Körner aus den Ähren heraustreten. Auf den Feldern wachsen außerdem Erbsen, Linsen sowie Kartoffeln, und auf kleinen Plantagen werden Feigen, Oliven und Pistazien geerntet.

Kurz hinter dem westlichen Ortsausgang, direkt an der Straße, liegt ein kleiner Tempel dorischen Stils aus dem 3. Jh. v. Chr. Einst war er der Göttin Basileia geweiht, heute ist das Tempelchen in eine christliche Kapelle umgewandelt und trägt den Namen des hl. Nikolaus mit dem Beinamen »aus Marmor«, **Agios Nikólaos Marmarítis** (s. Zeichnung). Sie mißt 4,18 x 3,59 m und hat ein Flachdach aus weißem Marmor, der aus Naxos importiert wurde. Ebenfalls aus Marmor bestehen die drei Pfeiler, die das Dach tragen. Durch ein Fenster in der Tür, die mit einem Giebel über dem Türsturz verziert ist, kann man in den kleinen Innenraum hineinsehen. Direkt gegenüber erblickt man eine kleine Nische mit dem Bildnis des hl. Nikolaus. Es wird von zwei ionischen Säulen eingerahmt, die ein dorisches Gesims tragen. Möchte man die Kapelle betreten, bekommt man den Schlüssel auf Anfrage vom Priester in Emborio. Rechts neben der Kapelle steht ein kleiner Turm mit einer Glocke darin. Kapelle und Glockenturm sind von einer niedrigen Mauer eingefaßt, die mit einem schmiedeeisernen Tor geschlossen wird. Aber auch die schützt sie nicht vor dem Staub und Lärm der vorbeifahrenden Autos. Die dem Ort gebührende Ruhe findet man hier nicht mehr.

Wendet man sich von der Kapelle aus in Richtung Süden, sieht man auf den Gavrilos-Berg, den acht inzwischen verfallene **Windmühlen** krönen. Der Anblick ist schön und traurig zugleich. Die zylindrischen Baukörper erinnern ein wenig an Kämpfer ohne Helm und Waffen, die starr darauf warten, daß sie wieder gebraucht werden. Aber nicht nur die neuen, elektrisch getriebenen Mahlanlagen machten ihnen den Garaus, son-

Windmühlen auf dem Gavrilos-Berg

dern auch derjenige, der sie eigentlich am Leben erhielt, nämlich der Wind. Vor allem während der Winterstürme wurden immer wieder die nur mit Stroh und Rohr gedeckten Dächer fortgerissen und die aus dünnen Holzstangen und Segeltuch gefertigten Mühlenflügel abgeknickt. Irgendwann lohnte sich dann die Reparatur nicht mehr. Statt dessen hat sich ein moderner Nachtclub hinter der achten Mühle niedergelassen, der sehr wenig in das Landschaftsbild paßt.

Hotels: C: Agia Irini; D: Archea Elefsina Adenauer (hier hat Konrad Adenauer 1954 bei seinem Besuch auf der Insel übernachtet), ✆ 8 12 50; Marianna, ✆ 8 12 86; Petra Nera, ✆ 8 18 32

Erste-Hilfe-Station: ✆ 8 12 22, Mo, Mi u. Fr 9.30–14.30 Uhr

Post: neben der Erste-Hilfe-Station, Mo–Fr 8–14 Uhr

Busverbindung: Richtung Thira und Perissa (alle 1/2 Std.)

Exomítis

Am südöstlichen Hang des Gavrilos-Berges bis hinunter zum Kap Exomitis liegen verstreut in der kalkigen Felswand die Überreste einer

Reihe von **Felsengräbern** aus der Antike. Sie erinnern an Altäre, die an der Felsflanke des Berges hängen, einst weithin sichtbar, so daß die Toten nicht vergessen wurden. Heute sind nur noch die Grabnischen vorhanden, die von Pfeilern gerahmt oder der Säulenordnung korinthischer Tempel nachgeahmt sind. Ein Grab ist architektonisch besonders aufwendig gestaltet, wobei die Pfeiler mit ionischen Kapitellen und einem reliefierten Giebel aus dem gewachsenen Fels herausgehauen wurden. Eine ovale Vertiefung diente als letzte Ruhestätte des Toten. Über dem einzig verbliebenen Sarkophag, dessen Rückwand in den Felsen übergeht, ist ein überlebensgroßes Relief der Schlangengöttin Echidna bzw. im Dialekt **Echendra** in den Felsen gehauen – nach ihr wird die Gegend auch Echendra genannt. Die Gräber stammen aus verschiedenen Zeiten, das älteste wird etwa in das 5. oder 4. Jh. v. Chr. datiert. Ungefähr in diesem Zeitraum löste auch die Erdbestattung die Verbrennung ab, wobei in späterer Zeit dann beide Bestattungsformen parallel gehandhabt wurden.

Zu den Grabnischen gelangt man am besten Fuß, man kann aber unterschiedliche Wege wählen. Von Emborio aus führt der

Die antiken Felsengräber

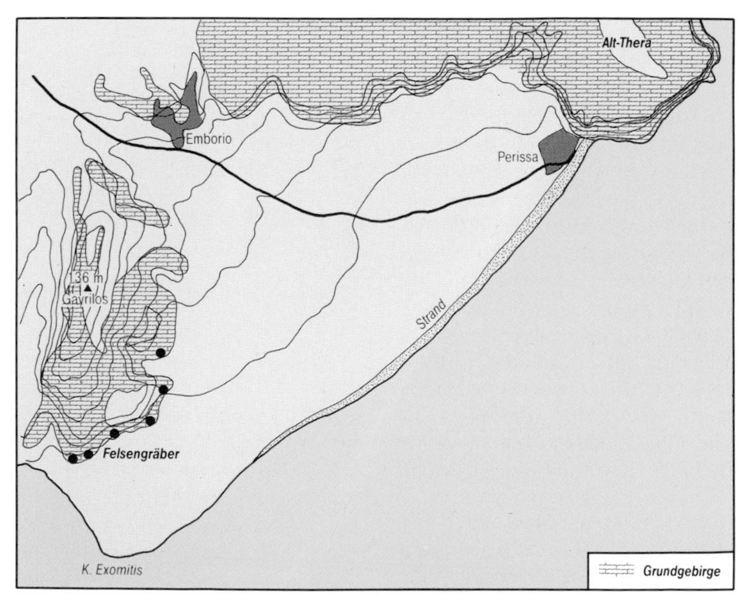

Felsengrab mit ionischen Kapitellen und reliefiertem Giebel

Weg parallel des Gavrilos-Berges bis zu dessen Südspitze. Dort zweigt eine Straße nach links ab, von der aus die schönsten der Felsengräber am Fuße des Berges zu sehen sind. Man kann auch an der Küste entlanglaufen, und zwar entweder vom Strand in Perissa aus nach Südwesten oder vom Hotel Akrotiri aus nach Südosten bis zum Kap Exomitis.

Als Ludwig Ross, Oberkonservator griechischer Altertümer, 1837 mit König Ludwig I. von Bayern auf Santorin landete, will er von einer Anhöhe aus vor dem Kap Exomitis bedeutende Mauerreste und einen Hafendamm einer Stadt unter dem Meerwasser gesehen haben. Bei diesen Anlagen und einem unterirdischen Gewölbe, das man ca. 300 m vor der Küste freigelegt hat, handele es sich seiner Meinung nach um Überreste der antiken Stadt **Elefsina** (*Eleusis* = Totenstadt). Sie soll erst nach der Erdbebenkatastrophe von 1570 im Meer versunken sein. James Mavor und Angelos Galanopoulos identifizierten diese ›Hafenanlagen‹ 1967 bei mehreren Tauchgängen als natürliches Strandgestein (sog. beach rocks). Diese terrassenartigen Bildungen werden sehr hart und können wie Betonrampen aussehen, und so Mauerwerk vortäuschen.

Hotel: Vlychada, oberhalb des Strandes, sehr einsam gelegen, aber inzwischen über eine asphaltierte Straße zu erreichen, ✆ 8 12 66

Akrotíri

Das malerische Dorf Akrotiri mit etwa 220 Einwohnern liegt im äußersten Südwesten der Insel. Die Häuser und die mittelalterliche Stadtburg La Ponte der Herren Bellogna sind auf den mit 1,6 Mio. Jahren ältesten Vulkanschichten der Insel auf zwei weithin sichtbaren Hügeln erbaut. Der eigentliche Dorfkern befindet sich auf der nördlichen Erhebung, man erreicht ihn etwas oberhalb der Bushaltestelle. Hier winden sich die Gassen vorbei an tonnengewölbten Häusern und kühlen Kellergewölben, in denen auch heute noch die verschiedenen Weine in den alten, selbstgebauten Fässern lagern. In der mittelalterlichen **Festung** auf dem Südhügel konnte sich noch bis 1617 der Venezianer Battista Calvo behaupten, bevor sie von den Türken besetzt wurde. Der Bereich der Wehranlage ist leider auch von dem Erdbeben des Jahres 1956 stark in Mitleidenschaft gezogen worden, so daß die einstigen Befestigungsmauern sowie die mächtige Zitadelle nur mit Mühe zu erkennen sind. Vollständig erhalten geblieben sind dort aber die beiden spätmittelalterlichen Kirchen **Agia Triáda** und **Ypapánti tou Sotíros**. Von den anderen zahlreichen Kirchen und Kapellen des Ortes seien nur noch zwei erwähnt: In der **Kirche Agios Taxíarchis** liegt der erste

Das Dorf Akrotiri mit der Festung

Bischof von Sifnos begraben. Die **Kirche des hl. Epiphánios** erstrahlt vor allem am 29. Mai in vollem Glanz, wenn der Tag des Heiligen begangen wird. Als besonderes Gericht gibt es dann lecker angemachte Saubohnen, Kapern und Sardinen.

Von dem Ort Akrotiri bis zur berühmten Ausgrabungsstätte kann man in etwa einer Viertelstunde zu Fuß gehen. Von dort aus sind auch zwei schön gelegene Strände zu erreichen. Zum **Red Beach** führt der Weg, der direkt gegenüber der Ausgrabungsstätte auf die Hauptstraße mündet. Man geht immer geradeaus, vorbei an der in die roten Schlacken des Vulkankegels gebauten kleinen Kapelle Agios Nikólaos Mavrorachídi, bis man an eine Rechtsbiegung gelangt. Von hier aus kann man schon an der gegenüberliegenden Seite den schönen roten Sandstrand erblicken. Der Pfad dorthin erfordert allerdings gutes Schuhwerk. Der Weg aber lohnt sich, da der Platz sehr idyllisch ist. Auch gibt es dort eine kleine, in den Fels gehauene Taverne.

Der **White Beach** ist nur mit einem kleinen Boot zu erreichen. Man geht von der Ausgrabung hinunter zum Hotel Akrotiri, bei dem sich auch ein allerdings etwas geröllhaltiger Strand befindet. Von dort fährt etwa jede Stunde ein Boot ab.

Am **Kap Akrotíri**, dem äußersten Südwestzipfel, steht der einsame Leuchtturm der Insel. Der Weg dorthin mit dem Auto, dem Motorrad oder natürlich auch zu Fuß ist sehr empfehlenswert, vor allem am Spätnachmittag. Dann sind die Beleuchtung und die Sicht in die Caldera überwältigend. Die Formen der Steilhänge wirken wie herausgemeißelt. Vom Platz am Leuchtturm selbst sieht man Therasia von Süden her mit dem Kap Tripiti und dem Kloster Kimisi als kleinen weißen Punkt, die winzige, unbewohnte Insel Aspronisi sowie die Christiani-Inseln im Südwesten.

Auf dem Rückweg kann man kurze Abstecher zu zwei weiteren kleinen Strandbuchten machen, den **Buchten Mésa Pigadía** und **Kámbia**.

Hotels: C: Akrotiri, ✆ 8 13 75; Goulielmos, ✆ 8 16 15; Paradise, ✆ 8 13 52. Außerdem: Kokkino Villas, ✆ 8 11 08; Maria, ✆ 8 17 18

Campingplatz: Akrotiri-Camping, neu eingericht, Hinweisschild nahe der Bushaltestelle

Restaurants: Cafe-Restaurant Maria (sehr gemütlich, köstliche Vorspeisenplatte); Glaros Fisch-Restaurant (auf dem Weg zum Red Beach, eigene Weine); Restaurant Paradise (südlich der Bushaltestelle, Gartenterrasse, guter gebackener Fisch und griechischer Salat); Taverne Nikolos (Grottentaverne in den Klippen, selbst gefangener Fisch)

Busverbindung: von Thira (alle 1½ Std. bis stdl.) bis nach Akrotiri oder eine Station weiter zur Ausgrabungsstätte

Das prähistorische Akrotíri

Wie auf Santorin nicht anders zu erwarten, war eine Eruption (1866) die Ursache für die Entdeckung der prähistorischen Siedlung. Durch sie wurden nämlich viele Wissenschaftler auf die Insel gelockt. So auch 1867 der französische Geologe Ferdinand Fouqué; er interessierte sich neben seinen vulkanologischen Studien auch für die Mauerreste und Scherben, die zunächst nur auf Therasia beim Abbau des Bimssteins gefunden wurden, und dann, nach Hinweisen eines einheimischen Bauern, in einer Schlucht in der Nähe von Akrotiri. Fouqué sammelte zwar weitere Scherben, die er zu Tongefäßen zusammensetzte, es war ihm aber nicht möglich, systematische Ausgrabungen durchzuführen.

Bis genau 100 Jahre später mit den eigentlichen Ausgrabungsarbeiten begonnen werden konnte, trieb es noch weitere Wissenschaftler nach Akrotiri. 1870 kamen die Archäologen H. Gorceix und H. Mamet aus Frankreich und 1899 der Deutsche Robert Zahn, ein Mitarbeiter Hiller von Gaertringens. Sie gruben ebenfalls einige Mauerreste, Tonscherben und andere Dinge aus, zeichneten und kartographierten sie, aber man maß den Funden keine große Bedeutung bei. Zum einen konnten sie zeitlich nicht eingeordnet werden – es fehlte die Kenntnis von den Zusammenhängen der frühen Geschichte in der Ägäis –, zum anderen traten die Funde weit in den Schatten der Ausgrabungen des sagenhaften Palastes von Knossos, die Arthur Evans um 1900 auf Kreta durchführte.

Die systematische, heute noch andauernde Freilegung der prähistorischen Stadt begann endgültig im Frühjahr 1967 unter der Leitung von Professor Spyridon Marinatos, der bereits 1964 ein Gutachten über den potentiellen Ausgrabungsort bei Akrotiri erstellt hatte.

Die minoische Stadt liegt 200 m vom heutigen Südufer der Insel entfernt und dehnt sich entlang eines kleinen Baches nach Norden aus. Das bis heute ergrabene Areal von ungefähr 10 000 m² umfaßt etwa die Hälfte der gesamten Siedlungsfläche. Das Gelände war wahrscheinlich schon in frühkykladischer Zeit (um 3000 v. Chr.) besiedelt, Akrotiri entwickelte sich aber erst in mittelkykladischer Zeit

Das Leben in Akrotiri

Der Speiseplan der Akrotirer

Der hohe Lebensstandard und das technische Können der Bewohner von Akrotiri sind bemerkenswert: Sie besaßen dreistöckige Häuser, Bäder und Wasserleitungssysteme fast wie sie auch heute noch bestehen. Nach diesem Komfort zu urteilen, lebten die Akrotirer in wirtschaftlichem Wohlstand. Sie betrieben Landwirtschaft, Viehzucht und Fischfang, gingen kleineren Gewerben wie der Töpfer-, Steinmetz- und Metallkunst nach, und es gab Imker, wie der Fund eines tönernen Bienenstockes belegt. Die Haupteinnahmen stammten aber sicherlich aus der Seefahrt und dem Handel mit anderen Ländern.

Dadurch gab es vermutlich kaum Gegensätze zwischen Arm und Reich, sondern der Wohlstand verteilte sich etwa gleichmäßig auf die gesamte Bevölkerung. Dies spiegelt sich auch in der Organisation der Akrotirer wider, die keine Zentralmacht, also etwa einen Monarchen, zugelassen haben. Man fand keinen Hinweis auf einen Herrscherpalast. Es gab wahrscheinlich vielmehr Behörden, die für die speziellen Bedürfnisse der Gemeinschaft zuständig waren. Dies alles läßt darauf schließen, daß die Akrotirer weitgehend unabhängig waren und damit auch ein eigenes theräisches Element aufzuweisen hatten. Sie waren wirtschaftlich und künstlerisch selbständig und sicherlich auch politisch relativ autonom.

Man kann sich das Leben der Akrotirer also eher heiter und von Gemeinschaftssinn getragen vorstellen. Die Bevölkerung versammelte sich z. B. auf den drei Plätzen an Markttagen und zu religiösen Festen und tauschte dort auch die neuesten Nachrichten aus.

Der hohe Stand der Zivilisation erleichterte und verschönerte den Menschen das Leben. Sie besaßen äußerst haltbare Gebrauchsgegenstände aus basaltähnlichem Gestein wie Hämmer, Ambosse, Mörser oder Schüsseln sowie Gefäße (Pfannen, Töpfe, Kannen etc.) und Werkzeuge (Messer, Sägen, Sicheln usw.) aus Bronze. Ihre selbstgewebte, schön gefärbte Kleidung konnten sie jederzeit erneuern, da fast in jedem Haushalt ein Webstuhl stand; das beweisen Funde von Gewichten und Gehäusen der Purpurschnecke, die zum Färben der Stoffe verwendet wurde. Und die Menschen wußten auch sich und ihr Heim zu schmücken. Bei den Ausgrabungen fanden sich zwar keine wertvollen Kunstgegenstände mehr, da diese wahrscheinlich von den Bewohnern bei der Flucht vor dem Vulkanausbruch mitgenommen worden sind. Man weiß aber aufgrund der Wandmalereien von ihrem Vorhandensein. Auf diesen Darstellungen tragen die Frauen Ohrringe, Armbänder und Ketten aus Gold oder auch Schmuckstücke aus Bergkristall. Und mit eben diesen Wandbildern ließen vielleicht Kapitäne, Reeder oder wohlhabende Kaufleute ihre Häuser zusätzlich reich ausschmücken.

Es gab auch schon verschiedene Möbel wie Tische, Schemel und das »älteste Bett Europas«. Es war aus einem einfachen, aber bequemen Gestell aus Holz hergestellt. Die Liegefläche bestand aus kreuz und quer verspannten Schnüren, die mit einem Stück Leder oder Fell belegt waren. Man entdeckte die aus Holz gefertigten Teile bei der Ausgrabung als Negativformen in den Ascheschichten, da das Holz selbst durch die Hitze buchstäblich verdampfte. Aber durch das Ausgießen der Formen mit Gips konnten Modelle der Originalmöbel nachgebaut werden. Die Maße des Bettes, ca. 160 x 70 cm, sagen uns sogar etwas über die Größe der damaligen Menschen.

Einen Einblick in den Speiseplan der Akrotirer geben die in den Küchengefäßen gefundenen Vorräte sowie auch die Pflanzenzeichnungen auf den einzelnen Gefäßen. Danach kannten die Menschen damals verschiedene Gemüsesorten, u.a. Kichererbsen, Saubohnen und Zwiebeln, und bauten an Getreide überwiegend Gerste und Weizen an. Sie ernährten sich am liebsten von Ziegen- und Schafsfleisch, aßen aber auch ab und zu ein Schweine- oder Rinder-›Steak‹. Zur Verfeinerung der Speisen benutzten sie das Öl aus den Früchten des Olivenbaumes oder aus den Sesampflanzen, das sie in hohen Amphoren aufbewahrten. Die liebevolle Darstellung von Weintrauben auf den Gefäßen läßt vermuten, daß sie auch nichts gegen ein gutes Glas Wein

(2000–1500 v. Chr.) zu einer blühenden Stadt von ansehnlichen Ausmaßen und mit einem eigenen Hafen. Durch den gewaltigen Vulkanausbruch um 1600 v. Chr. wurde die Stätte von einer meterhohen Bimsstein- und Ascheschicht bedeckt, aber auch optimal konserviert, wie es sonst nur noch in Pompeji zu finden ist. Die Restauratoren der Gebäude können sich daher darauf beschränken, lediglich die Mauern zu befestigen und die ehemaligen hölzernen Bestandteile durch Zement zu ersetzen, so daß die prähistorische Stadt weitgehend in ihrem Originalzustand erhalten bleibt.

Die Ausgrabungsstätte ist zum Schutz gegen die Witterung überdacht und von Wänden umzogen. Dadurch wirkt die Anlage etwas düster, es verstärkt sich auch das Gefühl, daß man sich an einem

einzuwenden hatten. Sie wählten roten oder weißen Wein, passend zum Essen, das z. B. die Fischer gerade aus ihren Netzen anzubieten hatten. Meist waren es verschiedene Meeresweichtiere, wie z. B. Seeigel und Schnecken, oder auch zahlreiche verschiedene Fische, die entweder eingesalzen oder an der Luft getrocknet verzehrt wurden. Wenn man bedenkt, daß auf dieser ›Speisekarte‹ ja nur die als verkohlte Reste erhaltenen und auf Gefäßen dargestellten Eßwaren berücksichtigt werden konnten, kann man sich ausmalen, wie reichhaltig der Tisch bei den Mahlzeiten gedeckt war.

Die Funde in den Vorratskrügen geben aber auch Auskunft über den Zeitpunkt des katastrophalen Vulkanausbruchs, dem Akrotiri zum Opfer fiel. Nach der geringen Menge an Getreide und Gemüse zu urteilen, muß er sich vor der neuen Ernte, also etwa zwischen Mai und Juni, ereignet haben. Die Bewohner hatten dabei vielleicht sogar Glück im Unglück. Da bei der Ausgrabung keine menschlichen oder tierischen Überreste gefunden wurden wie etwa in Pompeji, vermutet man, daß die dem Vulkanausbruch vorangegangenen Erdbeben die Akrotirer rechtzeitig vor der Gefahr gewarnt haben. So war es ihnen möglich, mit ihren Schiffen aufs Meer hinaus zu fliehen. Allerdings konnte bisher noch nicht geklärt werden, wo sie danach geblieben sind. Auf keiner der Nachbarinseln wurden ab dem 16. Jh. v. Chr. spezielle theräische Einflüsse etwaiger Einwanderer entdeckt. So wächst der Verdacht, daß die Flüchtenden bereits im Hafen oder auf ihren Schiffen von Gasen erstickt wurden oder den der Vulkanexplosion folgenden Flutwellen zum Opfer fielen. Aber die Hoffnung bleibt, daß doch irgendwo Nachfahren dieses hochzivilisierten und liebenswerten Volkes am Leben sind.

schicksalhaften Ort und in einer vergangenen Kultur befindet.

Die Häuser und Anlagen zeigen einen eindeutig minoischen Charakter, ähneln aber gleichzeitig sehr der heutigen Bauweise, bei der ebenfalls enge, steingepflasterte Straßen um die einzelnen Baukomplexe herumführen. Bei den Bauten lassen sich drei Kategorien unterscheiden: Die Herrenhäuser (*Xeste* 2–4) waren im Untergeschoß in zwei Bereiche unterteilt – einen Wirtschaftsbereich, in dem u. a. viele Vorratsgefäße gefunden wurden, und einen Zeremonialbereich, der für Feste mit öffentlicher Beteiligung gedacht war. Im Obergeschoß befanden sich die Schlafkammern. Einzelne große, freistehende Gebäude (Westhaus und Frauenhaus) dagegen wiesen im Erdgeschoß ausschließlich Wirtschaftsräume auf. Die Schlaf- und

Der schicksalhafte Tod in der prähistorischen Stadt

Die prähistorische Stadt Akrotiri wird immer mit dem Namen des ersten Ausgräbers Spyridon Nikolaos Marinatos verbunden sein. Marinatos wurde auf Kephallinia geboren, wo ihn die Nähe zu Ithaka, das lange als Heimat des Odysseus galt, sicherlich in seiner späteren Berufswahl beeinflußte. Die Archäologie war für ihn daher nicht nur Beruf, sondern auch Leidenschaft, wobei er aber immer zielbewußt, energisch und zäh arbeitete. Sein Studium absolvierte er an den Universitäten von Athen, Berlin und Halle. 1939 machte Marinatos zum ersten Mal mit einer spektakulären Behauptung auf sich aufmerksam. Bei den Ausgrabungen der Amnissos-Villa auf Kreta fand er im Keller des Gebäudes große Mengen von Bimsstein. Daraufhin stellte er die These auf, daß dieser Bimsstein von dem Vulkanausbruch auf Santorin stammen könnte und so die kretisch-minoische Kultur nicht einer feindlichen Invasion zum Opfer gefallen war, sondern durch gigantische Flutwellen im Anschluß an die Eruption vernichtet wurde. Aber es war damals noch nicht der richtige Zeitpunkt für solch eine gewagte Hypothese. Auch fehlten weitere Beweise. Aus diesem Grund zog es ihn schon bald nach Santorin, wo er hoffte, die Ursache für den Untergang der minoischen Kultur zu ergründen. Aber gebunden durch andere Aufgaben und durch die Wirren des Zweiten Weltkrieges verhindert, konnte Marinatos erst 1967 mit systematischen Ausgrabungen auf Santorin beginnen. Zur Wahl des Ortes Akrotiri veranlaßten ihn zum einen Texte von Strabon und Pindar, zum anderen die geographische Lage in unmittelbarer Nähe des Meeres und damit in Richtung Kreta sowie das sehr flache, gut bebaubare Gelände. Außerdem war hier die alles bedeckende Bimssteinschicht durch die ständige Erosion mit 15 m weitaus dünner als auf anderen Teilen der Insel, und der Boden stürzte in dieser Gegend manchmal bei der kleinsten Erschütterung ein, was auf Hohlräume im Untergrund schließen ließ. Und schließlich gab es im Dorf Akrotiri noch Bewohner, die sich an die Ausgrabungen von Robert Zahn erinnern konnten.

Nachdem nun am 25. Mai 1967 der erste Spatenstich getan war, ging es unaufhaltsam weiter. Mit jeder neuen Ausgrabungskampagne kamen weitere Einzelheiten der prähistorischen Stadt ans Tageslicht, und es bestätigten sich Verbindungen mit der minoischen Kultur auf

Kreta. Wie man heute weiß, gibt es allerdings keinen Zusammenhang zwischen dem Vulkanausbruch auf Santorin und dem Untergang der alten kretischen Zivilisation (s. S. 23).

Den damals aufkommenden Theorien über die Identifizierung Santorins mit dem sagenhaften Atlantis stand Marinatos allerdings eher skeptisch gegenüber. Er war der festen Überzeugung, daß der Mythos um Atlantis ein Mythos bleibt und keine historische Wirklichkeit ist. Die eigentliche historische Wirklichkeit war aber auch an sich faszinierend genug. Hier wurde eine Stadt freigelegt, in der vor 3600 Jahren Menschen einer hohen Zivilisation lebten, die in manchem der heutigen gleichzusetzen ist. So verwundert es nicht, daß Professor Marinatos dort unermüdlich forschte und arbeitete bis zu jenem verhängnisvollen 1. Oktober 1974:

Am Ende dieses ebenfalls sehr arbeitsreichen Tages, als Marinatos sich schon zum Gehen wandte, gab das lockere Gestein einer Böschung nach, die Mauer, auf der er stand, brach unter ihm zusammen, und es kam zu dem tödlichen Sturz des 73jährigen. Er wurde in der antiken Stadt selbst, seiner letzten und fruchtbarsten Arbeitsstätte, begraben, wo ein Denkmal für immer an den Entdecker erinnert. Sein Lebenswerk führt bis heute sein Nachfolger Professor Christos Doumas fort. (Dessen Buch über die Ausgrabungsstätte ist auf Santorin erhältlich.)

Kulträume lagen im oberen Stock, woraus zu schließen ist, daß hier Kultfeiern stattfanden, die weniger für die Öffentlichkeit bestimmt waren. Schließlich gibt es große Gebäudekomplexe (Block Alpha, Beta, Gamma und Delta), die keine einzelnen Wohneinheiten, sondern eher eine Art von Kommunalbauten darstellten, in denen sich nur eine Küche pro Komplex befand.

Alle Häuser waren überwiegend zwei- oder dreistöckig und aus meist unbehauenen Kalksteinen sowie mit Stroh vermengtem Lehm gebaut. Es gab auch behauene Steine, diese dienten aber nur zur Verschönerung der Hausfront. Zur Sicherung gegen Erdbeben wurden die Mauern durch ein Holzgerüst verstärkt. Der Verwendungszweck der einzelnen Stockwerke läßt sich schon an Form und Größe der Fenster ablesen. Die im Erdgeschoß liegenden Vorratsräume hatten kleine Fenster, die die Feuchtigkeits- und Temperaturwerte im Innern annähernd konstant hielten. Waren im Untergeschoß große Fenster angelegt, befand sich dort vermutlich eine Werkstatt oder ein Laden. Die oberen Räume wiesen ebenfalls große Fenster auf. Hier lagen die Wohn- und Schlafzimmer sowie die Kulträume mit ihren eindrucksvollen Wandmalereien. Fast jedes Haus besaß auch eine »Naßzelle« mit Anschluß an die Kanalisation. Die Fußböden be-

Kannen aus der Ausgrabung von Akrotiri

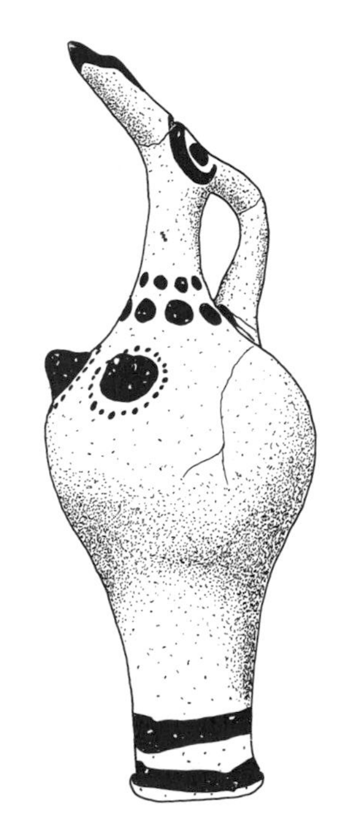

standen je nach Luxus einfach aus Lehm, waren mit Schieferplatten oder in schlichter Mosaikform mit Muscheln oder Steinchen ausgelegt. Die Wände waren überall verputzt, in den Wohnräumen häufig sogar farbig (rosa, gelb, beige). Doch die Wandmalereien wurden meist auf weißem Putz angelegt. Die Häuser besaßen vermutlich Flachdächer aus einer Schicht Zweige oder Schilf, bedeckt mit gestampfter Erde, so daß das Innere im Sommer kühl und im Winter recht warm blieb.

Es lassen sich deutlich zwei Bauperioden feststellen. Bei der zweiten handelte es sich um den Wiederaufbau der Häuser nach einem Erdbeben, das vor dem Vulkanausbruch stattfand. Nach diesem Beben kehrten die Bewohner in ihre Stadt zurück und schafften teilweise die Trümmer zur Seite. Da sie wohl jederzeit mit neuen Erdstößen rechneten, stellten sie einige der größeren Keramikgefäße zum Schutz unter die Türrahmen, wo man sie bei der Ausgrabung fand.

Bei den Arbeiten kamen mehrere tausend Tongefäße zutage. Es wurden ca. 50 verschiedene Formen registriert. Dabei sind grundsätzlich zwei Kategorien zu unterscheiden: die einheimische weiße, mattbemalte Keramik und die rötliche, firnisbemalte, die von auswärts eingeführt wurde. Die importierten Waren überschreiten aus Transportgründen nicht die Höhe von 70 cm. Sie stammen zum größten Teil aus Kreta, einige aber auch vom griechischen Festland. Bei den einheimischen Keramiken reicht die Größe dagegen bis weit über 1 m, wobei sich die Gefäße für den täglichen Gebrauch von den ›Luxus‹-Gefäßen vor allem in ihrer weniger sorgfältigen Bearbeitung unterscheiden. Neben den vielen verschiedenen Formen (dreifüßige Töpfe, Halsamphoren, Vorratsgefäße, Vasen u.v.m.), die der minoischen Keramik nachempfunden sind, gibt es auch rein kykladische Gefäßformen wie z.B. die Brustwarzenkannen, Schnabelkannen, Augenkannen, den zylindrischen Blumentopf und das Sieb. Die mehrfarbige Dekoration ist über die ganze Fläche verteilt, und es finden sich ebenso viele naturgetreue wie abstrakte Motive. Bei den Pflanzenmotiven herrschen Myrte, Krokus, Lilie, Getreideähren – meist Gerste – und Schilf vor, bei den Tiermotiven Vögel, vor allem das für Thera charakteristische Motiv der Schwalben, außerdem Ziegen, Delphine, seltener Esel.

Der Rundgang durch die archäologische Stätte führt meist die einzige bisher in ihrem Verlauf gesicherte Straße entlang, benannt nach den Telchinen, kunstfertigen Schmieden des Hephaistos. Bis auf wenige Ausnahmen befindet sich die gesamte Ausgrabung auf dem Niveau der Obergeschosse. Je nach Ausgrabungsfortschritt kann der Weg jedoch geändert werden, so daß man die beschriebenen Häuser nur von Weitem sieht. Auch wird er aus Sicherheitsgrün-

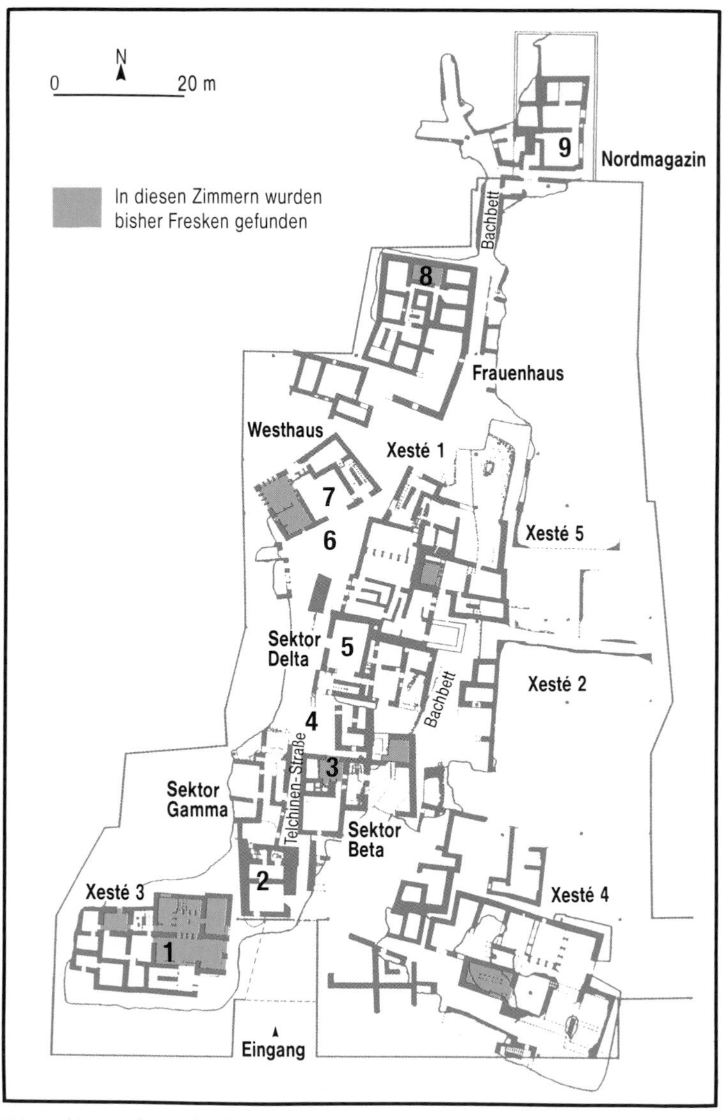

Die prähistorische Stadt Akrotiri

den von Seilen eingefaßt, was ein Betreten des Geländes verhindern soll. Um nicht allzu enttäuscht zu sein, muß man weiterhin wissen, daß die berühmten Fresken hier an ihrem Fundort nicht zu betrachten sind. Wegen der Gefahr eines neuen Erdbebens oder gar Vulkanausbruchs wurden sämtliche Fresken in mühevoller Kleinarbeit vorsichtig von den Wänden gelöst, sorgfältig Stück für Stück wieder zusammengesetzt und ins Athener Nationalmuseum überführt.

Das Ausgrabungsgelände entspricht daher eventuell nicht den Erwartungen, die man von solch einer historischen Stätte hat. Vertieft man sich aber in die Betrachtung einzelner Objekte, und läßt seine Phantasie spielen, werden die Stadt der Akrotirer und vor allem die letzten Stunden vor dem Vulkanausbruch vielleicht doch noch einmal lebendig. Öffnungzeiten: Di–So 8.30–15 Uhr.

Besichtigung

Die Häuser im Ausgrabungsgelände sind von Süden nach Norden beschrieben, die Nummern beziehen sich auf nebenstehenden Plan.

1 Gleich auf der linken bzw. westlichen Seite steht ein zum mindesten in seinem Westteil dreistökkiges Haus **(Xesté 3)**, das in den ersten beiden Stockwerken je 14 Zimmer besaß. Einige davon hatten sog. Polyithyra, d.h. nebeneinandergereihte Türdurchgänge in den Zwischenmauern, die es ermöglichten, größere Raumeinheiten zu schaffen, so daß genug Platz für öffentliche Versammlungen vorhanden war. Den wichtigsten Teil des Hauses nahm das Adyton ein (Raum 3), ein geheiligter Raum (mit einem *Lustrationsbecken*), in dem wahrscheinlich religiöse Rituale durchgeführt wurden. Dieser Teil des Gebäudes (Raum 3 und die angrenzenden Räume) war sowohl im Erdgeschoß als auch im ersten Stock reich mit Wandmalereien geschmückt, deren vollständigste das Bild mit den »Krokus-Pflückerinnen« (Ostwand, 1. Stock) ist. Die Weiterführung der Szene an der Nordwand stellt den eigentlichen Höhepunkt dar: Einer auf einem Thron sitzenden Göttin (Herrin der Tiere bzw. Natur), die von einem Affen und einem Greif flankiert wird, werden Opfergaben in Form von Krokusblüten dargebracht. Im gleichen Raum befanden sich die Darstellung einer »Sumpflandschaft« und das Abbild zweier »Reiferer Frauen«. Im Erdgeschoß desselben Hauses schmückten die Wände eine »Ritualszene mit drei jungen Mädchen«, eine Darstellung eines mit Hörnern geschmückten »Altars« sowie eine Gruppe »Männlicher Gestalten«. Alles in allem wird hier nach Nanno Marinatos, der Tochter des Ausgräbers – selbst Archäologin –, ein zusammenhängendes Thema dargestellt, bei dem die Natur, die Weiblichkeit bzw. Frauwerdung (Initiationsriten) so-

Mauerwerk und Gefäße in der Ausgrabungsstätte Akrotiri

wie die Fruchtbarkeit die Hauptrolle spielen. In Raum 9 des zweiten Obergeschosses wurden Fresken erhalten, die ursprünglich zwei Wände bedeckten und rein dekorativen Charakter haben. Es werden Rautenbänder mit eingeschlossenen blauen und gelben Blüten dargestellt, die in ihrer Plastizität wohl einmalig für Akrotiri sind.

2 Der folgende **Sektor Gamma** (Γ) ist sehr zerstört und bisher noch wenig erforscht. Es wurden Steinmörser, Reibschalen und Hämmer gefunden, aber sonst keinerlei Hinweise auf den Verwendungszweck der Gebäude.

3 Weiter auf der rechten Seite gelangt man zum **Sektor Beta** (B) mit einem zweistöckigen Baukomplex. In Raum B6 entdeckte man das Fresko der »Blaugrünen Affen« ein Bild, das sich über mindestens drei Wände erstreckt haben muß. Die

Rekonstruktion erweist sich als sehr schwierig, da die Fresken von einem durch diesen Teil des Geländes fließenden Sturzbach heruntergerissen worden sind. Die Bruchstücke zeigen Affen, die rote und gelbe Felsen hinaufklettern. Sie galten den Theräern als heilig. Wenn man wie Nanno Marinatos annimmt, daß auch die Fragmente der Schwalben am Himmel, der Myrten und anderer Pflanzen sowie der Kopf (eventuell) einer Ziege oder eines Rindes in dasselbe Zimmer gehören, wird hier wiederum eine Naturlandschaft dargestellt, die den Göttern geweiht ist.

Im Zimmer B1 waren die Nord-, Ost- und Westwand mit schönen, feingliedrigen »Antilopen« bemalt, entweder einzeln oder paarweise abgebildet. Die Darstellung drückt eine hohe Vitalität und Gewandtheit der Tiere aus, obwohl diese Art dem Künstler wahrscheinlich gar nicht bekannt war. Die Stellung der Antilopen zeigt das typische Machtgehabe bzw. die Kraftprobe zwischen zwei gleichgestellten Tieren.

Die Südwand schmückten zwei »Faustkämpfende Kinder«. Es handelt sich um Kinder im Alter von etwa sieben bis neun Jahren, wahrscheinlich höherer Abstammung. Spyridon Marinatos und Max Hirmer vermuteten, daß es sich bei dem linken Kind um ein Mädchen handelt, da es eine hellere Gesichtsfarbe hat (auch bei den Ägyptern wurden die Frauenköpfe in helleren Farben hervorgehoben) und mit Ohrring, Hals-, Arm- und Fußkette geschmückt ist. Diese Auffassung wird von den heutigen Archäologen nicht mehr geteilt. Die Kinder werden beide als Knaben angesehen. Sie sind nur mit einem Lendenschurz bekleidet, und ihre rechten Hände stecken in einem Fausthandschuh. Ein durch das ganze Zimmer laufendes Band mit Efeuranken deutet die Zusammengehörigkeit der beiden Wandbilder an. Dies legt die Interpretation nahe, daß es sich bei beiden Themen um rituelle Kämpfe bzw. Kraftproben handelt.

In den Räumen unterhalb des Zimmers B1 sind eingemauerte Vorratsgefäße erhalten und daneben liegende *Rhyta*, konische Gefäße, mit denen die Flüssigkeit aus den großen Gefäßen geschöpft und abgemessen werden konnte.

4 Den Weg entlang weiter geradeaus stößt man auf eine kleine Straßenverbreiterung, den sog. **Mühlenplatz**. Der Platz erhielt seinen Namen nach der Mühlenanlage, die in dem angrenzenden Haus des Sektors Delta entdeckt wurde. Hier fanden sich auch Meßgefäße für Mehl, Wein oder Öl.

5 Sektor Delta (Δ), der sich rechts der Straße entlangzieht, ist der größte bisher gefundene Baukomplex. Im Raum Delta 2 im Erdgeschoß befand sich das »Lilienfresko«. Es handelt sich um eine ca. 2,5 x 2,4 m große Darstellung, die sich über drei Wände des Zimmers

Wandmalerei

Freie Kunst oder Zeugnis griechischen Lebens?

Die wertvollsten und bedeutendsten Funde der Ausgrabungen stellen die großartigen Wandmalereien dar. Es sind die ältesten Zeugnisse solcher Monumentalmalerei aus dem griechischen Raum. Ihr hervorragender Erhaltungszustand ist darauf zurückzuführen, daß sie schnell mit Bimsstein bedeckt wurden, der aufgrund seiner chemischen Zusammensetzung nicht so aggressiv zersetzend wirkt wie andere Erde.

Auch die Maltechnik bildet eine Besonderheit. Die Künstler malten nicht auf durchgehend feuchtem Grund, wie es bei der *al-fresco*-Malerei üblich ist. Zwar begannen sie auf dem noch feuchten Mörtel, ließen die Wand aber von selbst trocknen, so daß sie am Ende auf völlig trockenem Untergrund arbeiteten. Vor dem Malen wurde der Putz glattpoliert, was die vielen aufgefundenen, an zwei Seiten glatt geschliffenen Polier-Steine belegen. Das Repertoire der Farben umfaßt Rot, Gelb, Blau, Braun und Schwarz. Die Künstler aus Akrotiri malten sehr naturgetreu und stellten neben Selbsterlebtem und konkreten Ereignissen auch Tiere und Pflanzen aus fremden Ländern dar (Antilopen, Löwen, Affen, Hirsche und Papyrus). Trotzdem sind fast alle Pflanzen- und Tierdarstellungen äußerst präzise, so daß man die Schwalben z. B. eindeutig als Rauchschwalben identifizieren kann. Die Motive lehnen sich zwar an die minoische Malerei an, unterscheiden sich aber von dieser durch die Vielfalt an Themen, die charakteristische Freiheit der Bewegung sowie die Lebendigkeit und Originalität der Konzeption und Komposition, die vor allem in den erzählenden Szenen wie dem Miniatur-Fries zum Ausdruck kommen. Es gibt hier auch keine stereotype Wiederholung, wie dies bei ägyptischen Darstellungen der Fall ist.

Die Wandmalereien sind wahrscheinlich alle für Kultstätten angefertigt, dennoch ermöglichen sie uns in ihren Einzelheiten Einblicke in das Leben der Akrotirer. Die Landschaftsbilder zeigen die damalige Fauna und Flora, bringen aber gleichzeitig die Verbundenheit mit der Umwelt zum Ausdruck, d. h. das Leben mit den Jahreszeiten und Gesetzmäßigkeiten der Natur. Es soll das immer Wiederkehrende und damit Beständigkeit symbolisiert werden. Wir erfahren etwas über die gesellschaftliche Rangordnung, die sich in Haartracht, Kleidung und

»Krokuspflückerin«, Teil eines Freskos im Raum 3, Xesté 3

Stellung innerhalb der Bildkomposition widerspiegelt, sowie über die religiösen Feste und rituellen Handlungen, die sich unentwirrbar mit den täglichen Arbeiten verbinden. Gleichzeitig wird die hohe Handwerkskunst im Schiffsbau, im Weben buntgefärbter Stoffe, in der Herstellung von Musikinstrumenten (s. Leier spielender Affe aus Haus Xeste 3) und vielem mehr dargelegt. So ist mit den Wandmalereien nicht nur ein Zeugnis hoher Kunstfertigkeit erhalten geblieben, sondern eine Art Bilderbuch des Lebens vor 3600 Jahren.

zieht. Sie zeigt stilistisch den beginnenden Frühling, mit schroffen Vulkanfelsen in schwarzer, roter oder gelber Farbe, auf denen rot blühende Lilien wachsen, die sich im Wind zu wiegen scheinen. Die Schwalben fliegen einzeln oder in Paaren durch die Luft und zeigen ihre Liebesspiele. Die botanisch falsche Darstellung der Lilien, aufrecht anstatt hängend, deutet den Symbolcharakter der Darstellung an. Das Bild diente vielleicht als Szenario für rituelle Handlungen zu Ehren der Fruchtbarkeitsgöttin.

Da es für Akrotiri sonst unüblich ist, daß sich im Erdgeschoß eines Gebäudes ein ausgeschmücktes Zimmer befindet, handelt es sich bei diesem Zimmer vielleicht um einen Schrein, der nur phasenweise für religiöse Handlungen genutzt wurde. Ansonsten diente er eventuell als Lagerraum, da hier auch Vasen und Gefäße gefunden wurden, die nicht unbedingt religiösen Charakter haben.

6 Unter einem überdachten Zugang (Propylon) hindurch gelangt man auf den **Dreiecksplatz**, an dessen Nordwestseite das sog. Westhaus steht. Auch dieser Platz wird eingerahmt von Werkstätten und Läden. Hier haben im Sommer sicher die Handwerker vor ihren Häusern gearbeitet, wie dies im Süden auch heute noch oft der Fall ist.

7 Das mindestens zweistöckige **Westhaus** hatte eine Vorhalle mit

Bei dem Erdbeben vor dem Vulkanausbruch um 1600 v. Chr. zerstörte Treppe

einer Treppe, die in das Obergeschoß mit einem großen und mehreren kleinen Zimmern, einschließlich Bad, führte. Es enthielt die berühmten Wandmalereien der zwei »Fischer« (in Raum 5), die Bündel mit frisch gefangenen Makrelen (?) in den Händen halten. Früher glaubte man, daß hier eine Szene aus dem täglichen Lebensbereich der Theräer dargestellt sei, inzwischen wird daran jedoch gezweifelt. Die kahlen Köpfe und die Nacktheit deuten vielmehr darauf hin, daß es sich um Knaben bei einer religiösen Zeremonie handelt. Dafür spricht auch, daß sie auf zwei benachbarten Wänden mit Blickrichtung auf die eine Ecke des Zimmers abgebildet waren, in der sich ein Opfertisch befand. Es könnte sich daher um eine Szene einer Opferdarbietung handeln.

Der »Miniatur-Fries« oberhalb der Figuren bedeckte einst wohl alle vier Wände des Zimmers, aber nur an drei Wänden sind Malereien erhalten geblieben: Der »Nordfries« zeigt eine Seeschlacht zwischen Ägäern und Nicht-Ägäern, welche nach Meinung von Christos Doumas für erstere erfolgreich verlief. Man sieht im unteren Bereich ertrunkene Feinde und deren sinkende Schiffe, darüber die siegreichen ägäischen Krieger, die die Stadt beschützten, und ganz oben die einheimische Landbevölkerung, die ›in aller Seelenruhe‹ ihren Alltagsbeschäftigungen nachgeht, Herden hütet und Wasser herbeiholt. Der »Südfries« wurde früher mit »Expedition nach Libyen« betitelt, stellt nach neueren Untersuchungen gemäß Nanno Marinatos aber eher eine Schiffsprozession von einer ärmeren zu einer reicheren Stadt dar, wobei es sich bei letzterer eventuell um Akrotiri handelt. Der »Ostfries« zeigt eine Flußlandschaft mit Sumpfpflanzen und Enten sowie zwei jagenden Tieren, einer Wildkatze und einem Greifvogel.

Pithoi, große Vorratsgefäße

Andere Wissenschaftler glauben in den drei Darstellungen eine zusammenhängende Geschichte zu

Der Mythos von Atlantis

Die Legende von Atlantis geht auf niemand geringeren als auf Platon (427–347 v. Chr.) zurück. Sie stützt sich auf zwei seiner Texte, den »Timaios« und »Kritias«. Dort berichtet er von einem alten, hochkultivierten Inselreich, welches die Unabhängigkeit Athens bedrohte und dann infolge einer Naturkatastrophe unterging. Platon läßt Kritias die Geschichte vortragen, dessen Großvater sie von dem Weisen Solon erfuhr, der sie wiederum von ägyptischen Priestern erzählt bekam:

Als die Götter die Landgebiete der Erde unter sich verteilten, fiel dem Poseidon die Insel Atlantis zu. Auf ihr lebte ein sterbliches Mädchen, welches Poseidon zur Frau nahm. Fortan lebten sie auf einem flachen Hügel etwa in der Mitte der Insel, den sie mit zwei Land- und drei Wasserringen umgaben, so daß er für Menschen unzugänglich war. Hier gebar ihm seine Gemahlin fünfmal männliche Zwillinge. Als die Söhne erwachsen waren, teilte Poseidon Atlantis in zehn Landgebiete auf und gab jedem Sohn ein Reich. Der Erstgeborene des ältesten Zwillingspaares bekam den Wohnsitz seiner Mutter und das umliegende Gebiet, welches das größte Inselstück war. Poseidon gab ihm den Namen Atlas und machte ihn zum König über seine Brüder. Das Geschlecht des Atlas vermehrte sich zahlreich, und der jeweils älteste Sohn wurde König. Sie lebten in großem Reichtum, da die Insel selbst alles Notwendige hervorbrachte, reiche Bodenschätze, einen großen Wald und damit genug Holz für ihre Bauwerke sowie eine üppige Fauna und Flora, so daß sogar so große und gefräßige Tiere wie die Elefanten dort reichlich Futter fanden. Das Fehlende wurde durch umfangreichen Handel herbeigeschafft. Zwei Quellen entsprangen auf der Insel, eine heiße und eine kalte, mit reichlich Wasser von hervorragender Güte. Durch ausgeklügelte Anlagen nutzten sie das Wasser für Gebäude, Pflanzungen und Bäder aller Art. So entbehrte die Bevölkerung nichts, und sie wurde von den zehn Königen gerecht regiert. Diese trafen sich abwechselnd jedes fünfte und sechste Jahr, berieten über gemeinsame Angelegenheiten und hielten Gericht über etwaige Gesetzesübertretungen. Zuvor brachten sie dem Poseidon ein Opfer, indem sie einen Stier ohne Eisenwaffen, nur mit Stöcken und Schlingen, fingen und schlachteten. So lebten die Menschen dort viele Generationen hindurch in Ehrfurcht vor den Göttern, großzügig, gütig und verantwortungsbewußt regiert, und kannten weder Neid noch Gier. Doch durch die immer stärkere Vermischung mit den Sterblichen schwand der göttliche Wesensanteil, und Neid, Mißgunst und immer größere Habgier siedelten sich an. So zogen sie im Bewußtsein ihrer großen Macht gegen Athen und sogar gegen Ägypten. Als Zeus aber sah, was aus dem einst so großmütigen Geschlecht geworden war, beschloß er, das Volk zu bestrafen. Er rief alle Götter zu sich und sprach ...

Hier bricht der Bericht unvermittelt ab. Aus dem »Timaios« erfahren wir aber, daß Athen über die Gegner triumphierte und später gewaltige Erdbeben und Flutkatastrophen in einem einzigen Tag und einer einzigen Nacht Atlantis in die Tiefe des Meeres versenkten.

Der Ort Atlantis wird in den Dialogen z. T. so plastisch beschrieben, und die Geschehnisse sind in so vielen Einzelheiten dargestellt, daß man fast nicht daran zweifeln kann, daß es sich bei der Erzählung zumindest im Kern um die Wiedergabe tatsächlicher Ereignisse handelt. Aus diesem Grund machten sich Forscher aller Wissensrichtungen auf die Suche nach dem reellen Ort des sagenhaften Atlantis. Man vermutete es u. a. im Atlantik, in Marokko, in Nigeria, in Nordwest-Frankreich und sogar bei Helgoland sowie natürlich auf Kreta und Santorin.

Am hartnäckigsten halten sich die Befürworter von Santorin und Kreta, die gleichzeitig aber auch die wissenschaftlich fundiertesten Hinweise liefern. Santorin allein für Atlantis zu halten, scheiterte allerdings bald an den Größenverhältnissen, den mächtigen Palästen, den vielen Flüssen, Seen und Weidegründen etc. der Überlieferung. Die Ausmaße, die Palaststrukturen, die Landschaftsbeschreibung und auch die Besonderheit des rituellen Stierkampfes sprechen eher für Kreta – obwohl auf Kreta wiederum die weißen, schwarzen und roten Gesteine fehlen und Kreta auch nicht untergegangen ist. Aber was liegt näher, als eine Verbindung zwischen beiden Inseln herzustellen?

Angelos Galanopoulos, ein griechischer Geophysiker und gründlicher Kenner der Vor- und Frühgeschichte seines Landes, macht in seinem Buch über Atlantis gerade darauf aufmerksam, daß bei Platons ausführlicher geographischer Beschreibung von Atlantis folgendes deutlich wird: Atlantis bestand bestimmt aus zwei, möglicherweise aus mehr Inseln; eine davon war ziemlich klein und rund, eine andere ungefähr rechteckig und sehr groß. Seine Blütezeit erlebte es um 9600 v. Chr., und es versank in einem Tag und einer Nacht im Meer.

So kann man sich Santorin als die kleinere, runde Mutterstadt vorstellen und Kreta als Haupt- bzw. Königsstadt mit rechteckigem Grundriß. Selbst die Zahlenangaben stimmen nach einer ›kleinen Korrektur‹ recht bemerkenswert mit den Verhältnissen auf den Inseln überein. Teilt man z. B. die Maße der Königsstadt-Ebene von 3000 zu

2000 Stadien (1 Stadion = 0,185 km) durch 10, bekommt man exakt die Ausmaße der Messara-Ebene in Südkreta, nämlich 300 zu 200 Stadien. Und verringert man die Zeitangabe des Unterganges (9000 Jahre bevor Solon etwa im Jahr 600 v. Chr. Ägypten besuchte) ebenso um diese Zehnerpotenz, so kommt man auf ca. 1500 v. Chr., dem bis vor kurzem noch angenommenen Jahr des Vulkanausbruches von Santorin. Der Fehler bei den Zahlenangaben kann in der Übersetzung Solons aus dem Ägyptischen liegen, oder Platon wollte durch Übertreibung dem Ganzen noch mehr Gewicht verleihen. Zusätzlich gibt es aber noch Übereinstimmungen in anderen Einzelheiten, wie in der Menge aromatischer Pflanzen und Kräuter und sogar in den Elefantenstoßzähnen, die man auf Kreta fand.

Bekommt man solch logisch aufgebaute Beweise vor Augen geführt, ist man geneigt, das Vorhandensein des Inselstaates Atlantis tatsächlich in Erwägung zu ziehen. Bringt man der Legende aber weiterhin eine gesunde Skepsis entgegen, kommt man trotzdem nicht umhin, den »wahren Kern« der Geschichte zu akzeptieren. Vielleicht verknüpfte Platon zwei historische Ereignisse miteinander, den Untergang der minoischen Kultur auf Kreta und den Vulkanausbruch auf Santorin, und wollte damit den Menschen drastisch darlegen, daß auch eine ideal organisierte Gesellschaft, die nichts entbehrt, nur so lange bestehen kann, wie sie selbst die Götter verehrt und die Gesetze und Menschen achtet. Andernfalls verurteilen die Götter sie zum Untergang.

erkennen: Eine große Seereise, startend und endend in Akrotiri, während der die Ägäer mindestens eine Schlacht gewinnen und mehrere Häfen anlaufen. Der Ostfries stellt dabei die Landschaft dar, in der sich die Krieger während einer Pause für längere Zeit aufhalten, wodurch sie Gelegenheit erhalten, diese näher zu erforschen.

Im Durchgang von Zimmer 5 zu Zimmer 4 war eine »Junge Priesterin« abgebildet. Sie ist mit einem langen *Peplos* bekleidet, einem ärmellosen Gewand, das über einer Schulter mit einer Nadel zusammengehalten wird; sie hat einen neben ausgesparten Locken glattrasierten Kopf und hält in ihren Händen eine Weihrauchschale. Haartracht, Schmuck und Kleidung deuten darauf hin, daß es sich um eine Berufspriesterin handelt.

Zimmer 4 war mit der Darstellung von acht Kapitänskajüten geschmückt, wie sie auf den Schiffen des Südfrieses in Zimmer 5 zu sehen sind, sowie mit Lilien in Blumentöpfen, die die Seitenwände eines Fensters verzierten.

Nanno Marinatos sieht die Fresken des Westhauses als symbolisiertes Siegesfest, sowohl eines bestimmten Ereignisses als auch allgemein des Sieges bzw. der immer wiederkehrenden Erneuerung in der Natur. Christos Doumas dagegen stellt sie in einen Zusammenhang mit dem Besitzer des Hauses und nimmt an, daß es sich um die Darstellung eines Ereignisses handelt, welches dessen Status in der theräischen Gesellschaft beeinflußte. Auf jeden Fall können die Fresken als eines der frühesten Zeugnisse einer Eroberungsfahrt betrachtet werden wie auch als eine der ältesten Karten Europas.

8 Weiter im Norden liegt das **Frauenhaus**. Aus ihm stammen die Abbildungen zweier fast lebensgroßer »Frauen«. Der Raum mit den Darstellungen ist zweigeteilt: Die drei Wände des Westteils waren mit »Papyruspflanzen« bemalt. Diese wirken etwas steif, da solche Pflanzen auf Santorin und in der Ägäis nicht bekannt waren und aus ägyptischen Darstellungen übernommen wurden. Den Ostteil schmückte rechts und links je eines der Frauenfresken. Beide Frauengestalten sind sich in der Haartracht, dem Schmuck, den Kleidern und der Aufmachung sehr ähnlich. Sie schreiten in leicht vorgebeugter Haltung in die gleiche Richtung und tragen etwas in ihren Händen. Bei einer der beiden Frauen sind die Hände leider nicht erhalten geblieben, die andere hält ein heiliges Gewand. Man ist sich bei der Deutung der Szene noch unschlüssig, eventuell handelt es sich hier um die Bekleidungszeremonie einer Priesterin. Mit Sicherheit diente das so geschmückte Zimmer aber als Kultraum, da im Innenraum auch sakrales Geschirr gefunden wurde.

9 Am Ende der Straße befindet sich das **Nordmagazin** (Sektor Alpha – Λ) mit drei Vorratsräumen, einem Schrein und einer Mühle. Hier begann Spyridon N. Marinatos 1967 mit seinen Ausgrabungen. Die Räume A1 und A2 besaßen große Fenster, woraus man schloß, daß sie als Läden dienten. Bestärkt wurde diese Annahme durch die Funde einer Waage sowie einer Schiefertafel für Aufzeichnungen ein- und ausgehender Waren. Das Magazin enthält zahlreiche *Pithoi*, Vorratsgefäße für Gerstenmehl, Öl, Wein u. a. Sie stehen noch genauso da, wie die Akrotirer sie damals zurückgelassen haben.

Therasia und die Kameni-Inseln

Die ›kleine Schwester‹ für Individualisten

Das Fest der Inselheiligen und Namenspatronin

Ausflug zu der Neuen und der Alten »Verbrannten«

Bootsausflug zu den Vulkaninseln

Therasia

Vom Hauptort Manolas, dem verkleinerten Spiegelbild Theras, zur Siedlung Potamos, der Heimat des Papas. Von dort in den Norden zur schönen Badebucht Millo und wieder zurück in den Süden zum Kloster Kimisi mit einem wunderschönen Blick auf das Caldera-›Rund‹

Therasia ist das verkleinerte Spiegelbild Theras; die Insel besitzt den gleichen steilen Abbruchrand zur Caldera hin und die gleiche flache Außenküste zum offenen Meer, die von mehreren Erosionsrinnen durchschnitten wird. Sie ist von der Hauptinsel mit dem Schiff in 45 Minuten von Thira, in einer Stunde von Athinios und in nur 20 Minuten von Oia aus zu erreichen. Die Schiffe können in zwei Buchten anlegen: in der Nikolaos-Bucht im Osten, direkt unterhalb des Hauptortes Manolas, und in der Millo-Bucht im Norden, wo sich der Frachthafen von Therasia befindet, an dem alles Notwendige angeliefert und per Lastauto oder mit Maultieren in die beiden einzigen Ortschaften, Manolas und Potamos, gebracht wird.

Noch bis vor wenigen Jahren war Therasia fern jeder modernen Zivilisation, es gab weder Strom noch fließendes Wasser. Der Strom hat inzwischen die Insel erobert, so daß sich auch hier schon überall Leitungen kreuz und quer durch die Landschaft ziehen. Aber Wasser ›fließt‹ immer noch nicht. Da es wegen des porösen Untergrunds (s. S. 28 f.) weder Teiche, Bäche oder Flüsse noch eine Quelle gibt, sind die Einwohner auf den Niederschlag angewiesen, der meist nur in den Monaten Oktober bis April fällt. So wird jedes bißchen Regenwasser sowohl in großen gemeindlichen Zisternen als auch in den zu jedem Haushalt gehörenden Fässern gesammelt.

Die ca. 150 Einwohner von Therasia haben einen ganz eigenen Charakter, sie strahlen archaische Ruhe und Gelassenheit aus. Vielleicht liegt einer der Gründe dafür darin, daß zumindest die Frauen Therasia z.T. noch nie verlassen haben. Die Insel bietet ihnen Schutz und Geborgenheit und hält sie vom Trubel auf der Hauptinsel fern. Die Frauen besitzen eine Selbständigkeit, die für Inselgriechinnen sonst ungewöhnlich ist, aber sie lachen auch viel seltener. Dieser Ernst resultiert sicherlich daraus, daß sie die meiste Zeit alleine die Verantwortung für Haus, Kinder und eventuell Vieh oder

Land tragen müssen, denn die überwiegende Zahl der Männer arbeitet als Seeleute und Gastarbeiter in Australien oder in den USA. Nur ein paar Fischer und die Besitzer der Lokale leben ständig hier, und natürlich der Priester *(Papas)*. Er studierte in Piräus, kehrte dann aber wieder auf seine Heimatinsel zurück und lebt seither mit seiner Familie in Potamos. Die Ärzte und Lehrer weilen nur für jeweils zwei Jahre auf Therasia, wohin sie von Athen aus versetzt werden. In Manolas erhalten die Kinder in einer kleinen Inselschule Grundstufenunterricht, zwei Lehrer führen die Sekundarstufe. Zu den weiterführenden Schulen gehen sie dann nach Piräus. Dabei fließen natürlich immer Tränen, denn die noch relativ kleinen Kinder müssen nun von zu Hause fort und in der fernen Stadt bei Verwandten wohnen.

Die im Ausland arbeitenden Männer schicken fast ihren ganzen Verdienst zur Familie nach Hause und behalten nur so viel übrig, daß sie möglichst einmal im Jahr, zu Ostern oder anläßlich einer Taufe, heimkehren können. Dabei ist die Taufe fast noch wichtiger als das Osterfest. Neben dem etwa einjährigen Täufling spielt der Taufpate eine große Rolle. Er ist es, der die Festlichkeiten ausrichten muß, zu denen neben den engen Verwandten auch alle Inselbewohner einge-

Taverne auf Therasia

laden sind. Und hierbei wird an nichts gespart, auch wenn dafür Schulden gemacht werden müssen. Die ganze Insel ist dann auf den Beinen, jeder bekommt selbstgemachte, sehr süße Küchlein angeboten, und man findet sich zu einem großen Festessen zusammen. Aber auch die Rückkehr des Mannes an ›gewöhnlichen‹ Tagen wird mit einem großen Fest gefeiert, bei dem Tanzmusik und Gesang bis in die frühen Morgenstunden auf der Insel erschallen. Man erlebt hier noch Ursprünglichkeit und die reine, herzliche Gastfreundschaft, die für die Griechen sprichwörtlich ist, heute aber schon mancherorts vom Profitdenken überdeckt wird.

Manolás

In Manolas, dem Hauptort Therasias, leben etwa zwei Drittel aller Einwohner. Er befindet sich direkt oberhalb der Bucht von Nikólaos (Kórfos) und ist wie Thira unmittelbar am Kraterrand erbaut. Man erreicht ihn vom Hafen über 150 Stufen zu Fuß (ca. 15–20 Minuten) oder mit dem Muli. Unten in der Bucht legen zweimal täglich die Ausflugsboote auf ihrer Fahrt von den Kameni-Inseln zurück nach Oia an. Außer ein paar einzelnen Gebäuden mit einigen Restaurants gibt es nur noch das kleine Kirchlein Zoodóchos Pigí unten am Hafen. Aber auch hier warten die Bauernjungen mit ihren Mulis auf Touristen, die in den zwei Stunden ihres Aufenthaltes vielleicht doch etwas mehr von der Insel sehen möchten als den Hafen.

Oben angelangt, muß man sich erst einmal orientieren, denn die Gassen sind noch schmaler und verwinkelter als auf Thera und enden manchmal unvermutet in einem Hof oder auf einer Terrasse. Die Häuser sind z. T. in den Bimsstein hineingebaut, besitzen aber im Gegensatz zu denen auf der Hauptinsel meist ein Flachdach. Um so deutlicher ragen die Kuppeln der beiden Kirchen aus dem Häusergewirr hervor. Sie glänzen in dezenter Farbenpracht in schönen Pastellfarben. Die einzige befahrbare Straße führt vom nördlichen Ortsrand durch Potamos hindurch bis hinunter zur Millo-Bucht, wo alle Güter angeliefert werden. Oder man biegt kurz hinter Potamos nach links ab zu einem kleinen Abstecher in den verlassenen Ort **Agriliá,** und besichtigt dort die Klosterkirche der hl. Jungfrau (Panagia), in der noch eine sehr alte Nonne lebt.

Im Ort gibt es eine Bäckerei, einen Lebensmittelladen sowie mehrere Restaurants und darüber hinaus inzwischen auch ein großes Hotel mit allem Komfort, denn es kommen immer öfter Langzeittouristen auf die noch relativ unberührte Insel.

Hotel: Cavo Mare, ✆ 2 33 49; außerdem: Antonio (mit Strom, allerdings bisher noch ohne fließendes

Das Fest der heiligen Irene

Am 5. Mai findet überall auf Santorin das Fest der hl. Irene statt, der Namenspatronin der Insel. Am ursprünglichsten hat sich die Feier allerdings auf Therasia in der Kapelle der hl. Irene am Kap Riva (Millo-Bucht) erhalten. Die Einwohner nehmen in Anspruch, daß es ihre Kapelle war, welche die Venezianer veranlaßte, die Insel Santorin zu nennen. Diese nämlich sollen bei ihrer ersten Ankunft auf der Insel wegen des starken Westwindes eben am Kap Riva auf Therasia gelandet sein. Sie fanden dort nichts vor außer der kleinen Kapelle, in der die Ikone der hl. Irene hing. Daraufhin sagten sie: »Aha, wir sind bei der Santa Irina gelandet«, was später zu Santorini verschmolz. Daher ist das Fest auf Therasia auch etwas Besonderes, und es kommen selbst ehemalige Einwohner, die jetzt auf Thera leben und arbeiten, an diesem Tag auf die Insel zurück, um an dem Festgottesdienst teilzunehmen. Dieser beginnt um 9 Uhr in der Früh. Im Wechselgesang wird zunächst vom Papas und älteren Gemeindemitgliedern die Messe gestaltet, dann segnet der Papas die Gemeinde, und anschließend erzählt ein zweiter Priester die Leidensgeschichte der hl. Irene von Thessaloniki, die als Märtyrerin während ihres Exils auf Santorin im Jahr 305 n. Chr. starb. Am Ende des Gottesdienstes bekommt man als Hostie ein mit Anis getränktes Brot. Anschließend wird die Ikone der hl. Irene unter Glockengeläut einmal um die Kapelle herumgetragen. Bevor das Bild wieder hineingebracht wird, geht die Gemeinde unter ihm hindurch und empfiehlt sich für ein weiteres Jahr dem Schutz der Heiligen.

Zum Abschluß werden auf der Terrasse der Kapelle an jeden ein Teller mit Fischsuppe und ein Becher Wein verteilt. Die Menschen hier sind alle sehr freundlich und lassen auch jeden Fremden an dem Fest teilhaben. Nur wenn man sich in unpassender Kleidung dazugesellen will und sie allzu aufdringlich mit der Kamera im Visier hat, ist man nicht gern gesehen. Die Freundlichkeit der Leute läßt einen schnell vergessen, daß man hier ein Fremder ist. Einzig das immer noch relativ geringe Umweltbewußtsein des einzelnen fällt unangenehm auf. Die Plastikbecher und -schüsseln fliegen nach Gebrauch einfach ins Gebüsch und müssen später von freiwilligen Helfern mühsam wieder aufgesammelt werden. Nach etwa zwei bis drei Stunden mit Essen, Trinken und vielen Gesprächen löst sich die Gesellschaft auf. Die Bewohner von Therasia gehen zurück in ihre Häuser, die übrigen begeben sich zum Schiffsanleger und warten dort auf die Rückfahrt.

Wasser, man hat aber eine Zisterne direkt vor der Tür)

Restaurant: Cadonni (gegrillter Tintenfisch und leckeres Gemüse); außerdem mehrere Tavernen zu den Treppenstufen hin und in Richtung Potamos

Erste-Hilfe-Station: ✆ 2 31 91, Hauptweg, Mo–Fr 9–13.30 Uhr

Schiffsverbindungen: mit Oia, Thira und Athinios im Rahmen der organisierten Ausflugsfahrten oder auf eigene Anfrage

Neu: ein Kartentelefon sowie ein Briefkasten

Potamós

Potamos liegt 15 Geh-Minuten von Manolas entfernt in Richtung Nordwesten. Der Name bedeutet »Fluß«, und er macht deutlich, daß die Schlucht, in der der Ort liegt, einst Wasser führte. Heute fließt nur noch nach starken winterlichen Regengüssen ein Bach die Hauptstraße hinunter. Aus diesem Grund sind die Häuser etwas erhöht auf beiden Seiten des Tales in den Hang gebaut. Auch hier überwiegen Flachdächer. Nur die drei Kirchen, den Heiligen Demetrius, Spyridon und Johannes geweiht, ragen mit ihren blauen Kuppeln und den geschwungenen Glockentürmen weit in den Himmel hinauf. So als ob hier wirklich ein besonderer Schutz notwendig wäre, hat sich in Potamos auch der Papas mit seiner Familie niedergelassen.

In den Norden

Von Manolas führt eine unbefestigte Fahrstraße über Potamos nach Norden bis zum Frachthafen von Therasia in der **Míllo-Bucht** gegenüber von Oia. Nicht weit entfernt steht die **Kapelle der hl. Irene,** in der am 5. Mai der Namenstag der Schutzpatronin Santorins gefeiert wird (s. S. 187). Gleichzeitig ist die Millo-Bucht die einzige Badebucht von Therasia. Im Gegensatz zu den Buchten an der flachen Westküste, die sehr geröllreich sind und daher wenig zum Baden einladen, besitzt sie einen schönen langen **Strand,** an dem ein kleines Restaurant eröffnet hat. Beim Schwimmen sollte man allerdings achtgeben und sich nicht zu weit hinauswagen, denn in der Meerenge zwischen Therasia und Thera gibt es eine sehr starke Strömung, die einen aus der Caldera ins offene Meer zieht.

Zur Südspitze

An der Südspitze Therasias, etwa zwei Geh-Stunden von Manolas entfernt, liegt das ehemalige **Kloster Kimísis tis Theotókou** mit einer geschnitzten Ikonostase, die in Rußland angefertigt und 1872 in die Kirche gebracht wurde. Der

Weg erfordert ein wenig Ausdauer und sollte nicht in der Mittagshitze begonnen werden. Er führt durch die unterschiedlichen Landschaftsformen der Insel, vorbei an tief in den Bimsstein eingegrabenen Schluchten, kleinen Hügeln und terrassenförmig angelegten Feldern, auf denen Wein, Tomaten, Gerste, Weizen, Kichererbsen und Linsen wachsen. Auf dem höchsten Punkt der Insel, dem **Viglós-Berg** (295 m), sollte man rasten und die schöne Aussicht nach allen Himmelsrichtungen genießen, bevor man durch den verlassenen Ort Kéra hindurch zum Kloster gelangt. Das Kloster ist inzwischen aufgegeben, doch finden hier immer noch Heiligenfeste statt. Von seinem Vorhof bietet sich eine einmalige Sicht auf die Kameni-Inseln und Aspronisi sowie zurück auf den Viglos-Berg, der gekrönt ist von einer schneeweißen Kapelle, bis zum Kap Simandíri, der östlichsten Spitze Therasias. Unterhalb des Klosters bildet das **Kap Tripití** die Südspitze der Insel. Hier befindet sich eine Höhle, die über zwei Eingänge von Süden her verfügt. An der heute ganz verlassenen Südküste befanden sich die Abbaustellen für die Pozzuolana-Erde, in denen die ersten Reste prähistorischer Siedlungen entdeckt wurden. Bisher fanden hier aber noch keine systematischen Ausgrabungen statt.

Aspronisi – Insel ohne Zugang

Aspronisi – die »Weiße Insel«

Aspronisi ist das einzige Stückchen Land, das nach der gewaltigen Eruption um 1600 v. Chr. vom Südwestrand der ehemals runden Vulkaninsel übriggeblieben ist. Der kleine Inselsplitter mißt gerade mal 640 m in der Länge und 24 m in der Breite. Seine bis zu 70 m hohen, steil ins Meer abstürzenden Hänge sind der Grund, weshalb die Insel bis heute unbebaut und unbewohnt blieb. Einen richtigen Zugang zur Insel gibt es nicht. Man kann sich zwar mit dem Boot dorthin rudern lassen, muß dann aber eine ca. 30 m hohe Steilwand erklimmen, um hinauf zu gelangen. Aber was sollte man dort? Die Beschaffenheit der Insel ist schon von weitem zu sehen. Deutlich zeichnen sich die waagerecht geschichteten, vulkanischen Ablagerungen ab, die denen von Thera entsprechen und ebenfalls von der hier 25 m mächtigen, weißen Bimssteinschicht abgeschlossen werden. Den schönsten Blick auf die Insel genießt man vom Kap Akrotiri oder auch von Therasia aus, wenn man sich die Zeit nimmt, bis zum Kap Tripiti an der Südspitze zu wandern. Vor allem in der Abenddämmerung sieht die »Weiße Insel«, wie Aspronisi in der Übersetzung heißt, aus wie der aus dem Wasser ragende Rücken eines uralten Meerestieres.

Die Kameni-Inseln

Eine Bootstour zu den ›Inseln der Vampire‹: Über Landschaften aus erstarrter Lava zum Gipfelkrater, über dem kleine Dampfwolken in den Himmel steigen – später mit einem kühnen Sprung hinein in heiße Vulkanquellen ...

Die Kaméni-Inseln sind die »Vulkane im Vulkan«, die jüngsten Produkte der Eruptionen des Santorin-Vulkans, die ziemlich genau in der Mitte der Caldera emporstiegen. Sie sind unbewohnt und beinahe noch völlig kahl. Ihre tiefschwarzen, eckig-spitzen Lavamassen erinnern fast an eine Kraterlandschaft auf dem Mond. Die Einöde und die bizarre, nachts beinahe unheimliche Landschaft waren sicherlich auch der Anlaß dafür, daß die Inseln in den Geschichten der Einheimischen immer wieder als Zufluchtsort für Vampire gelten. Solche Geschichten werden mit Vorliebe bei den zahlreichen Festlichkeiten zum Besten gegeben und haben so das geflügelte Wort entstehen lassen: »Wer Vampire nach Santorin bringt, tut etwas völlig Überflüssiges.«

Mit diesem Wissen besitzt man sicher die nötige Ehrfurcht, um ei-

Paläa Kameni

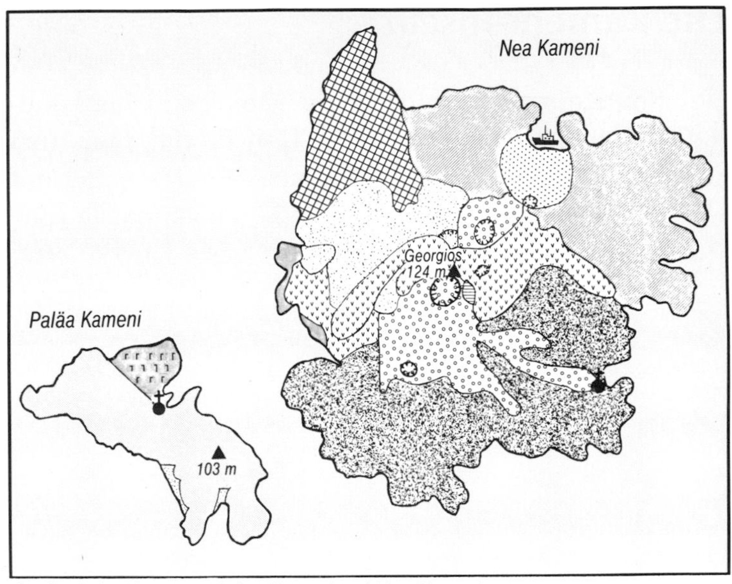

Geologische Karte von Paläa Kameni und Nea Kameni

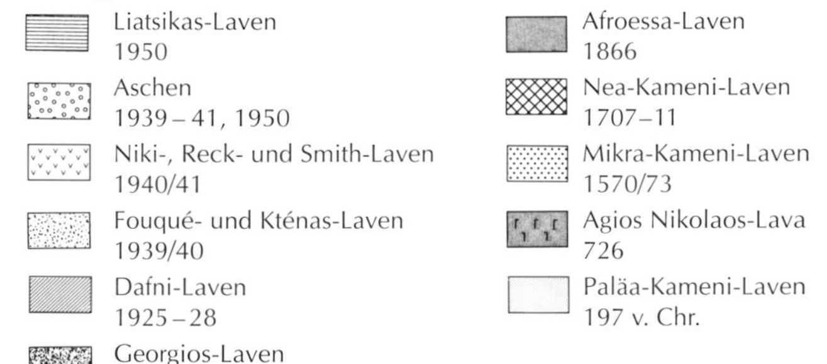

nen Ausflug auf die Inseln richtig zu würdigen. Die Ausflugsboote machen vormittags und nachmittags, für ca. drei Stunden eine »Vulkantour«, bei der man die größere Insel Nea Kameni besichtigen und anschließend in den heißen Quellen von Paläa Kameni baden kann. Allerdings fährt das Boot nur etwa 200 m an die ›Bade‹-Bucht heran, d.h. man muß zuerst durch das kühlere Meerwasser schwimmen,

Míkra Kaméni und der Koloúmbos-Vulkan

Entstehung und Untergang zweier Inseln

Nach einer vulkanischen Ruhephase von etwa 150 Jahren entstand 1573 (nach anderen Quellen 1570) eine zweite kleine Insel innerhalb der Caldera, die eine Höhe von 70 m erreichte. Berichten zufolge ist die Mikra Kameni (Kleine Verbrannte) oder auch Thia (Göttliche) genannte Insel unter Donner und Blitz inmitten von Rauch und Flammen aus dem Meer emporgestiegen. Mit etwa den gleichen Ausmaßen hielt sie sich, bis im März des Jahres 1650 zwei heftige Erdstöße Santorin erschütterten. In der Caldera selbst kam es zu keinen weiteren Eruptionen, aber die Gesteinsmassen brachen in sich zusammen und versanken im Meer. Übrig blieb nur ein kümmerlicher Rest der kleinen Vulkaninsel im Norden der heutigen Insel Nea Kameni.

Der Ausbruchspunkt hatte sich verlagert. Diesmal brach eine Spalte im Nordosten Santorins auf, ca. 6,4 km von Thera entfernt, und förderte den Koloumbos-Vulkan an die Meeresoberfläche. Die Ereignisse, die am 14. September 1650 um 11 Uhr morgens begannen und erst Ende des Jahres langsam aufhörten, wurden von einem Mönch in einer Bußpredigt festgehalten. Demnach zeigte sich nach wiederholten heftigen Erdstößen auf der Wasseroberfläche plötzlich ein weißer Fleck, eine »Bimsstein-Insel«. Am folgenden Tag sah man dichten Rauch an der Stelle aufsteigen. Diese Phänomene hielten einige Monate an und wurden manchmal von giftigen Dämpfen begleitet, die Mensch und Tier auf Santorin für mehrere Tage erblinden und sogar 50 Menschen und 1000 Tiere ersticken ließen. Wiederholt hob sich der Meeresspiegel, so daß große Teile der Ostküste überflutet und weggeschwemmt wurden. Bei solch einer Gelegenheit trieb einmal ein großer Bimssteinteppich bis nach Kreta, so daß die Kreter schon befürchteten, ganz Santorin sei untergegangen. Nach zwei weiteren Eruptionen am 4. und 6. November 1650 kam die vulkanische Tätigkeit aber langsam zur Ruhe, um zu Beginn des nächsten Jahres vollständig zu erlöschen. Eine Zeitlang blieb der Koloumbos-Vulkan als Insel sichtbar, verschwand dann aber allmählich. Heute zeugt nur noch eine Untiefe von 18–20 m an dieser Stelle im Meer von ihrer Existenz.

bis man das etwa 40 °C warme Quellwasser erreicht. Wer auch diese Insel besichtigen möchte, kann mit dem Kapitän des Ausflugsbootes eine Zeit vereinbaren, an der er dort wieder abgeholt werden möchte, oder man kann sich auch extra dorthin bringen lassen.

In jedem Fall ist es ratsam, gutes Schuhwerk zum Laufen auf der scharfkantigen Lava, eine Sonnenbrille, die Kamera und etwas zu essen mitzunehmen. Gekühlte Getränke gibt es an Bord der Schiffe. Wer in die warmen Quellen von Paläa Kameni springen möchte, darf natürlich auch Badeanzug und Handtuch nicht vergessen.

Páläa Kaméni

Paläa Kameni ist, wie der Name »Alte Verbrannte« schon sagt, die ältere der beiden Vulkaninseln. Über das genaue Datum ihrer Entstehung ist man sich nicht ganz einig, meist aber wird das Jahr 197 v. Chr. angegeben. Dann nämlich stieg nach Strabons (63 v. Chr.–26 n. Chr.) Schilderung die damals Hiera (Heilige) genannte Insel unter heftigen Erdbeben und »anderen vulkanischen Erscheinungen« hervor. Vier Tage lang brachen Flammen aus dem Meer, so daß die »Fluten kochten und sotten«. Es kam eine Insel zum Vorschein, welche nach und nach durch mechanische Kraft gehoben wurde. Nachdem sie zur Ruhe gekommen war, wagten sich als erste die Rhodier an Land und errichteten dort ein Heiligtum für den Meeresgott Neptun. Aufgrund von Inschriften, in lateinischer Sprache verfaßt, weiß man, daß sich die Insel in der Folgezeit noch mehrmals vergrößerte, und zwar durch kleinere Ausbrüche in den Jahren 46/47 und 726 n. Chr. sowie durch eine große Eruption am 25. November 1427. Nur 30 Jahre später änderte das Eiland wiederum entscheidend sein Gesicht, als ein Teil in den Fluten versank und eine fast senkrechte Steilwand zurückblieb.

Heute sind die tief zerklüfteten schwarzen Lavamassen schon von einer bräunlich-grünen Decke widerstandsfähiger Pflanzen bewachsen, und man wähnt sich auf einem bereits erloschenen Vulkan. Der noch immer aktive Untergrund macht sich jedoch an zwei Stellen im Nordosten der Insel bemerkbar. Zum einen befinden sich in der Bucht direkt neben der Kapelle des hl. Nikolaus die heißen Quellen. Dort hat das Wasser eine Temperatur von etwa 40 °C, ist allerdings durch den Schwefelgehalt bräunlich und etwas schlammig, was den Genuß des Badens ein wenig trübt. Früher lockte aber gerade dieser Schwefelgehalt Schiffe aus der ganzen Umgebung an. Beim Einfahren in die Bucht löste nämlich das schwefelhaltige Wasser den Grünspan von den kupferbeschlagenen Schiffsrümpfen und machte sie wieder glatt und blank. Zum anderen findet sich im Nord-

23. Mai 1707 – Ein Jesuitenpater berichtet

Eine der eindrucksvollsten Aufzeichnungen über einen Ausbruch des Santorin-Vulkans stammt von einem Jesuitenpater und beschreibt die Geschehnisse vom 23. Mai 1707. Obwohl die Menschen damals noch wenig Kenntnisse über Vulkanausbrüche hatten schildert der Pater die Vorgänge erstaunlich präzise.

»Am 23., bei Sonnenaufgang, sah man, zwischen Paläo- und Micro-Kaimeni, einen Gegenstand, welcher für das Wrack eines gestrandeten Schiffes gehalten wurde. Matrosen verfügten sich zur Stelle und erzählten, bei ihrer Rückkunft, den nicht wenig erstaunten Bewohnern Santorins: an einem Orte, wo das Meer zuvor bei hundert Faden Tiefe gehabt, sey ein gewaltiger Felsen den Fluthen entstiegen. Die neue Insel, welche augenfällig höher und höher emportrat, wurde den 24. Mai besucht; Austern und andere Meeres-Geschöpfe hafteten noch an den erst neuerdings emporgehobenen Felsen. Bis zum 17. Junius nahm das Filand an Ausdehnung und Höhe zu; das Wasser, welches von Anfang des Phänomens sich unruhig gezeigt hatte, erreichte beinahe den Siedepunkt; Fische wurden in Menge getödtet; nur mit großer Gefahr konnte man in Barken der Insel nahen, denn das Pech schmolz aus den Fugen; siebenzehn schwarze Felsen waren indessen zwischen Neo- und Micro-Kaimeni aufgetaucht. Den 18. Junius erfolgten Rauch-Ausströmungen, auch war unterirdisches Tosen hörbar, und schon am nächsten Tage hatten sich sämtliche schwarze Felsen vereinigt, es bildeten dieselben eine Insel, von der ersten vollkommen abgesondert; Flammen, Aschen-Säulen, stiegen empor, glühende Steine wurden weithin geschleudert. Bis zum 23. Mai 1708 hielten diese Eruptions-Erscheinungen an; die ›schwarze Insel‹ hatte fünf Meilen im Umfang und mehrere hundert Fuß Höhe. Nun wurden die Ausbrüche seltener, ohne jedoch an Heftigkeit nachzulassen; der letzte trat am 14. September 1711 ein, weit länger aber dauerte die innere Gluht; denn noch im September 1712 entwickelte der Kegelberg, nach starken Regengüssen, vielen Dampf.«

In diesem Bericht kommt die unbefangene Neugierde zum Ausdruck, die ein solches Ereignis hervorrief, aber auch der Aberglaube, der in dem Nachsatz deutlich wird: »... der Bischof fuhr mit Weihwasser nach der wüsten, zackigen, schwarzen Insel, um die bösen Geister für ewig zu bannen.«

ostzipfel der Insel innerhalb des im Jahr 726 gebildeten Lavastromes eine grünschimmernde Lagune. Sie wird ebenfalls von einer untermeerisch erwärmten Quelle gespeist, so daß ihr Wasser deutlich wärmer als das Meerwasser in der Caldera ist.

Néa Kaméni

Nea Kameni (Neue Verbrannte) ist die jüngste Vulkaninsel des Santorin-Archipels. Sie entstand in einem Zeitraum von 244 Jahren und ist auch heute noch aktiv. Zur Zeit beschränkt sich diese Aktivität jedoch auf den Austritt schwefelhaltiger Dämpfe, mit einem Wiederaufleben der Eruptionen ist aber jederzeit zu rechnen.

Die Entstehung der Insel schloß sich nicht unmittelbar an die Eruption im Jahre 1650 an (s. S. 193), sondern erst nach einer Pause von etwas mehr als einem halben Jahrhundert brachen erneut die Kräfte aus der Tiefe auf. Am 23. Mai 1707 (s. S. 195) begannen die Ausbrüche im Zentrum der Caldera. Sie dauerten bis zum 14. September 1711 an. Die dabei entstandenen Lavaflüsse sind heute noch am Nordostzipfel der Insel zu sehen. Nach einer erneuten Ruhezeit von 155 Jahren setzte am 4. Februar 1866 die vulkanische Tätigkeit abermals ein und hielt dieses Mal vier Jahre an, nämlich bis zum 15. Oktober 1870. Die Lavamassen aus dieser

Blick von Thira auf Nea Kameni

Zeit bilden den gesamten Süden der Insel. Sie zerstörten etwa 50 Sommerhäuser und einen kleinen Hafen. Die nächste Eruptionsperiode war vergleichsweise kurz, sie dauerte mit längeren Unterbrechungen vom 11. Juli 1925 bis zum 17. März 1928. Dabei wurde die Rinne zwischen dem alten Mikra Kameni und Nea Kameni mit Lava geschlossen, so daß die beiden Inseln zusammenwuchsen. Die bisher letzte größere Ausbruchsphase dauerte mit kürzeren Unterbrechungen vom 20. August 1939 bis zum Juli 1941. Die herausgeschleuderten Aschen türmten den Georgios-Krater bis zu einer Höhe von 124 m auf. Die sehr schwache und vorläufig letzte Eruption vom 10. Januar bis 21. Februar 1950 förderte geringe Mengen Lava innerhalb des Georgios-Kraters. Seitdem befindet sich der Vulkan im Solfatarenstadium, d. h. er produziert zur Zeit nur heiße Dämpfe, die an einigen Stellen als weiße Rauchsäulen zu sehen sind. Ihre Temperatur von ca. 80 °C würde gerade ausreichen, um Eier zu kochen oder eine Zigarette anzuzünden.

Ein Ausflug zu den Vulkaninseln sollte eigentlich in jedem Urlaubsprogramm enthalten sein. Die Boote fahren von Thira aus in ca. 20 Minuten bis zum 2,6 km entfernten Anlegeplatz (Petrouliou-Bucht) von Nea Kameni. Von dort führt ein Fußweg von ca. 25 Minuten vorbei an älteren Kraterringen, zerklüfteten Lavafeldern und gewaltigen Gesteinsbrocken zum Georgios-Krater hinauf. Wer zum Betrachten der vielen Krater, bizarren Lavaformen, Fumarolen und farbigen Ausblühungen von Schwefel, Eisen oder Mangan etwas mehr Zeit als knappe 20 Minuten haben möchte, kann morgens mit dem Ausflugsboot hin- und am Spätnachmittag mit einem anderen wieder zurückfahren. Dies sollte man mit dem Kapitän allerdings vorher genau ausmachen. Es lohnt sich auch, die faszinierende Aussicht auf die gesamte Ringinsel in Ruhe zu genießen. Der Blick gleitet über die tiefschwarze Lava und das dunkelblaue Meer hinüber zu den Caldera-Innenwänden, deren Gesteinsschichten wie farbige Bänder übereinanderliegen, gekrönt von der strahlend weißen Bimssteinschicht, die sich wie eine Decke über die ganze Insel gelegt hat.

Schiffsverbindungen: mit Ausflugsbooten von Thira, Oia und Athinios 2 × tgl., vormittags und nachmittags, oder auf Anfrage

Santorin mit dem Bus und zu Fuß

Über Vulkanberge zum Sonnenuntergang

Spaziergang durch vergangene Jahrhunderte

Über die Sellada von Strand zu Strand

Blick vom Leuchtturm auf die »Weiße Insel«

Ausflug mit dem Bus

Vorschläge für Streifzüge auf Schusters Rappen: Thera und Therasia, Nord und Süd, West und Ost; ob zügig oder gemächlich – Laufen, Schauen und Entdecken sind im Gleichklang. Hier Orte und Menschen, dort Landschaft pur. Erwanderte Ausblicke, die unvergeßlich sind

Bei kaum einer anderen Gelegenheit lernt man die Insel so gut kennen und erlebt all ihre Eigenheiten und die Vielfalt ihrer Naturschönheiten so intensiv wie auf einer Wanderung. Durch die geringen Entfernungen sind Wanderungen auf Santorin auch für weniger Geübte nicht besonders strapaziös. Fast überall kann man zudem die Tour unterbrechen und in den Bus steigen, der in längstens einer Stunde wieder die Hauptstadt Thira erreicht (Übersicht der Busverbindungen s. S. 221). Mit diesem beruhigenden Wissen kann sich eigentlich jeder einmal zu Fuß aufmachen.

Die Touren erfordern keine besondere Ausrüstung. Zu empfehlen sind aber feste Schuhe oder Turnschuhe mit rutschfesten Sohlen, eine lange Hose wegen des z. T. dornigen Gestrüpps und ein Sonnenschutz. Im Sommer sollte man die Wanderung nicht über Mittag ausdehnen oder zumindest während der größten Hitze eine Pause einlegen.

Die nachfolgenden Wandervorschläge sollen lediglich Anregungen sein. Es sind keine detaillierten Wegbeschreibungen, die nur einen bestimmten Verlauf zulassen, sondern sie weisen die Richtung des Weges. So lassen sich die einzelnen Routen auch jederzeit nach Belieben variieren. Dabei besteht auf der Insel kaum Gefahr, sich zu verlaufen. Man kann sich immer an markanten Punkten wie z. B. dem Profitis Elias oder dem hochgelegenen Dorf Pyrgos orientieren. Die genaue Beschreibung der einzelnen Ortschaften mit ihren Sehenswürdigkeiten ist im Ortsteil zu finden.

Thera

1 Oia – Foinikia – Vulkanberge – Imerovigli – Skaros-Burg – Thira

Für diese Wanderung im Norden von Thera sollte man mindestens vier Stunden einplanen. Wer allerdings die schöne Aussicht unterwegs in Ruhe genießen und die einzelnen Orte länger durchstreifen möchte, wird einen ganzen Tag damit zubringen können.

Man fährt mit dem Bus nach **Oia,** dem Ausgangspunkt der Wanderung. Von der Bushaltestelle wendet man sich der Straße zu, die nach Osten zum Dorf **Foinikia** führt (s. S. 101). Von dort öffnet sich der Blick auf die sanft nach Norden abfallenden Terrassenfelder. Nun kann man entweder weiter der Fahrstraße folgen, die sehr kurvenreich um die Berge herumführt. Oder man benutzt einen kleinen Geröllpfad, der südlich parallel zur Straße an den Hängen des Megalo und Kokkino Vouno entlang verläuft. Dazu biegt man kurz hinter Foinikia am Friedhof nach rechts ab, in Richtung Entsalzungsanlage. Dort wendet man sich nach links, vorbei an einem Haus und einer kleinen Kapelle geht man einen schmalen Weg entlang in Geländestufen aufwärts bis zu einer weiteren Kapelle. Von deren Terrasse hat man einen schönen Blick zurück auf Oia und die Felder um Foinikia sowie auf die Caldera. Um der Straße ganz und gar zu entkommen, kann man am Ortsrand von Oia hinter dem Laden »Marketa Oia« den Fußweg am Kraterrand entlang zum Megalo Vouno nehmen. Er trifft dann auch auf eine kleine Kapelle. Nun führt die Wanderung über die roten Schlacken des Kokkino Vouno (gutes Schuhwerk!) wieder hinab zur

Wanderung über den Sellada-Rücken

Fahrstraße, bis kurz hinter einen Wohnwagenkiosk. Hier kann man sich eine Erfrischung gönnen. Anschließend geht es erst ein kurzes Stück die Fahrstraße entlang, die man aber bald wieder verläßt. Ein vor einem Garagenbau beginnender Pfad verläuft etwa parallel zur Straße über den Bergrücken des Mikro Profitis Elias und trifft am Ende wieder auf die Straße, allerdings ist auch er z.T. sehr geröllreich. Auf der Kuppe des Berges befindet sich auf der linken Seite eine kleine Kirche, in blendendem Weiß und Blau gestrichen. Von hier aus bietet sich ein schöner Blick sowohl auf die Caldera als auch auf das offene Meer, da man sich an der schmalsten Stelle der Insel befindet. Weiter abwärts kommt man links an einer kleinen Friedhofsanlage mit einer Anzahl Grabkapellen vorbei, die von hohen Zypressen umgeben sind. Nun führt der Weg (z.T. als gepflasterter Treppenweg) direkt nach Süden, am Caldera-Rand entlang, bis zum Ort **Imerovigli** (s. S. 102 ff.). Bis hierher beträgt die reine Laufzeit etwa eineinhalb Stunden. Man hält sich nun an den rechten Weg, der zum Ortskern führt. Beim Hinweisschild »Skaros Villas« biegt man nach rechts ab und gelangt zum **Skaros-Felsen** (s. S. 103). Hier sollte man rasten, um die Aussicht in die Caldera mit den Kameni-Inseln, auf Therasia und Aspronisi zu genießen. Zurück im Ortskern kann man bis **Thira** fast immer am Caldera-Rand entlanglaufen.

Man kann die Wanderung natürlich auch in umgekehrter Richtung machen, d.h. in Thira beginnen. Das empfiehlt sich vor allem dann, wenn man für den Nachmittag eine ausgiebige Besichtigung des schönen Ortes Oia vorsieht (s. S. 94).

2 Thira – Imerovigli – Vourvoulos – Strand Exoyalos – Kontochori – Thira

Diese Strecke kann man leicht in zwei bis drei Stunden erwandern, so daß genügend Zeit für einen ausgiebigen Strandaufenthalt bleibt. Wer das Kloster Agios Nikolaos in Imerovigli besichtigen will (tgl. 8–12.30 und 16–19 Uhr), sollte neben den Badesachen auch an angemessene Kleidung denken.

In **Thira** (Stadtplan s. S. 78) geht man zunächst in Richtung Seilbahn-Bergstation (Nomikos-Straße) und biegt dann auf dem kleinen Platz gegenüber dem Archäologischen Museum nach rechts in das Katholische Viertel (Eritrou-Stavrou-Straße). Von dort führt ein etwa halbstündiger Weg nach Norden durch Firostefani hindurch bis zum Ortsanfang von **Imerovigli** (s. a. Wanderung 1). Etwas erhöht liegt das sehenswerte Frauenkloster Agios Nikolaos (s. S. 105). Man kehrt zurück auf die Fahrstraße nach Oia und geht ein Stück weiter bis zum Ortsschild von Imerovigli. Hier zweigt ein serpentinenreicher Fahrweg nach Osten in den Ort **Vourvoulos** ab (s. S. 106). Dort läuft man

Alltagsszene in einem Dorf auf der Insel Thera

vorbei an einigen in den Bimsstein gegrabenen Höhlenwohnungen bis in den unteren Ortsteil; von hier fährt auch ein Bus nach Thira ab. Von der Ausfallstraße nach Süden, kurz hinter dem Ortsende, geht nach links eine Abzweigung zum **Strand Exoyalos** ab. Der unbefestigte Weg führt etwa 2 km an Wein- und Getreidefeldern vorbei.

Wer nicht an den Strand gehen möchte, folgt der Straße vom südlichen Ortsende von Vourvoulos weiter nach Süden und gelangt in das etwas höher gelegene Dorf **Kontochori,** das inzwischen zu einem Ortsteil von Thira geworden ist (s. S. 107). Von dort ist man in ca. 20 Minuten wieder auf dem Hauptplatz von **Thira.**

3 Thira – Karterados – Strand – Monolithos

Bis zur Küste benötigt man etwa eine Stunde, und von dort kann man am Strand entlang gemütlich in einer Dreiviertelstunde bis nach Monolithos laufen.

Von **Thira** geht man auf der Straße Richtung Süden nach Messaria bis zum ca. 2 km entfernten **Karterados** und biegt nach links in den Ort, der in einer breiten Erosionsschlucht liegt (s. S. 110 ff.). Anschließend nimmt man den Weg, der in den oberhalb gelegenen Südteil des Ortes führt. Von dort bietet

sich ein wunderschöner Blick auf den alten Ortskern in der Schlucht. Ein unbefestigter Fahrweg zweigt nach Osten zum offenen Meer hin ab. Nach ca. 3 km erblickt man den **Strand,** der sich bis nach **Monolithos** erstreckt (s. S. 115 f.). Dort kann man sich ausruhen, baden, in einer Taverne etwas essen und anschließend mit dem Bus von Monolithos nach Thira zurückfahren.

4 Messaria – Vothonas – Exo Gonia – Mesa Gonia – Panagia Episkopi – Kamari

Diese Wanderung in die »Mitte der Insel« dauert etwa fünf Stunden. Man sollte sich zumindest etwas zu trinken mitnehmen, da man ab Exo Gonia erst wieder in Kamari Restaurants und Cafés findet. Die Besichtigung der Panagia Episkopi ist

Bei Exo Gonia

jeden Tag von 9–17 Uhr möglich. Angemessene Kleidung ist auch hier gern gesehen.

Man fährt mit dem Bus nach **Messaria** und geht von der Bushaltestelle in Richtung Akrotiri die erste Straße rechts ab. An drei italienischen Palazzi und der großen Kirche des hl. Demetrius vorbei (s. S. 111), biegt man nach links in eine Eukalyptusallee ein, die nach **Vothonas** führt (s. S. 113 ff.). Kurz vor dem Ort liegt auf der linken Seite eine intakte Windmühle neben einer kleinen Kapelle. Ein Stück weiter steigt ein Weg in eine der vier Erosionsrinnen hinab, in die das Dorf eingebettet ist. Vorbei an Höhlenwohnungen und Häusern, die an die Talwand geklebt zu sein scheinen, gelangt man auf eine breitere Fahrstraße, die nach rechts in einen weiteren ›Finger‹ des Dorfes führt. Gegenüber der Kirche der Agia Panagia zweigt der Pfad in Richtung **Exo Gonia** ab. Es ist ein sehr schmaler und z. T. auch geröllreicher Weg, der aber im Frühjahr von einer unglaublichen Blumenvielfalt gesäumt ist. Auch der Blick zurück auf das in den Rinnen gelegene Dorf ist unvergeßlich schön. Nach mehreren Kurven trifft man sodann auf die Straße Exo Gonia – Pyrgos. Schräg gegenüber leuchten die orangeroten Dächer der neuen Kirche von Exo Gonia in der Sonne (s. S. 116). Man überquert die Terrasse der Kirche und geht am anderen Ende die Stufen hinunter ins Tal. Schon von hier aus ist die byzantinische Kirche Panagia Episkopi am Fuße des Elias-Berges zu sehen. Im Tal liegt der Ort **Mesa Gonia.** Unten angelangt, hält man sich in Richtung Fahrstraße, folgt ihr ein kleines Stück und biegt dann wieder nach rechts ein (gegenüber des Supermarktes).

Nach ein paar Metern weist ein Schild nach links zur Episkopi. Leider ist die Straße vor kurzem für den Autoverkehr gepflastert worden. Man erreicht zunächst einen Friedhof mit einer kleinen Kapelle und erblickt dahinter erst die hellgelben Mauern der **Episkopi-Kirche** aus dem 12. Jh. (s. S. 118 f.).

Zurück kann man denselben Weg gehen und entlang der Fahrstraße bis nach Kamari laufen. Oder man steigt links neben der Kirche über die Weinfelder ab und folgt einer Rinne, bis man weiter oben ebenfalls auf die Fahrstraße trifft. In **Kamari** kann man sich ausgiebig erfrischen, innerlich mit einem guten Essen und äußerlich mit einem Bad im Meer (s. S. 121 ff.).

5 Pyrgos – Profitis Elias – Kamari/Perissa

Die reine Gehzeit für diese Wanderung beträgt etwa zwei bis zweieinhalb Stunden, wobei gute, rutschfeste Schuhe unerläßlich sind. Man sollte so früh wie möglich starten, um nicht gerade während der größten Hitze auf dem Berggipfel zu stehen. Außerdem bieten sich bei dieser Zeitwahl die Möglichkeit, eine Besichtigung von Alt-Theras anzuschließen (Di–So 8.30–15 Uhr).

Man nimmt den Bus nach **Pyrgos** und steigt am Dorfplatz aus (s. S. 137 ff.). Von dort geht man nach rechts auf die asphaltierte Straße, die sich in einem großen Bogen den Berg hinaufzieht bis zum **Kloster Profitis Elias.** Möchte man nicht auf der Autostraße laufen, kann man sich am Dorfplatz links

Pyrgos während der Weinernte

halten und die alte Straße zum Kloster hinaufgehen. Sie ist allerdings teilweise sehr steil und geröllreich. Das Kloster und das dazugehörende Museum sind zur Zeit leider nicht zu besichtigen (s. S. 140 ff.). Man kann das Gebäude nur von außen betrachten und von der Terrasse aus den wunderschönen Blick vom höchsten Punkt auf die ganze Insel genießen.

Der Weg führt weiter links an der Radarstation vorbei in Richtung Südosten auf den Mesa Vouno zu. Zunächst schlängelt sich der Pfad am relativ steilen Nordhang entlang (für dies Unternehmen sollte man schwindelfrei sein!), wird dann aber wieder breiter und weniger steil. Bei dem etwa 40minüti gen Abstieg auf die Sellada, den Sattel zwischen dem Profitis Elias und dem Mesa Vouno, kann man sich gut an der Serpentinenstraße von Kamari nach Alt-Thera orientieren. Am Sattel angelangt, geht man entweder wieder ein Stück hinauf zur Ausgrabungsstätte von **Alt-Thera** (s. S. 126 ff.) oder man steigt nach **Kamari** bzw. **Perissa** ab (s. Wanderung 6).

6 Kamari – Alt-Thera – Perissa

Der Weg auf den Mesa Vouno hinauf und auf der anderen Seite wieder hinunter dauert gut eineinhalb bis zwei Stunden. Für die Besichtigung von Alt-Thera (Di–So 8.30–15 Uhr) sollte man sich noch einmal die gleiche Zeit nehmen. Stabiles und bequemes Schuhwerk ist auch hier angeraten.

Im Süden **Kamaris** beginnt die Fahrstraße, die in zahlreichen Serpentinen auf den Mesa Vouno hinaufführt. Der Aufstieg ist zu Fuß zwar relativ mühelos zu bewältigen, man kann aber auch auf einem Esel hinaufreiten (mit Begleiter) oder einen der von verschiedenen Reisebüros angebotenen Bustransfers benutzen. Auf dem Wendeplatz angelangt, muß man noch einige Stufen zur Ausgrabungsstätte **Alt-Thera** hinaufsteigen. Dort kann man sich in aller Ruhe die antike Stadt ansehen (s. S. 126 ff.). Es gibt zwar keine offizielle Führung, aber die Aufseher sind sehr freundlich und beantworten bereitwillig alle Fragen.

Der Abstieg nach **Perissa** beginnt an der Südseite des Auto-Wendeplatzes. In langgezogenen Serpentinen schlängelt sich der Pfad die etwa 280 m hinab in die Ebene von Perissa. In etwa 120 m Höhe gabelt sich der Weg. Biegt man nach links ab, gelangt man über z.T. steile Treppenstufen zur **Kapelle Agios Katefiáni**. Die letzte Wegstrecke führt am Hotel Marianna vorbei direkt an den schönen Strand, an dem man sich erholen und baden kann. Mit dem Bus erreicht man anschließend in etwa 45 Minuten die Hauptstadt Thira.

Man kann die Wanderung natürlich auch in umgekehrter Richtung angehen, von Perissa nach Kamari, wobei der Aufstieg jedoch anstrengender ist. Beim Abstieg nach Kamari lohnt sich noch ein kleiner Abstecher zur Quelle **Zoodochos Pigi** (s. S. 124). Man biegt in der dritten Rechtskurve der Serpentinenstraße nach links auf einen schmalen Pfad zur Quelle ab. Dort hat man die Möglichkeit, sich mit dem reinem Quellwasser zu erfrischen. Von dem Vorplatz der Kapelle aus kann man ganz Kamari überblicken. Langgezogene Treppenstufen führen von hier hinunter in den Ort. Kurz hinter dem Hotel Argo trifft man wieder auf die Serpentinenstraße.

7 Emborio – Gavrilos-Berg – Kap Exomitis – Perissa/ Akrotiri

Die Wanderung bis nach Perissa dauert etwa vier bis viereinhalb Stunden. Bis nach Akrotiri kann man ungefähr eine halbe Stunde weniger berechnen. Wer abschließend noch eine Besichtigung der Ausgrabung von Akrotiri plant (Di–So 8.30–15 Uhr), muß also früh starten. Auch hier empfiehlt es sich, gutes Schuhwerk zu tragen.

Mit dem Bus Richtung Perissa fährt man zunächst bis **Emborio.** Das mittelalterliche Dorf lädt zu einem schönen Bummel durch den alten Ortsteil ein (s. S. 154 ff.). Kurz hinter dem westlichen Ortsausgang liegt am Rande der Straße nach

Großflächige Weingärten in der Ebene von Perissa

Thira die Kapelle des **Agios Nikolaos Marmaritis** (s. S. 156). Wenn man sie besichtigen möchte, muß man sich den Schlüssel beim Priester von Emborio besorgen. Schräg gegenüber der kleinen Kapelle geht ein befestigter Feldweg (Windmühlenweg) zum **Gavrilos-Berg** ab, vorbei an den acht leider verfallenen Windmühlen und an ausgedehnten Feldern. Vom Bergrükken aus bietet sich ein wunderschöner Blick auf die Ebene im Südosten. Man kann den Rücken entlang bis zu einer kleinen Kapelle gehen. Der Abstieg den Südhang hinab ist allerdings nicht mehr möglich, da ein Zaun den Weg versperrt. Man muß wieder zurück an den Fuß des Berges. Von dort weisen schon Schilder zur Vlichada. Etwa auf halbem Weg kann man links zum Südhang abbiegen und die eindruckvollsten der Felsengräber betrachten. Dann geht es weiter in Richtung Strand. Von hier aus kann man die Wanderung nun entweder in den Westen nach Akrotiri fortsetzen oder Richtung Nordosten nach Perissa.

Will man nach **Perissa,** hält man sich links des Kap Exomitis und trifft auf das südliche Ende von Perissas langem Strand. Von hier kann man gemütlich am Strand entlang bis nach Perissa laufen und von dort aus mit dem Bus zurück nach Thira fahren.

Nach **Akrotiri** (etwa eineinhalb Stunden entfernt) wählt man den Abstieg zum Kap Vlichada entlang der neuen Fahrstraße auf die ehe-

malige Tomatenfabrik zu. Hier steht auch ein neu gebautes Hotel, in dem man eine Erfrischung zu sich nehmen kann. Der weitere Weg führt die Küste entlang zum Hotel Akrotiri, das unterhalb der minoischen Ausgrabungsstätte liegt. Bei rauher See muß man allerdings in einer der Erosionsrinnen nach oben steigen, da der Strand dann an einigen Stellen überflutet wird. Zum Teil muß man auch über große Felsen (rote Ignimbrite) klettern oder durch knietiefes Wasser waten. Nach der Wanderung ist man doch froh, in eine der Tavernen einkehren zu können, die am Ende des Strandes in den Bimsstein hineingebaut sind.

Als Abschluß kann man sich eventuell das prähistorische Akrotiri ansehen (s. Wanderung 8), oder man nimmt gleich den Bus in Richtung Norden zurück.

8 Akrotiri – Leuchtturm – Akrotiri – Minoische Ausgrabungsstätte

Ohne die Besichtigung der Ausgrabungsstätte dauert die Wanderung etwa drei bis vier Stunden. Man sollte sie nicht zu spät beginnen, so daß man um die Mittagszeit in Akrotiri in ein Restaurant einkehren kann. Am Nachmittag hat man dann Zeit, um sich die prähistorische Stadt anzusehen (Di–So 8.30–15 Uhr) und eventuell zu baden.

Mit dem Bus fährt man nach **Akrotiri** (s. S. 160 f.). Schräg gegenüber der Bushaltestelle biegt ein Weg nach Norden in Richtung Caldera ab. Von dort führt eine zum größten Teil befestigte Straße nach etwa 5 km zum **Leuchtturm Faros.** Der Weg wird nach Süden hin begrenzt von großen Weinfeldern, und man sieht bis auf die weit ins Meer ragenden weißen Felsen, die von den ältesten vulkanischen Gesteinen gebildet werden.

Den schönsten Blick auf die gesamte Caldera mit den neuen Vulkaninseln in der Mitte hat man aber vom Kap Aspronisi aus. Hier wird es einem deutlich bewußt, daß man sich auf dem Rand eines freigesprengten Vulkankraters befindet. Auch vom Leuchtturm aus ist die Sicht wunderschön, bei klarem Wetter tauchen im Südwesten die Christiani-Inseln auf. Das Gebäude, das dem Militär gehört, ist inzwischen leider eingezäunt, so daß man nicht mehr auf die Terrasse gelangt. Denselben Weg zurück geht man gut in etwa eineinhalb Stunden. Nach etwas mehr als der Hälfte des Weges befindet sich eine neue Taverne, in der man eine kurze Rast einlegen kann.

Von der Bushaltestelle aus geht man in 10–15 Minuten Richtung Süden zur **Ausgrabungsstätte,** für deren Besichtigung man sich etwa eine halbe Stunde Zeit nehmen sollte (s. S. 162 ff.). Falls man noch baden möchte, erreicht man auf einem kurzen Fußweg den schön gelegenen »Roten Strand« *(Red Beach).* Der Weg dorthin beginnt direkt gegenüber der Ausgrabungsstätte (ausgeschildert). Etwa auf halber Strecke liegt das Restaurant Glaros, in dem man auf dem Rückweg noch eine Erfrischung zu sich nehmen kann.

Mit dem Bus geht es von der Ausgrabungsstätte oder vom Dorf Akrotiri wieder zurück nach Norden.

Therasia

Wer einen Tag oder auch länger auf Therasia verbringt, kann dort zwei schöne Wanderungen in den Nord- und den Südteil der Insel unternehmen.

9 Manolas – Potamos – Millo-Bucht

In **Manolas** geht man fast bis zum südlichen Ortsende und biegt dann Richtung Westen nach Potamos ab. Auf einer Fahrstraße geht es relativ steil abwärts. Der kleine Ort **Potamos** liegt in einer langgezogenen Schlucht. Durch den Ort hindurch führt ein sehr kurvenreicher Weg, der kurz hinter dem Ortsende nach Norden abbiegt. An dieser Wegbiegung zweigt ein inzwischen auch befahrbarer Weg zum **Kloster Panagia** in dem verlassenen Dorf Agrilia ab. Dort lebt noch eine alte Nonne, die einem gerne die Kirche zur Besichtigung aufschließt. Zurück auf der Fahrstraße geht es vorbei an den immer flacher werdenden Hängen mit Wiesen und Feldern, bis zum Frachthafen von Therasia in der **Bucht von Millo.** Der schöne Strand lädt zum Baden ein. Am nördlichen Ende der Bucht, etwas erhöht, steht die kleine **Kapelle der hl. Irene,** der Namenspatronin Santorins (s. S. 187).

Für eine Strecke benötigt man ungefähr eine gute Stunde. Wenn man Glück hat, fährt gerade ein Lastwagen vom Frachthafen nach Manolas, der einen mit zurücknehmen kann.

10 Manolas – Viglos-Berg – Kera – Kloster Kimisi (Kap Tripiti)

Die Wanderung in den Südteil der Insel dauert etwa vier Stunden; man sollte sich etwas Proviant mitnehmen.

Von **Manolas** aus führt der Weg fast immer direkt am Caldera-Rand entlang Richtung Süden. Man erreicht zunächst den höchsten Gipfel der Insel, den **Viglos-Berg** (295 m), von dessen Gipfelkapelle man einen schönen Ausblick auf die Hauptinsel hat. An den verlassenen Häusern von **Kera** vorbei, gelangt man oberhalb der Südspitze Therasias (Kap Tripiti) zum **Kloster Kimisi** (s. S. 188 f.). Das aufgegebene, aber gut erhaltene Kloster lädt zu einer ausgiebigen Rast ein. Von der Terrasse aus hat man ebenfalls einen grandiosen Blick auf die Kameni-Inseln und auf Thera.

Verzeichnis landeskundlicher und kunsthistorischer Begriffe (Glossar)

Agora Markt- und Versammlungsplatz in einer griechischen Stadt
Amphore Zweihenkeliges, bauchiges Vorratsgefäß für Öl, Getreide etc.
Apsis Halbrunder, mit einer Halbkuppel überdeckter Raum, der sich zu einem Hauptraum öffnet
Arkade Bogenstellung über Pfeilern oder Säulen
Basilika In der römischen Baukunst langgestreckte Halle als Markt- und Versammlungsraum oder Thronsaal; von den Christen übernommen als mehrschiffige Kirche mit höherem Mittelschiff, das durch die über die Seitenschiffe hinausragende Fensterzone beleuchtet wird; nach dem 4. Jh. wird gewöhnlich ein Querschiff zwischen → Apsis und Langhaus eingeschoben
Biotop Lebensraum einer bestimmten Pflanzen- und Tiergesellschaft oder einer einzelnen Art
Bimsstein Helles, schaumiges, glasig erstarrtes vulkanisches Gestein
Bimsstein-Folge Verschiedene, kurz aufeinanderfolgende Bimsstein-Eruptionen, die zu einer geologischen Einheit zusammengefaßt sind
Caldera Durch Einsturz oder Explosion kesselartig erweiterter Vulkankrater
Doge Staatsoberhaupt der ehemaligen Republiken Venedig und Genua
Dorische Säulenordnung Älteste der griechischen Bauordnungen; gekennzeichnet durch Säulen ohne Basis, schlichte → Kapitelle und einen den Oberbau tragenden Hauptbalken (Architrav) aus einem glatten Steinbalken und einem → Fries aus abwechselnd einer Platte mit drei Rillen (Triglyphe) und einer glatten oder reliefierten Platte (Metope)
Erosion Einschneidende oder ausfurchende Wirkung von Wasser, Wind oder Eis
Eruption Vulkanische Ausbruchstätigkeit
Etesien-Winde Von Juni bis September vornehmlich aus nördlichen Richtungen wehende, trockene Winde im östlichen Mittelmeer
Fresko Auf noch feuchtem (frischem) Kalkmörtel ausgeführte Malerei
Fries Waagerechter, verzierter Mauerstreifen als Schmuck, Gliederung oder Abschluß einer Wand
Fumarole Vulkanische Gas-Dampf-Aushauchung mit Temperaturen zwischen 200° und 800 °C
Gymnasion Anlage für die körperliche (und geistige) Ausbildung der Knaben und jungen Männer in der Antike
Idol Plastisches Abbild, häufig als Repräsentation einer Gottheit

Ignimbrit Durch eine überquellende Glutwolke entstandenes vulkanisches Gestein, das mehr oder weniger verschweißt sein kann

Ikone Meist auf Holz gemaltes Kultbild der byzantinischen Kirche

Ikonostase In der byzantinischen Kirche hohe Schranke zwischen dem Altarraum und dem Gemeinderaum, die von drei Türen durchbrochen und mit Bildern (→ Ikonen) bedeckt ist

Ionische Säulenordnung Im Gegensatz zum strengen → dorischen Stil gekennzeichnet durch Säulen mit mehrgliedriger Basis, → Kapitellen mit spiralförmig aufgerolltem Ornament (Voluten) und einem Hauptbalken (Architrav) aus einem getreppten Balken, Zierbändern sowie einem durchgehenden → Fries

Isthmus Landenge

Kapitell Oberer, ausladender Abschluß einer Säule

Kathedrale Kirche, in der ein Bischof seinen Sitz hat

Konche Halbkreisförmige Nische mit Halbkuppel

Korinthische Säulenordnung Wie die → ionische, allerdings sind die → Kapitelle mit den großen, ausgezackten Blättern des Akanthus (Distelart) verziert

Krater (Gefäß) Großes, weit geöffnetes Gefäß mit Fuß und Henkeln zum Mischen von Wasser und Wein

Lava(-Schüttung) Vulkanisches Gestein, das bei einem Vulkanausbruch als Schmelzfluß an die Oberfläche gelangt

Liturgie Fest vorgeschriebene Form des Gottesdienstes

Lustrationsbecken Kleiner, quadratischer Raum, dessen Estrich tiefer liegt als die Böden der angrenzenden Zimmer. Sir Arthur J. Evans brachte ihn mit kultischen Reinigungsriten in Verbindung

Magma Schmelzfluß aus dem Erdmantel, der entweder in der Erdkruste zur Erstarrung kommt oder als Glutfluß an die Oberfläche tritt (→ Lava)

Meltemia Griechischer Name der → Etesien-Winde

Metamorphit Durch hohe Drucke und Temperaturen umgewandeltes Gestein

Palazzo (Pl. Palazzi) Italienische Bezeichnung für Palast

Papas Weltgeistlicher der orthodoxen Kirche

Phrygana Widerstandsfähiges, meist stacheliges Strauchwerk im östlichen Mittelmeerraum, das eine Wuchshöhe von einem Meter in der Regel nicht überschreitet

Phyllit → Metamorpher (umgebildeter) Tonschiefer

Population Gesamtheit der Individuen in einem begrenzten Gebiet

Pozzuolana (auch Santorinerde) unter Wasser erhärtender (hydraulischer) Mörtel aus mit Kalk vermischten Bimssteinen von Santorin

Reliquie Überrest des Körpers oder des Besitzes eines Heiligen

Sarkophag Prunksarg

Schlacke Beim Vulkanausbruch herausgeschleuderte, mäßig aufgeblähte, zackige Magmafetzen von dunkler Farbe
Seismik Die Wissenschaft von der Entstehung, Ausbreitung und Auswirkung der Erdbeben
Solfatare Vulkanische Gas-Dampf-Aushauchungen mit Temperaturen zwischen 80° und 250°C
Terracotta Gebrannte Tonerde; Gefäß oder Plastik aus diesem Material
Thermen Öffentliche Badeanlagen im antiken Rom
Vulkanit Oberbegriff für ein bei einem Vulkanausbruch glutflüssig an die Oberfläche getretenes oder durch Explosion entstandenes Gestein
Zisterne Unterirdisches Auffangbecken für Regenwasser
Zitadelle Besondere Befestigung innerhalb einer Verteidigungsanlage

Literatur

Boettcher, A.: Bild einer Insel – Santorin, Aachen 1975

Doumas, Ch.: Santorin – Die Insel und ihre archäologischen Schätze, Athen 1987

Doumas, Ch. (Hrsg. The Thera Foundation): The Wall-Paintings of Thera, Athen 1992 (auf Santorin erhältlich)

Ekschmitt, W.: Die Kykladen – Bronzezeit, Geometrische und Archaische Zeit, Mainz 1993

Gaitanides, J.: Das Inselmeer der Griechen, Wien 1979

Galanopoulos, A.G. & Bacon, E.: Die Wahrheit über Atlantis, München 1976

Hansen, A.: Flora der Inselgruppe Santorin, Genf 1971

Höhler, G.: Begegnung mit Griechenland, Düsseldorf 1982

Knidlberger, L.: Santorini (Bildband), München 1965

Knidlberger, L.: Santorin – Insel zwischen Traum und Tag, München 1975

Luce, J.V.: Atlantis – Legende und Wirklichkeit, Bergisch Gladbach 1987

Marinatos, N.: Kunst und Religion im alten Thera, Athen 1987 (auf Santorin erhältlich)

Marinatos, S. & Hirmer, M.: Kreta, Thera und das Mykenische Hellas, München 1986

Nick, D.: Götterinseln der Ägäis, München 1981

Philippson, A.: Die griechischen Landschaften, Band 4, Frankfurt/Main 1959

Scharfenberger, B.: Kykladen (Du Mont Reise-Taschenbuch), Köln 1990

Schmalfuss, H.: Santorin – Leben auf Schutt und Asche, Weikersheim 1991

Schreiner, K.: Kykladen (DuMont »Richtig wandern«), Köln 1987

Schwab, G.: Sagen des griechischen Altertums, Wien 1974

Abbildungs- und Quellennachweis

Nicoletta Adams, Klein Barkau: Titel, Umschlagrückseite (oben, unten), S. 16, 18, 21, 32, 36, 73, 76/77, 85, 91, 113, 114, 116, 146, 155, 159, 160, 176, 177, 190, 191

Badisches Landesmuseum, Karlsruhe: S. 43

A. M. Begsteiger, Gleisdorf: S. 147, 157, 208/209

Fridmar Damm, Köln: S. 82/83, 98/99, 97, 108/109

Werner Dietrich, Stuttgart: S. 64, 80, 104, 144/145, 216

Wolfgang Fritz, Köln: S.143

Gaul, Hans-Georg/White Star, Hamburg Umschlagrückseite (Mitte), S. 62

Ghyzi-Museum, Thira/Santorin: S. 49, 72

hpa Hamburg: S. 12, (Günther), 79 (Spitta)

Gerold Jung, Ottobrunn: S. 141, 196

Keystone Pressedienst, Hamburg: S. 55

Werner Richner, Saarlouis: S. 10/11, 63, 68 (beide), 69 (beide), 111, 154, 203, 204/205

Arved von der Ropp, Wachendorf: S. 138/139

Renate Scheiper, Münster: S. 121, 125

Reinhardt Scholz, Düren: Umschlaginnenklappe hinten, S. 60, 92/93, 95, 97, 120, 122, 126, 148/149, 151, 172, 182/183, 185, 189, 198/199, 206

Wilkin Spitta, Loham: S. 132

Thera Foundation, Piräus (mit freundl. Genehmigung des Archäologischen Museums, Athen): S. 40/41, 175

Klaus Thiele, Warburg: Umschlaginnenklappe vorne, S. 47, 57, 59, 201

Transglobe Agency, Hamburg: S. 1 (Chmura), 2/3 (Fischer)

Ullstein Bilderdienst, Berlin: S. 167

Helmut Wallenstein, Mainz: S. 87

Hans Weber, Lenzburg/Schweiz: S. 135

Die Zeichnungen S. 27, 35, 119, 156, 162, 168 sowie die Karten S. 17, 158 und 192 wurden von der Autorin angefertigt.

Alle übrigen Karten und Pläne: © DuMont Buchverlag, Köln

Zitat S. 14: Alfred Philippson, Die griechischen Landschaften, Bd. 4, 1959, m. freundl. Genehmigung des Vitorio Klostermann Verlags, Frankfurt/M.

TIPS & ADRESSEN

Alle wichtigen Informationen rund ums Reisen - von Anreise bis Zoll – auf einen Blick.

Ein Sprachführer hält die wichtigsten Redewendungen und Vokabeln griffbereit.

INHALT

REISEVORBEREITUNG & ANREISE

Informationsstellen

... in der BRD
Griechische Zentrale für Fremdenverkehr (EOT)
Wittenbergplatz 3a
10789 Berlin
✆ 0 30/2 17 62 62-3
Neue Mainzer Straße 22
60311 Frankfurt/Main
✆ 0 69/23 65 61-3
Abteistr. 33
20149 Hamburg
✆ 0 40/45 44 98
Pacellistraße 5
80333 München
✆ 0 89/22 20 35-6
Griechische Pressebüros
Jägerstraße 55
10117 Berlin
✆ 0 30/20 61 29 00
Magdalenenstraße 48
20148 Hamburg
✆ 0 40/44 55 20
Habsburgerplatz 2
80801 München
✆ 0 89/33 66 60

... in Österreich
Griechische Zentrale für Fremdenverkehr (EOT)
Opernring 8
1015 Wien
✆ 01/5 12 53 17-8

... in der Schweiz
Griechische Zentrale für Fremdenverkehr (EOT)
Löwenstr. 25
8001 Zürich
✆ 01/2 21 01 05

Diplomatische Vertretungen Griechenlands

... in der Bundesrepublik Deutschland
Griechische Botschaft
Unter den Linden
10117 Berlin
✆ 0 30/20 62 60

... in Österreich
Griechische Botschaft
Argentinier Straße 14
1040 Wien
✆ 01/5 05 57 91

... in der Schweiz
Griechische Botschaft
Hausmattweg 2
3074 Mori/bei Bern
✆ 0 31/9 51 08 24

Einreisebestimmungen

Die Staatsangehörigen der BRD, Österreichs und der Schweiz benötigen für die Einreise nach Griechenland mit dem Flugzeug oder dem Schiff lediglich den amtlichen Personalausweis. Dauert der Aufenthalt in Griechenland länger als drei Monate, muß man 20 Tage vor Ablauf der Frist bei der Fremdenpolizei oder der nächsten Polizeidienststelle einen Antrag auf Aufenthaltsgenehmigung stellen.

Bei Reisen mit dem eigenen Pkw sind der nationale Führerschein, der Kfz-Schein und die grüne Versicherungskarte erforderlich. Empfehlenswert sind auch Zusatzversicherungen wie Auslandsschutzbrief, Vollkasko etc.

Devisen und Zoll

Bei der Einreise nach Griechenland ist die Geldeinfuhr Geldeinfuhr bis etwa 3,2 Mio. Drs. (= 10 000 Ecu) frei, Fremdwährung kann dagegen in beliebiger Höhe mitgeführt werden. Nur sehr hohe Beträge (z. B. für den Kauf eines Hauses o. ä.) müssen extra angegeben werden. Es hat sich bisher auch immer als günstiger erwiesen, sein Geld – bis auf einen ›Notgroschen‹ – im Land selbst zu tauschen. Die Belege über den Geldwechsel sollten bis zur Ausreise aufgehoben werden. Ausgeführt werden dürfen bis zu 680 000 Drs.(= 2000 Ecu).

Möchte man Tiere mit in den Urlaub nehmen, muß man ein Gesundheitsattest vom Amtstierarzt vorlegen sowie eine Tollwut-Impfung nachweisen.

Es gibt keine Zollbestimmungen mehr innerhalb der EU. Bei Ein- und Ausfuhr hochwertiger Waren allerdings sollte man sich auf den Rechnungsbeleg beim Zollamt eine T2L-Bescheinigung für Waren im freien Verkehr der EU ausstellen lassen. Dies ist besonders bei der Einreise mit dem Auto anzuraten.

Bei der Reise mit dem Auto oder Bus ist zu beachten, daß man auch durch Länder kommen kann, die nicht EU-Mitglieder sind und die andere Zollbestimmungen haben. Sofern die Rückreiseroute bereits im Heimatland festlegt wurde, ist es sinnvoll, die entsprechenden Zollbestimmungen vorher von dort aus einzuholen.

Gesundheitsvorsorge

Für Pflichtversicherte gilt innerhalb der EU der Anspruchsausweis E 111, den man bei der Krankenkasse erhält. Der Abschluß einer zusätzlichen Reisekranken- und Reiseunfall-Versicherung ist ratsam.

Spezielle Schutzimpfungen sind in Griechenland nicht erforderlich, jedoch empfiehlt es sich, die Tetanus-Schutzimpfung gegebenenfalls aufzufrischen. Regelmäßig benötigte Medikamente sollten von zu Hause mitgebracht werden, ebenso eine kleine Reiseapotheke. Diese sollte Mittel gegen Sonnenbrand, Verdauungsstörungen, Reisekrankheit und Insektenstiche enthalten, außerdem Pflaster, elastische Binde, Wunddesinfektionsmittel, Splitterpinzette und Schere.

Anreise mit dem Flugzeug

Es empfiehlt sich, mit dem Flugzeug direkt nach Santorin zu fliegen oder nach Athen, um von Piräus mit der Fähre nach Athinios überzusetzen, und nicht die lange Anfahrt über Italien zu wählen. Die Insel selbst ist nicht sehr groß, und es bestehen gute Busverbindungen, so daß sich die Mitnahme eines Autos eigentlich nicht lohnt.

Santorin besitzt einen eigenen Flughafen (Monolithos), der von verschiedenen Chartergesellschaften aus Deutschland direkt angeflogen wird, allerdings nur in der Zeit von Ende April bis Anfang Oktober. Außerdem können auch Privat-Jets hier landen.

Die griechische Fluggesellschaft Olympic Airways bietet vier- bis sechsmal täglich (am Wochenende sieben- bis neunmal) Flüge zwischen Athen und Santorin an. Außerdem bestehen täglich (außer Di) Verbindungen mit Mykonos und mehrmals wöchentlich mit Heraklion auf Kreta (Di und So) sowie mit Rhodos (Mo–Do, Sa) und Thessaloniki (Mo, Di, Do, Fr). Ein Zubringerbus der Olympic Airways verkehrt zu allen Flügen zwischen dem Büro der Fluggesellschaft in Thira (✆ 2 24 93) und dem Flughafen bei Monolithos (✆ 3 15 25 oder 3 16 66). Stündlich fährt aber auch der normale Linienbus von Thira zum Flughafen.

... mit dem Schiff

Die Fährschiffe fahren von Piräus aus zweimal täglich in etwa 10–12 Stunden zum Santoriner Hafen Athinios. Von dort gelangt man mit dem Linienbus in die Hauptstadt.

Auskunft über die Fahrpläne erhält man in den Büros der Zentrale für Fremdenverkehr (EOT) im Flughafen von Athen, am Syntagma-Platz, am Zea-Hafen von Piräus oder auch telefonisch direkt bei der Hafenpolizei in Piräus (✆ 01/4 51 13 11) oder in Athinios (✆ 2 22 39). Die Fahrkarten kauft man am besten in den Büros direkt am Hafen. Sehr Eilige können auch auf dem Schiff selbst zahlen. Es gibt keine Hin- und Rückfahrkarten oder Rundreisetickets, für jede Strecke ist ein neues Ticket notwendig.

Zusätzlich verkehren normale Linienschiffe mehrmals täglich zwischen Santorin und den umliegenden größeren Inseln, z. B. Naxos, Paros, Ios und auch Kreta.

Viele Besucher kommen im Rahmen einer Kreuzfahrt nach Santorin. Sie werden dann im alten Hafen von Thira ausgebootet. Meist beschränkt sich der Aufenthalt auf Santorin aber auf wenige Stunden.

UNTERWEGS AUF SANTORIN

... mit dem Bus

Das Straßennetz auf Santorin ist sehr gut ausgebaut, so daß zu fast allen Orten Busverbindungen bestehen. Die grünen Busse fahren vom Busbahnhof in Thira (✆ 2 38 12, s. a. Stadtplan S. 78) ab, die Endstation ist vorne an den Bussen zu ersehen.

Die Abfahrtszeiten der Linien sind in Thira auf einer Tafel an der Haltestelle angeschlagen. In der Hauptsaison (Mitte Mai–Ende Sept.) verkehren Busse in regelmäßigen Abständen von ca. 7 Uhr bis ca. 21 Uhr. Verbindungen bestehen zwischen:

- Thira und Oia, über Imerovigli und Foinikia, Dauer ca. 40 Minuten, im Abstand von einer Stunde;
- Thira und Kamari, über Karterados, Messaria und einer Haltestelle unterhalb von Mesa Gonia bzw.

Exo Gonia, Dauer ca. 20 Minuten, etwa alle 30 Minuten;
- Thira und Perissa, über Messaria, Vothonas, Pyrgos, Megalochori und Emborio, Dauer ca. 50 Minuten, jede halbe Stunde;
- Thira und Akrotiri (Ausgrabungsstätte), über Messaria, Vothonas, Megalochori und Akrotiri (Ort), Dauer ca. 50 Minuten, alle eineinhalb Stunden bis stündlich;
- Thira und Athinios, Dauer ca. 20 Minuten, richtet sich nach dem Schiffsplan, sonst etwa stündlich;
- Athinios und Kamari, in der Hauptsaison, richtet sich nach den Abfahrtszeiten der Fährschiffe;
- Thira und Monolithos (Flughafen), über Messaria, Dauer ca. eine halbe Stunde, etwa stündlich.

In der Nebensaison verkehren die Busse weitaus seltener, es fährt dann etwa nur jeder dritte oder vierte Bus. Man sollte sich vorab auf der Tafel an der Haltestelle in Thira informieren.

In jedem Fall stellen die Busse ein bequemes und relativ preiswertes Mittel dar, um die Insel zu erkunden.

... mit dem Taxi

Die Taxis auf Santorin sind einheitlich grau lackiert. Ihre Hauptstation befindet sich in Thira in der Nähe des zentralen Platzes (s. Stadtplan S. 78). Aber sie fahren auch immer wieder die Hauptstraßen entlang, vor allem an den Bushaltestellen vorbei, um besonders Eilige schnell zu ihrem Zielort zu bringen. Man kann sich auch ein Taxi reservieren lassen unter ✆ 22555. Die Taxifahrer sind darüber hinaus jederzeit bereit, eine kleine Rundfahrt über die Insel zu machen, einschließlich einer Führung zu den schönsten Sehenswürdigkeiten. Über den Preis wird man sich sicher schnell einigen.

Die normalen Tarife sind relativ preiswert, vor allem wenn man sich den Fahrpreis noch mit anderen Urlaubern teilt. In der Nacht oder an Feiertagen, z.B. Ostern und Weihnachten, muß man allerdings einen Zuschlag bezahlen.

... mit dem Leihwagen

Es gibt viele Leihfirmen auf Santorin, die Autos vermieten, internationale Agenturen wie Hertz ebenso wie zahlreiche lokale Firmen. Büros befinden sich in Thira, Oia, Kamari und Perissa. Die Preise sind recht unterschiedlich – mal mit, mal ohne Kilometerfreibetrag – und natürlich von der Größe des Fahrzeugs abhängig. Es lohnt sich in jedem Fall, einige Vergleichsmieten einzuholen. Außerdem ist es ratsam, zusätzlich eine Unfallversicherung abzuschließen. Die Miete beträgt in der Vorsaison (Mitte Okt.–Mai) etwa zwischen 48 und 130 DM und in der Hauptsaison (Juni–Mitte Okt.) etwa zwischen 56 und 220 DM pro Tag einschließlich Versicherung. Es genügt der nationale Führerschein, der aber mindestens ein Jahr alt sein muß. Vor der Fahrt sollte man sich stets vom ordentlichen Zustand des Wagens überzeugen (Bremsen, Licht, Reifen, Reserverad, Wagenheber etc.).

Getankt werden muß Super Benzin, das etwa so teuer wie in Deutschland ist. Beachten Sie, daß an Sonn- und Feiertagen die meisten Tankstellen geschlossen sind!

Während der Hauptsaison sollte man die Reservierung mindestens zwei Tage vorher vornehmen.

... mit dem Mofa, Motorrad und Fahrrad

Die preiswerteste und bequemste Art, die Insel zu erkunden, bietet, zumindestens für jüngere Leute, das Mofa. Die Miete kostet etwa 21–27 DM pro Tag, sinkt im Wochentarif sogar auf ca.15 DM pro Tag. Man ist mit diesem kleinen Zweirad völlig unabhängig und kommt auch auf den schmalsten Wegen zu seinem Ziel. Wegen der Rutschgefahr auf eben diesen Schotterwegen ist es aber ratsam, bei der Fahrt zum Schutz zumindest lange Hosen zu tragen.

Eine andere Möglichkeit besteht darin, ein Motorrad zu leihen. Dazu benötigt man allerdings einen Führerschein, man muß mindestens 18 Jahre alt sein, und es ist Pflicht, einen Sturzhelm zu tragen. Auch die Preise liegen hierbei natürlich höher, je nach Typ zwischen 27 und 54 DM pro Tag.

Wer es ganz gemütlich haben möchte, kann sich auch Fahrräder leihen. Es gibt sie an vielen Stellen auf der Insel, dort wo man auch Mofas mieten kann. Die Preise variieren stark, werden aber auch im Wochentarif weitaus billiger.

... mit dem Schiff

Die kleineren Inseln des Santorin-Archipels, Therasia, Paläa Kameni und Nea Kameni, können nur mit dem Boot von Thera aus erreicht werden. Es ist jederzeit möglich, auf eigene Faust im Hafen von Thira oder auch von Oia ein Boot für die Überfahrt anzuheuern. Man hat dann die freie Terminwahl auch für die Rückfahrt, so daß man sogar mehrere Tage auf den kleinen Inseln zubringen kann. Auf den Kameni-Inseln muß man allerdings im Freien übernachten. Andererseits bieten alle Touristikbüros Bootsrundfahrten auf der Caldera an, bei denen wahlweise nur die Kameni-Inseln oder die Kameni-Inseln und Therasia angesteuert werden. Die Ausflüge finden täglich statt und dauern einen halben oder einen ganzen Tag. Fällt bei rauher See die Fahrt aus, gelten die Tickets aber bis zum nächstmöglichen Termin.

Zusätzlich werden Tagesausflüge auf die verschiedenen Nachbarinseln angeboten: nach Anafi, Amorgos, Ios, Sikinos und Folegandros.

UNTERKUNFT

Hotels, Pensionen und Zimmer

Die Hotels und Pensionen sind in Griechenland von der Zentrale für Fremdenverkehr je nach Komfort in sechs Kategorien eingeteilt, Kategorie A–E und L (Luxusklasse). So kann sich jeder nach Geschmack und Geldbeutel die geeignete Unterkunft aussuchen.

In der Hauptsaison sollte man sein Zimmer allerdings schon weit im voraus buchen. Man kann die Reservierung telefonisch von Deutschland aus anmelden, sollte sie aber in jedem Fall schriftlich wiederholen und bestätigen lassen (Hotelier-Verband: ✆ 2 44 35, Pensionverband: ✆ 2 26 08). Es wird zwar auch ohne vorherige Anmeldung niemand auf der Straße übernachten müssen, doch können dann keine Ansprüche in Bezug auf Preis oder Lage gestellt werden.

Auf Santorin gibt es zahlreiche Hotels, Pensionen und private Zimmer der Kategorien A–E, von denen einige in den praktischen Hinweisen der einzelnen Orte angegeben sind. Zusätzlich kann man sich auch von den griechischen Fremdenverkehrszentralen (s. S. 218) eine Broschüre über die Hotels auf den Kykladen schicken lassen. Dort sind jedoch nur die Hotels und Pensionen der Kategorien A–C angegeben. Das Hauptangebot wie auch die Hauptnachfrage liegen bei Hotels der Kategorie C, die etwa die Hälfte eines A-Hotels kosten.

Die Preise zwischen Haupt- und Nebensaison variieren stark, sie sind allerdings weitgehend festgelegt. Die Preisliste hängt in allen Zimmern aus. Nur bei manchen Pensionen und Privatunterkünften ist es außerhalb der Saison möglich, über den Preis zu verhandeln. Man sollte sich die Zimmer aber immer vorher zeigen lassen und sich nach den im Preis enthaltenen Mahlzeiten und Extras erkundigen.

Jugendherbergen

Auf Santorin gibt es vier Jugendherbergen: zwei im Zentralteil der Insel, in Thira (im Katholischen Viertel, ✆ 2 24 28) und in Kontochori (✆ 2 27 22), eine im Norden in Oia (✆ 7 14 65) und eine im Osten in Perissa (am Ortseingang). Es können nur Inhaber eines Internationalen Jugendherbergsausweises in den Herbergen übernachten. Sollte man seinen Ausweis nicht dabeihaben, ist es noch möglich, in Athen der *Greek Youth Hostels Association* (Dragatsaniou-Str. 4) beizutreten. Dort ist auch ein Verzeichnis der von dieser Organisation geleiteten Jugendherbergen erhältlich.

Bettwäsche, Verpflegung und eine warme Dusche sind im Übernachtungspreis nicht inbegriffen, sind jedoch vor Ort gegen einen Aufschlag zu bekommen. Gewöhnlich ist der Aufenthalt auf fünf Tage beschränkt, er kann aber nach Absprache verlängert werden.

Camping

Wildes Campen ist in Griechenland zum »Schutz von Landschaft und Umwelt« verboten, es sei denn, man fragt den Besitzer eines Stück Landes um Erlaubnis. Allerdings sollte man dann die Landessitten noch strenger respektieren und sich auch um die Beseitigung des Abfalls kümmern. Das gleiche gilt ebenfalls, wenn man doch einmal eine Nacht am Strand zelten will.

Auf Santorin gibt es vier schön gelegene Campingplätze: am Anfang des Ortes Kamari unter jungen Bäumen (Kamari Camping, ✆ 3 14 53); am Ortsende von Perissa, direkt am kilometerlangen Strand (Perissa Beach, ✆ 8 13 43); ein neu angelegter Platz östlich von Thira, aus Kamari kommend kurz vor Ortsbeginn (Santorini Camping, ✆ 2 32 03) und ebenfalls ein neuer bei Akrotiri (Hinweisschild bei der Bushaltestelle). Die Preise betragen jeweils etwa 6–8 DM pro Person und Zelt. Die Plätze bieten moderne sanitäre Einrichtungen mit kaltem/warmem Wasser sowie einfache Kochgelegenheit.

Ein aktualisiertes Campingplatz-Verzeichnis kann über die Griechische Zentrale für Fremdenverkehr (EOT) bezogen werden (s. S. 219).

ESSEN & TRINKEN

Restaurants und Cafés

Santorin verfügt über eine Vielzahl von Restaurants und Cafés. Die Variationsbreite reicht von einfachen Tavernen, die aber äußerst schmackhafte und noch dazu preiswerte Gerichte anbieten, bis zu eleganten Restaurants mit griechischer, französischer oder italienischer Küche. Man kann an der üblicherweise draußen angeschlagenen Speisekarte die Preise vergleichen und sich dabei an dem immer angebotenen griechischen Bauernsalat in etwa über die Preislage orientieren. Das Trinkgeld ist zwar meist im Preis inbegriffen, trotzdem ist es üblich, die Summe aufzurunden.

Die griechische Küche ist keine Feinschmeckerküche. Es wird wenig gewürzt, dafür relativ viel Öl verwendet, und die Vielfalt auf der Speisekarte ist meist nicht allzu groß. Allerdings gibt es zusätzlich immer noch besondere Tagesgerichte, die man sich vom Kellner aufzahlen lassen sollte. Meistens ist es auch möglich, sich die Gerichte direkt in der Küche anzusehen und auszuwählen. Auf diese Art kann man den eigenen Speiseplan immer wieder neu variieren.

Das Angebot für Mittag- und Abendessen ist in der Regel identisch, da die meisten Gerichte schon am Vormittag gekocht und dann warmgehalten werden; nur gebratene

Speisen werden erst nach der Bestellung zubereitet. In den Dorf-Tavernen bekommt man meist Kurzgebratenes wie Kotelett, Hackfleischbällchen, Fisch oder Omelett und gemischte Salate, da sich das Vorkochen nicht lohnt. Der Fisch ist aber auch hier nicht so billig, wie man es auf einer Insel erwarten würde, da die Fangquoten zurückgegangen sind (s. S. 152 f.).

In den Cafés und Snackbars werden neben dem Frühstück und diversen Getränken auch kleine Gerichte für zwischendurch wie unterschiedlich gefülltes Blätterteiggebäck, Toasts und verschiedene Salate angeboten. Das Frühstück hat sich inzwischen dem nordeuropäischen Standard angenähert, man bekommt zusätzlich zu frischem Weißbrot, Marmelade und Honig mittlerweile auch ein Ei, Wurst und Käse sowie Orangensaft.

In Thira findet man außerdem immer häufiger Imbißstände, an denen man u. a. kleine Fleischspießchen *(Suvláki)* oder eine Teigtasche mit Fleischstückchen *(Gyros-Pítta)* kaufen kann.

Eine wichtige Institution für die griechische Männerwelt ist das Kafenion. Fast in jeder freien Minute sitzen die Männer in ihrem Café, das mittels verschiedener Türfarben seine Zugehörigkeit zu einer bestimmten Partei signalisiert. Es wird hier nicht nur der obligatorische griechische Kaffee getrunken, Karten oder Tavli gespielt, sondern auch politisiert, Neuigkeiten werden diskutiert und sogar Geschäfte ins Rollen gebracht.

Supermärkte

Für Urlauber, die sich teilweise oder gänzlich selbst versorgen wollen, gibt es fast in jedem Ort inzwischen kleine Mini-Markets, sowie einige große Supermärkte in Thira, in Messaria, in Kamari, in Perissa und unterhalb von Exo Gonia, an der Straße nach Kamari. Dort bekommt man alle notwendigen Lebensmittel und Gebrauchsartikel. Auch für eine kleine Mahlzeit zwischendurch kann man dort sehr gut einkaufen; man erhält Brot, offenen Käse, Gemüse und Obst.

Kulinarisches Lexikon

Vorspeisen (Mezédes oder Orektiká)

Féta	Schafskäse
Dolmadákia	kalte, mit Reis gefüllte Weinblätter
Tzatzíki	Joghurt mit Gurke und Knoblauch
Taramosaláta	geräucherter Fischrogen
Melitzanosaláta	Auberginenpüree
Tiropitákia	Käseteigtasche
Spanakópitta	Spinatteigtasche
Eliés	Oliven
Fasólia	weiße Bohnen
Fáva	Kichererbsenbrei
Sardélles	Sardinen

Salate (Salátes)	
Choriátiki	Griechischer Bauernsalat
Domatosaláta	Tomatensalat
Angúria	Gurken
Angináres	Artischocken
Lachanosaláta	Krautsalat
Hauptgerichte	
Makarónia kimá	Nudeln mit Hackfleisch
Pastítsio	Nudel-Hackfleischauflauf
Mussakás	Auberginen-Hackfleischauflauf
Sutsukákia	Hackfleischbällchen mit Tomatensauce
Jemistés	gefüllte Tomaten oder Paprika
Kokinistó	geschmortes Fleisch mit Tomatensauce
Brisóles	Koteletts
Stifádo	Rindfleisch mit Zwiebeln
Keftédes	Hackfleischbällchen
Paidákia	Lammkoteletts
Moschári	Kalb
Vodinó	Rind
Chirinó	Schwein
Arní	Lamm
Katsikáki	junge Ziege
Kotópoulo	Brathuhn
Barboúnia	Rotbarben
Lithrínia	Barsche
Xifías	Schwertfisch
Glóssa	Seezunge
Astakós	Hummer
Garídes	Krabben
Kávouri	Krebse
Chtapódi	Krake
Kalamarákia	Kalmare
Mídia	Muscheln
Awgá mátia	Spiegeleier
Omelétta sambón	Schinkenomelett
Süßspeisen (Gliká)	
Pástes	sehr süße Kuchen mit einer Creme
Pagotó	Eiscreme
Lukumádes	eine Art Krapfen
Jaúrti	Joghurt

Verschiedenes

Psomí	Brot
Wútiro	Butter
Méli	Honig
Tirí	Käse
Ládi	Öl
Xídi	Essig
Aláti	Salz
Pipéri	Pfeffer
Mustárda	Senf
Sáchari	Zucker

Getränke

Neró	Wasser
Metallikó neró	Mineralwasser
Portokaláda	Orangenlimonade
Limonáda	Zitronenlimonade
Bíra	Bier
Krassí	Wein
Aspro krassí	Weißwein
Mávro (Kókkino) krassí	Rotwein
Retsína	geharzter Wein
Oúzo	Anisschnaps
Kafés	Kaffee
Kafés ellinikós	Griechischer Kaffee
Tsáï	Tee
Gála	Milch

Allgemeines

Kalí órexi	Guten Appetit
Já sas	Zum Wohl!
To logariasmó, parakaló	Die Rechnung, bitte

URLAUBSAKTIVITÄTEN

Ausflüge

Wer Santorin nicht auf eigene Faust erkunden möchte, dem werden zahlreiche organisierte Ausflüge mit dem Bus oder dem Boot angeboten. Sie dauern von zwei Stunden bis zu einem ganzen Tag und werden meist von einem einheimischen Reiseleiter begleitet.

Die meisten Veranstalter haben ihre Büros in Thira auf dem Hauptplatz oder in den Badeorten Kamari und Perissa. Inzwischen gibt es aber auch Niederlassungen in Messaria und Oia. Angeboten werden u. a. folgende Ausflüge:

... mit dem Bus

- Tages- und Halbtagestouren zu der minoischen Ausgrabungsstätte bei Akrotiri.
- Halbtagestour zur Kirche Panagia Episkopi, nach Pyrgos, zum Skaros-Felsen und anschließend zum Sonnenuntergang nach Oia.
- Halbtagesfahrt nach Alt-Thera, allerdings ohne Reiseleitung.
- Ein Abend im Dorf Exo Gonia (hier steht die größte Weinfabrik der Insel) mit griechischer Musik, Tänzen und natürlich viel einheimischem Wein.

... mit dem Esel

- Etwa siebenstündiger Ausritt über die Insel.

... mit dem Boot

Die meisten Bootsausflüge starten entweder vom alten Hafen in Thira oder vom Armeni-Hafen in Oia. Bei gleichzeitigem Bustransfer von den Hotels legen die Boote jedoch vom Hafen Athinios ab.

- Ganztagesrundfahrt um die Insel mit Stopp in Akrotiri, auf Nea Kameni und Paläa Kameni, auf Therasia und in Oia.
- Etwa sechsstündige Caldera-Rundfahrt mit Aufenthalt Nea Kameni, bei den heißen Quellen von Paläa Kameni und auf Therasia.
- Fahrt nach Nea Kameni und zu den heißen Quellen von Paläa Kameni, Dauer entweder zwei oder drei Stunden.
- Tagesfahrten auf die Nachbarinseln Anafi, Folegandros, Ios oder Sikinos.
- Zwei-Tagesfahrten nach Kreta oder auf die Inseln Ios, Paros oder Mykonos.

Baden und Tauchen

Santorin besitzt zwei große Strände, einen bei Kamari und einen bei Perissa. Hier gibt es Süßwasserduschen, Sonnenschirm- und Liegenverleih, und es wird eine organisierte Reinigung betrieben.

An der gesamten Ost- und Südküste wie auch im Norden bei Oia liegen weitere schöne Badebuchten, die allerdings weniger touristisch erschlossen sind. Fast allen gemeinsam ist der ungewöhnliche schwarze Vulkansand, der aber in der Mittagshitze sehr heiß werden kann. Ähnliches gilt für den Red Beach bei

Akrotiri mit seinem dunkelroten Sand; nur der White Beach, ebenfalls bei Akrotiri gelegen, hat – wie sein Name schon sagt – hellen, fast weißen Sand.

Die Strände fallen zunächst flach ins Meer ab, so daß man in Ufernähe weitgehend ungefährdet baden kann. Nur bei bestimmten Windverhältnissen können weiter draußen gefährliche Strömungen entstehen (s. S. 38). Man sollte auf jeden Fall entsprechende Warnungen der Einheimischen ernst nehmen. Nacktbaden und ›Oben ohne‹ ist an den Stränden offiziell verboten. An abgelegeneren Stellen wird es aber meist toleriert. Man sollte jedoch immer das Scham- und Ehrgefühl der Bewohner respektieren.

Das Tauchen mit Schnorchel und Taucherbrille ist an allen Stränden und Buchten erlaubt. In Kamari befindet sich inzwischen eine Tauchschule, die Kurse anbietet. Auskunft:

Diving Center Volcano
Kamari Santorini
✆ 3 31 77
E-Mail: iantdgr@athens.mbn.gr
Internet: www.scubagreece.gr

Surfen

Surfmöglichkeiten gibt es wiederum an den Stränden von Kamari und Perissa. Dort kann man auch Surfbretter leihen und an Surfkursen teilnehmen. Die besten Windverhältnisse bestehen allerdings am Strand von Monolithos.

Wandern

Man darf auf Santorin keine befestigten und ausgeschilderten Wanderwege erwarten. Aber selbst wenn man von den asphaltierten Straßen auf kleine Pfade abbiegt, besteht auf der Insel kaum Gefahr, sich zu verlaufen. Immer wieder sind markante Stellen zu erblicken, die als Orientierungshilfen dienen können.

Somit bietet das Wandern die beste Möglichkeit, die Ortschaften sowie die Tier- und Pflanzenwelt der Insel kennenzulernen. Vor allem im Frühjahr – wenn alles blüht, und sich die Insel in Ihren schönsten Farben zeigt – empfiehlt es sich, zu einer kleinen oder größeren Wanderung aufzubrechen (s. S. 198 ff.).

Gutes Schuhwerk, lange Hosen (wegen des dornigen Gestrüpps) und ein Sonnenschutz sind allerdings die Voraussetzung für einen angenehmen Ausflug. Verpflegung ist dagegen nicht unbedingt erforderlich, da man immer wieder die Gelegenheit hat, in eine kleine Taverne einzukehren.

KLEINER SPRACHFÜHRER

Man kommt auf Santorin in den meisten Fällen mit Englisch und zuweilen auch mit Deutsch gut zurecht. Trotz allem sollte man zumindest einige griechische Wörter und Redewendungen erlernen, schon als Zeichen der Wertschätzung des Gastlandes.

Die neugriechische Sprache ist verglichen mit dem Altgriechischen sehr viel einfacher, vor allem die Grammatik ist relativ leicht zu lernen. Die einzige Hürde bildet wohl die andere Schrift, aber ein wenig sind einem die Buchstaben ja aus der Mathematik bekannt.

Das wichtigste bei der Aussprache ist die richtige Betonung eines Wortes, da es sonst zu größeren Mißverständnissen kommen kann. *Miló* heißt z. B. »ich spreche«, aber *mílo* »der Apfel«; *póte* »wann«, aber *poté* »nie«. Die Akzentuierung eines Wortes sollte man sich also von vornherein beim Lernen auch besonders einprägen.

Die folgende Aufstellung des griechischen Alphabets und einiger gebräuchlicher Wörter soll nur einen Einblick in die Sprache geben, nicht etwa als vollständiger Sprachführer dienen.

Das griechische Alphabet

Groß-buch-stabe	Klein-buch-stabe	Name	Ausspracheregeln	Phonetische Umschrift
Α	α	alfa	kurzes a	a
Β	β	wita	w wie in wer	v, w
Γ	γ	gamma	weiches g,	g,
			aber vor e und i wie j	j
Δ	δ	delta	stimmhaftes englisches th wie in »that«	d, dh
Ε	ε	epsilon	kurzes e	e
Ζ	ζ	sita	stimmhaftes s wie in Rose	s, z
Η	η	ita	kurzes i wie in Ritt	i
Θ	ϑ	thita	stimmloses englisches th wie in »thing«	th
Ι	ι	jota	kurzes i,	i,
			vor Vokalen unbetont wie j in ja	j
Κ	κ	kapa	k ohne Behauchung	k
Λ	λ	lamda	l	l

Μ	μ	mi	m	m
Ν	ν	ni	n	n
Ξ	ξ	ksi	x wie in Hexe	x
Ο	ο	omikron	kurzes o wie in oft	o
Π	π	pi	p ohne Behauchung	p
Ρ	ρ	ro	Zungenspitzen-r wie im Italienischen	r
Σ	σ	sigma	stimmloses s wie Wasser	s, ss
Τ	τ	taf	t ohne Behauchung	t
Υ	υ	ipsilon	kurzes i	i
Φ	φ	fi	f	f, ph
Χ	χ	chi	vor e und i wie ch in ich, vor a, o, u wie ch in Bach	ch
Ψ	ψ	psi	ps wie in Psalm	ps
Ω	ω	omega	o wie in oft	o

Buchstabenkombinationen

ΑΙ	αι	e wie in Brett	e, ä
ΑΥ	αυ	af vor stimmlosen Konsonaten, aw vor Vokalen	af, aw
ΓΓ	γγ	ng wie in singen	ng
ΕΙ	ει	langes i	i
ΕΥ	ευ	ef vor stimmlosen Konsonanten, ew vor Vokalen	ef, ew
ΜΠ	μπ	b am Wortanfang, mb im Wortinnern	b, mb
ΝΤ	ντ	d am Wortanfang, nd im Wortinnern	d, nd
ΟΙ	οι	langes i	i
ΟΥ	ου	langes u	u, ou

Wichtige griechische Worte und Redewendungen

Allgemeines

Guten Morgen/Tag (bis etwa 17 Uhr)	kaliméra
Guten Abend	kalispéra
Gute Nacht	kaliníchta
Hallo (per du)	já su

Hallo (per Sie oder mehrere)	já sas
Seien Sie gegrüßt	chérete
Tschüß	adío
Verzeihung	signómi
Macht nichts	den pirási
Bitte/Danke	parakaló/efcharistó
ja/nein	nä/óchi
In Ordnung, o.k.	entáxi
nichts	típota
gut/schlecht	kaló/kakó
viel/wenig	polí/lígo
groß/klein	megálos/mikrós
links/rechts	aristerá/dexiá
geradeaus	efthían
schnell/langsam	tachéos/sigá
oben/unten	epáno/káto
wann?	póte?
warum?	jatí?
wie?	pos?
wo?	pu?
wohin?	ja pu?
Wo ist ...?	pu íne ...?
Ist das der Weg nach ...?	aftós íne o drómos ja ...?
Wie geht es Ihnen?	ti kánate?
Sehr gut!	polí kalá!
Ich verstehe nicht	then katalawéno
Ich habe nicht verstanden	then katálawa
Sprechen Sie deutsch?	miláte jermaniká?
Wie heißt das?	pos to léne aftó?
Ich möchte	thélo
Ich suche eine ...	thélo na wro énna ...
Wieviel kostet das?	póso kostísi aftó?

Bank, Post, Arzt, Reisen

Bank/Geldwechsel	trápesa/sinállagma
Post/Briefmarken	tachidromío/grammatósima
Arzt/Krankenhaus	jatrós/nosokomío
Apotheke/Hilfe	farmakío/voíthia
Bahnhof (Station)/Zug	stathmós/tréno
Hafen/Schiff	limáni/plío
Flughafen/Flugzeug	aerodrómio/aeropláno
Fahrkarte/Schaffner	issitírio/ispráktoras
Bus/Taxi	leoforío/taxí
Fahrrad/Motorrad	podílato/motosiklétta

Zeit

Morgen/Mittag	proí/mesiméri
Abend/Nacht	wrádi/níchta
gestern	chtes
heute	símera
morgen	ávrio
früh/spät	enorís/argá
Minute/Stunde	leptó/óra
Tag/Woche	méra/ewdomáda
Monat/Jahr	mínas/chrónos
Wie spät ist es?	ti óra íne?

Wochentage

Montag	theftéra
Dienstag	tríti
Mittwoch	tetárti
Donnerstag	pémpti
Freitag	paraskeví
Samstag	sávvato
Sonntag	kiriakí

Zahlen

1	éna, mía, énas	14	dekatéssera	101	ekatón éna
2	dío	15	dekapénde	200	diakósia
3	tría		usw.	300	triakósia
4	téssera	20	íkosi	400	tetrakósia
5	pénde	21	íkosi éna	500	pentakósia
6	éxi	30	triánda	600	exakósia
7	eftá	40	saránda	700	eptakósia
8	ochtó	50	penínda	800	ochtakósia
9	eniá	60	exínda	900	eniakósia
10	déka	70	evdomínda	1 000	chília
11	éndeka	80	ogdónda	2 000	dío chiliádes
12	dódeka	90	enenínda	10 000	déka chiliádes
13	dekatría	100	ekatón	1 Mio.	éna ekatomírio

REISEINFORMATIONEN VON A BIS Z

Auskunftsbüros

Griechische Zentrale für Fremdenverkehr (EOT)
Athen, Karageorgi Servias 2
✆ 01/3 22 25 45

EOT-Büros:
Stadiou 1, Athen,
Syntagma-Platz, ✆ 01/3 22 31 11-9
Flughafen Athen,
Ost-Terminal, ✆ 01/9 61 27 22
Piräus, Zea-Hafen,
✆ 01/4 13 57 16
Oia, Santorin,
✆ 02 86/7 12 34

Büro der Olympic Airways
Thira, Santorin, ✆ 2 24 93, 2 27 93

Diebstahl

Das Problem, bestohlen zu werden, gibt es in Griechenland eigentlich nicht. Man kann seine Tasche oder den Koffer auch unbeaufsichtigt stehenlassen. Und selbst wenn man einmal etwas im Restaurant oder Museum vergißt, wird man es später dort wiederfinden. Trotz allem sollte man seinen Geldbeutel oder andere Wertsachen im Auge behalten, da sich ja nicht nur Einheimische auf der Insel befinden. Einen Diebstahl sollte man auf jeden Fall bei der Polizei anzeigen, schon um den Erstattungsanspruch einer Versicherung nicht zu verlieren.

Es ist ratsam, vor Antritt der Reise von den wichtigsten Papieren wie zum Beispiel Personalausweis, Flugticket etc. eine Kopie anzufertigen. Bei einem etwaigen Verlust kann die Beschaffung eines Ersatzes in der Botschaft des Heimatlandes dann zügiger abgewickelt werden. Es empfiehlt sich überdies auch, nie sehr viel Bargeld oder größere Wertsachen mit sich herumzutragen, sondern sie z. B. im Hotel-Safe zu deponieren.

Diplomatische Vertretungen

... der Bundesrepublik Deutschland
Botschaft der BRD
Odós Karaóli-Dimítriou 3
10675 Athen
✆ 01/7 28 51 11

... Österreichs
Botschaft von Österreich
Alexandras 26, 10683 Athen
✆ 01/8 21 10 36

... der Schweiz
Botschaft der Schweiz
Iassiou 2, 11521 Athen
✆ 01/7 23 03 64

Elektrizität

Die Stromspannung beträgt überall 220 Volt. Allerdings sollte man darauf achten, daß sich an den Geräten (Föhn, Rasierapparat etc.) zweipolige Flachstecker befinden. Für Schukostecker benötigt man in den meisten Fällen einen Adapter.

Ermäßigungen

Die Inhaber eines Internationalen Studentenausweises erhalten auf die Eintrittspreise von staatlichen Museen und archäologischen Stätten eine Ermäßigung von etwa 20%. Ausländischen Studenten der Archäologie und Kunstgeschichte wird bei Vorlage von entsprechenden Papiere sogar bis zu 50% Ermäßigung gewährt.

Feiertage und Feste

Feiertage

An den offiziellen Feiertagen sind die meisten Geschäfte sowie alle Büros und staatlichen Museen geschlossen.

1. Januar: Neujahrstag, Fest des hl. Vassilis (Weihnachtsmann, der die Geschenke bringt)
6. Januar: Dreikönigsfest
25. März: Nationalfeiertag, Beginn des Freiheitskampfes gegen die Türken 1821, Mariä Verkündigung
1. Mai: Tag der Arbeit, Frühlingsfest
15. August: Mariä Entschlafung, entspricht Mariä Himmelfahrt
28. Oktober: Ochi-Tag (»Nein«-Tag); die griechische Regierung weigerte sich 1940, einem Ultimatum Mussolinis nachzugeben. Daraufhin marschierten die Italiener in Griechenland ein, und für die Griechen begann der Zweite Weltkrieg.
25./26. Dezember: Weihnachten, Geschenke gibt es allerdings erst am Neujahrstag

Bewegliche Feiertage

Sauberer Montag (Rosenmontag), 7 Wochen vor dem orthodoxen Osterfest, Ende des Karnevals, Beginn der Fastenzeit
Orthodoxes Osterfest, fällt nicht mit dem Ostern der Westkirche zusammen, da es nach dem Julianischen Kalender berechnet wird; Ostersonntag: 11. 4. 1999, 30. 4. 2000, 15. 4. 2001, 5. 5. 2002
Pfingsten, 50 Tage nach dem Osterfest

Kirchweihfeste

Von den vielen Festen für die ungezählten Heiligen werden hier nur die wichtigsten aufgelistet. Wenn man die Gelegenheit hat, an einem dieser Feste teilzunehmen, sollte man nicht zögern, dies zu tun. Dabei erhält man nicht nur einen Einblick in einen orthodoxen Gottesdienst, sondern erlebt auch die echte Gastfreundschaft der Griechen.
2. Februar: Mariä Reinigung in Oia
5. Mai: Hl. Irene, vor allem auf Therasia und in allen ihr geweihten Kirchen auf Thera
9. Mai: Hl. Christopheros in Pyrgos
29. Mai: Hl. Epiphanios in Akrotiri
24. Juni: Geburt Johannes des Täufers, in mehreren Kirchen auf Thera
20. Juli: Hl. Elias auf dem Berg Profitis Elias
15. August: Mariä Entschlafung, vor allem in der Panagia Episkopi
29. August: desgl. in der Stavroskirche in Perissa
14. September: desgl. in der Stavroskirche in Perissa
24. September: Panagia Myrtidiotissa in Kamari
20. Oktober: Hl. Artemios in Vourvoulos
26. Oktober: Hl. Demetrius in Messaria
6. Dezember: Hl. Nikolaus, in verschiedenen Kirchen auf Thera

Volksfeste/Festivals
Mitte August wird in Thira ein Volksfest veranstaltet unter dem Namen ›Vulkane‹, das mit einem großen Feuerwerk den Vulkan- Ausbruch symbolisieren soll.
Anfang September findet im Kongreßzentrum in Thira ein internationales Musikfestival statt, an dem Künstler aus aller Welt teilnehmen.

Fotografieren

Santorin erweist sich wie alle griechischen Inseln als ideal für die Motivsuche. Allerdings ist es aufgrund des grellen Lichtes und der starken Kontraste nicht so einfach, wirklich schöne Bilder zu machen. Daher empfiehlt es sich, bei farbigen Bildern einen Pol-Filter zu benutzen und bei Schwarzweiß-Aufnahmen zumindest ein Gelb-Filter, wenn nicht sogar Orange- oder Rot-Filter vor das Objektiv zu schrauben.

Es gibt in Thira mehrere Geschäfte, die Filme und Kamerazubehör anbieten. Sie sind jedoch meist teurer als bei uns, so daß es sich lohnt, genügend Material von zu Hause mitzubringen.

Das Fotografieren ist nur bei den Militäranlagen auf dem Profitis Elias und am Flughafen verboten. In der archäologischen Stätte von Akrotiri und in den Museen ist es auf Anfrage ohne Blitz (!, Filmempfindlichkeit beachten) gestattet. Möchte man Menschen fotografieren, sollte man vorher unbedingt deren Einverständnis (zur Not mit Zeichensprache) einholen.

Geld und Geldwechsel

Die griechische Währung ist die Drachme (Dr.). Es gibt Münzen im Wert von 5, 10, 20, 50 und 100 Drachmen sowie Scheine zu 100, 200, 500, 1000, 5000 und 10 000 Drachmen.

Größere Beträge lohnen sich eher im Land selbst umzutauschen, da der Kurs dort meist günstiger ist. (Wechselkurs in Deutschland, Stand Dez. 1999: 1 DM = 151 Drachmen.) Der Wechselkurs ist bei allen Banken auf Santorin gleich. Es gibt drei Banken, die sich alle in Thira in der Nähe der Busstation befinden. Sie sind von Montag bis Donnerstag jeweils von 8–14 Uhr geöffnet und am Freitag von 8–13.30 Uhr. Vor der National Bank gibt es außerdem einen Scheckkarten-Automaten für Euroscheck- und Kreditkarten ebenso wie einen Automaten für den Wechsel von ausländischen Geldscheinen. Man kann auch auf Postämtern und in einigen Touristikbüros Geld tauschen. Beim Umtausch sollte man daran denken, daß man überall seinen Personalausweis oder Paß vorlegen muß.

Euroschecks werden in allen Banken und Postämtern angenommen und sind zudem ein sicheres Zahlungsmittel. Der Höchstbetrag pro Scheck liegt derzeit bei 100 000 Drachmen. Kreditkarten (wie Eurocard, Masters, Visa, American Express) werden auf Santorin in vielen Souvenir-Läden (besonders in den Goldläden) und in größeren Hotels akzeptiert. Als einziges Zahlungsmittel sind sie aber immer noch nicht ausreichend.

Gesundheit

Regelmäßig benötigte Medikamente sollte man von zu Hause mitbringen. Zusätzlich ist es ratsam, auch die Beipackzettel von den Medikamenten mitzunehmen und getrennt von diesen aufzubewahren. Bei etwaigem Verlust kann der Apotheker daraus die genaue Zusammensetzung entnehmen. Es empfiehlt sich außerdem, vor der Reise noch einmal den Hausarzt und vor allem den Zahnarzt aufzusuchen, um unnötige Komplikationen zu vermeiden.

Im Notfall ist aber auch auf Santorin ärztliche Hilfe zu bekommen. Es gibt inzwischen ein Krankenhaus an der Straße von Thira nach Messaria (✆ 2 22 37 und 2 51 23) sowie mehrere Arztpraxen auch in den kleineren Orten (s. dort unter den praktischen Hinweisen) und auf Therasia. Eine größere Zahnarztpraxis befindet sich in Thira beim Krankenhaus. Gewöhnlich liegen die Sprechstunden zwischen 8 und 11 Uhr sowie zwischen 17 und 19 Uhr.

Trotz des Anspruchsausweises E 111 muß man damit rechnen, daß die Behandlung zunächst in bar bezahlt werden muß. Gegen die Vorlage einer entsprechenden Quittung werden die Auslagen nach der Rückkehr ins Heimatland aber erstattet. Dasselbe gilt auch für den Kauf von Medikamenten auf Rezept. Diese sind allerdings oft sehr viel preiswerter als in Deutschland.

Die Apotheken sind recht gut sortiert, und bei kleineren ›Leiden‹ kann einem der Apotheker meist schnell und gut helfen. Es gibt mehrere Apotheken in Thira und vielen anderen Orten auf Santorin. Im Bedarfsfall weist einem jeder Taxifahrer sowie der Hotelier oder Restaurantbesitzer den Weg.

Kino

Auf Santorin gibt es ein Open-air-Kino: in Kamari ist es neben dem Campingplatz zu finden. Es zeigt in der Hauptsaison drei- bis viermal pro Woche abends ab 21.30 Uhr einen Film. Meistens handelt es sich um amerikanische Filme mit griechischen Untertiteln.

Kirchenbesuche

Möchte man eine der vielen Kirchen oder Kapellen auf der Insel besichtigen, sind zwei Dinge zu beachten. Zum einen sind die Kirchen außerhalb der Gottesdienste meist geschlossen, da in den letzten Jahren viele wertvolle Ikonen und andere Gegenstände gestohlen wurden. Daher muß man sich einen Schlüssel beim Priester oder dem Schlüsselverwalter, meist einer Person aus der Nachbarschaft, besorgen.

Zum anderen sollte man angemessen gekleidet sein, um nicht die Würde der anderen Kirchenbesucher zu verletzen. Das heißt, man sollte nicht in kurzen Hosen oder mit nackten Armen erscheinen.

Ansonsten braucht man sich nicht zu scheuen, während einer Messe eine Kirche zu betreten. Da die Gottesdienste sehr lange dauern und es meist nur eine begrenzte Anzahl von Sitzplätzen gibt, ist es auch für einen Griechen durchaus üblich, nur eine gewisse Zeit dabeizubleiben.

Wird die Kirche extra für den Besucher aufgeschlossen, sollte man sich mit einer kleinen Spende dafür bedanken.

Kiosk

Der Kiosk ist in Griechenland eine der wichtigsten Einrichtungen. Man kann an ihm nicht nur die verschiedensten Dinge kaufen wie etwa Zigaretten und Streichhölzer, Zeitungen, Hygieneartikel und Kondome, Kaffee und Süßigkeiten, Glühbirnen und vieles mehr, sondern man kann meist von hier aus auch ins Ausland telefonieren.

Dies ist vor allem deshalb sehr nützlich, weil der Kiosk keine festgesetzten Ladenschlußzeiten hat und so in der Regel von frühmorgens bis spätabends geöffnet ist. Außerdem findet man wohl kaum einen besseren Informanten als den Inhaber, der über alles und jeden in der Gegend Bescheid weiß.

Museen

Thira
Archäologisches Museum, schräg gegenüber der Seilbahn-Bergstation; Di–So 8.30–15 Uhr. Interessante Keramikfunde von Alt-Thera aus der Sammlung Friedrich Hiller von Gaertringens.
Ghyzi-Museum, im Katholischen Viertel; Mo–Sa 10.30–13.30 und 17–20 Uhr, So 10.30–16.30 Uhr. Das Museum gewährt anhand von Dokumenten und Bildern Einblicke in das Leben auf Santorin zwischen dem 16. und 19. Jh.

Oia
Schiffahrtsmuseum; in einer Parallelgasse zur Hauptgasse. Mi–Mo 12.30–16 Uhr und 17–20.30 Uhr. Dokumentation der einheimischen Seefahrt des 19. Jh.

Akrotiri
Minoische Ausgrabungsstätte; an der Endstation der Buslinie nach Akrotiri. Di–So 8.30–15 Uhr. Minoische Stadt aus früh- und mittelkykladischer Zeit, die durch einen Vulkanausbruch um 1600 v. Chr. zerstört wurde.

Messaria
Archontiko Argyrou Museum, nahe der Kirche des. hl. Demetrius, tgl. 10–19 Uhr. Stündlich findet eine sehr interessante Führung statt. Einblick in den Lebensstil des 19. Jh. und in das kulturelle Erbe Griechenlands.

Kontochori
Völkerkundliches Museum Lygnou, bei der Ortskirche; tgl. 18–20 Uhr, Eintritt frei. Alte Handwerksstätten in einer Höhlenwohnung, Archiv, Bilder und Bücher von Santorin.

Öffnungszeiten

Die Öffnungszeiten der griechischen Geschäfte sind recht kompliziert. Für gewöhnlich haben die Läden aber montags bis samstags von 8–13.30 Uhr geöffnet und an verschiedenen Wochentagen (außer am Samstag) noch einmal von 17–20.30 Uhr. Welche Tage das sind, erfragt man im Einzelfall am besten.

Die Souvenir-Geschäfte in Thira, Kamari und Perissa sind aber in der Regel jeden Nachmittag geöffnet. An den nationalen Feiertagen bleiben alle Geschäfte und Dienstleistungsunternehmen geschlossen (s. Feiertage und Feste S. 236).

Polizei

Die Polizeistation befindet sich in Thira in der Straße I. Dekigala (Richtung Monolithos), ✆ 22649. Bei allen Diebstahlsdelikten, bei Unfällen oder in anderen Notfällen sowie bei Beschwerden sollte man sich an sie wenden. Man kann seine Anliegen in Englisch vorbringen.

Post

Post und Telefon sind getrennte Einrichtungen. Die Hauptpost befindet sich in Thira Thira gegenüber der Polizeistation. Sie hat Mo–Fr von 8–14 Uhr geöffnet. Kleine Postämter gibt es auch in Pyrgos und Oia sowie in Emborio. Briefe und Karten nach Deutschland, Österreich und in die Schweiz kosten 140 Drs. Sie werden grundsätzlich per Luftpost verschickt. Die Laufzeit beträgt zwischen vier und sieben Tage. Möchte man sich seine Post postlagernd schicken lassen, sollte sie immer die Aufschrift »post-restánt« tragen.

Man kann auf der Post auch Euroschecks einlösen und Geld umtauschen.

Seilbahn

Die Seilbahn auf Santorin ist die einzige überirdische Kabelseilbahn Griechenlands. Sie führt vom alten Hafen von Thira hinauf in die Hauptstadt. Für diese Strecke benötigt sie etwa zwei Minuten, wobei sie ca. 230 Höhenmeter überwindet. In Spitzenzeiten befördert sie bis zu 800 Passagiere in der Stunde. Sie fährt jeden Tag, wenn es die Windverhältnisse zulassen, von 6.20–22 Uhr alle 20 Minuten.

Souvenirs

Es gibt eine Vielzahl von Geschäften auf Santorin, besonders in Thira, die Souvenirs für jeden Geschmack und in jeder Preislage anbieten. Typisch für Griechenland sind u. a. verschiedengestaltete Komboloi (ehemalige Gebetsketten), neue Ikonen, Keramiken, Kassetten und Schallplatten mit griechischer Musik sowie gewebte und gestrickte Textilien. Speziell für Santorin sind besonders zu erwähnen die heimischen Weine, auf Holz gemalte Abbildungen der Fresken von Akrotiri, Nachbildungen kykladischer Skulpturen aus Keramik oder – besonders schön – aus Bimsstein, selbstgewebte Teppiche, gestickte Decken, diverse Artikel aus Leder und natürlich Schmuck, vor allem Goldschmuck in allen Variationen. Darunter gibt es auch schöne Kopien antiker Stücke. Man sollte sich beim Einkaufsbummel Zeit lassen, einige Stücke und deren Preise in Ruhe vergleichen und sich dann von seinem eigenen Geschmack leiten lassen.

Tankstellen

Es gibt zur Zeit sieben Tankstellen auf Santorin: zwei am Ortsende von Thira, an den Straßen, die nach Karterados bzw. nach Athinios führen; bei Kamari, 500 m vor der Straße von Messaria zum Flughafen; unterhalb von Pyrgos, an der Kreuzung der Straßen nach Athinios, Thira und Perissa; an der Straße nach Akrotiri und an der Straße nach Emborio sowie in Emborio selbst. Alle haben täglich geöffnet.

Telefonieren

Für Telefon und Telegramme ist in Griechenland das OTE *(Organismós Tilepikinoníon Elládos)* zuständig. Ein Büro befindet sich in Thira im neuen Einkaufszentrum kurz vor der Ypapanti-Kathedrale. In Kamari wird demnächst eine kleine Zweigstelle am Ortsanfang eingerichtet. Geöffnet ist das OTE wochentags von 8–14.30 Uhr. Die Einheit für ein Ferngespräch beträgt etwa 60 Drs.

Die Vorwahl für Auslandsgespräche ist: nach Deutschland 00 49, nach Österreich 00 43 und in die Schweiz 00 37; anschließend entfällt bei der Vorwahl der jeweiligen Stadt die 0. Die Vorwahl von Santorin lautet 02 86. Die einzelnen Gemeindevertretungen haben folgende Nummern: Thira 2 22 31, Oia 7 12 28, Pyrgos 3 12 26, Kamari 3 14 51 und Emborio 8 13 33.

Am Nachmittag und Abend kann man auch von einem der Kioske aus (s. Kiosk) für den gleichen Preis telefonieren. Es gibt inzwischen aber auch sehr viele öffentliche Telefonzellen, die allerdings nur mit Telefonkarte bedient werden können. Diese gibt es beim OTE oder in einigen Andenkenläden in Thira sowie in den Supermärkten. In den Hotels und Restaurants ist die Telefoneinheit teurer.

Zeit

In Griechenland gilt die osteuropäische Zeit (OEZ), die unserer Zeit um eine Stunde voraus ist. Das heißt, bei der Einreise muß man die Uhr um eine Stunde vorstellen und bei der Ausreise wieder um eine Stunde zurückdrehen. Die Sommerzeit beginnt und endet europaweit zu den gleichen Terminen im März und im September.

Zeitungen

In Santorin erhält man ca. zehn bis 15 nationale Tageszeitungen aus Athen, u. a. auch die englischsprachige Tageszeitung »The Athens News«. Unter den internationalen Zeitungen und Zeitschriften findet man auch deutschsprachige. Sie treffen etwa ein bis zwei Tage nach ihrem Erscheinen ein und sind verständlicherweise teurer. Das muß man aber in Kauf nehmen, da es sich wegen der langen Transportzeit nicht lohnt, seine eigene Zeitung nachsenden zu lassen.

REGISTER

Personen und Sachen

Orte

DUMONT REISE-TASCHENBÜCHER

»Was den DUMONT-Leuten gelungen ist: Trotz der Kürze steckt in diesen Büchern genügend Würze. Immer wieder sind unerwartete Informationen zu finden, nicht trocken eingestreut, sondern lebhaft geschrieben... Diese Mischung aus journalistisch aufgearbeiteten Hintergrundinformationen, Erzählung und die ungewöhnlichen Blickwinkel, die nicht nur bei den Farb- und Schwarzweißfotos gewählt wurden – diese Mischung macht's. Eine sympathische Reiseführer-Reihe.«

Südwestfunk

»Zur Konzeption der Reise-Taschenbücher gehören zahlreiche, lebendig beschriebene Exkurse im allgemeinen landeskundlichen Teil wie im praktischen Reiseteil. Diese Exkurse vertiefen zentrale Themen der Geschichte, Kunst und des sozialen Lebens und sollen so zu einem abgerundeten Verständnis des Reiselandes führen.«

Main Echo

Weitere Informationen über die Titel der Reihe DUMONT Reise-Taschenbücher erhalten Sie bei Ihrem Buchhändler oder beim DUMONT Buchverlag • Postfach 10 10 45 • 50450 Köln
http://www.dumontverlag.de